클라우스 슈밥의
제4차 산업혁명
THE
NEXT
더 넥스트

클라우스 슈밥의
제4차 산업혁명

THE
NEXT
더 넥스트

클라우스 슈밥 지음 | 김민주·이엽 옮김

메가스터디BOOKS

용어 설명

거버넌스governance

해당 분야의 업무를 관리하기 위해 정치·경제 및 행정적 권한을 행사하는 국정 관리 체계를 의미. 사회 내 다양한 기관이 자율성을 지니면서 함께 운영에 참여하는 변화 통치 방식으로, 다양한 행위자가 통치에 참여·협력하는 점을 강조해 '협치'라는 의미로도 쓰인다. 오늘날의 행정이 시장화, 분권화, 네트워크화, 기업화, 국제화를 지향하고 있기 때문에 기존의 행정 이외에 민간 부문과 시민사회를 포함하는 다양한 구성원 사이의 네트워크를 강조한다는 점에서 자주 사용되는 용어다.

이해관계자, 이해당사자Stakeholder

조직(기업, 행정단체 등 모두 포함)의 활동에 직·간접적인 이해관계를 갖는 사람이나 집단을 의미. 기업의 소비자, 기업에 융자를 준 금융기관, 물건을 납품하는 공급자, 같은 업종의 경쟁사, 기업 직원과 그 가족, 기업(공장, 매장 등)이 위치한 지역의 지역 주민 등 다양한 사람들이 포함된다.

프레임워크framework

문제 해결을 위해 사용하는 기본 개념 구조. 이 책에서는 주로 연구, 전략 수립, 마케팅, 운영, 조직 개발 등 기업 및 기관 활동을 효율화하기 위한 전략 틀을 뜻한다.

한국의 독자들에게

우리 모두가 함께 만드는 4차 산업혁명의 시대를 조망하는 나의 새로운 책을 한국의 독자 여러분께 소개하게 되어 매우 기쁘게 생각합니다. 아울러 첫 번째 책인 《클라우스 슈밥의 제4차 산업혁명》에 보여준 압도적인 반응에 깊은 감사의 뜻을 전합니다.

한국의 대중을 비롯해 비즈니스 리더들과 정치인들이 4차 산업혁명의 개념을 받아들여 미래를 준비하는 데 추진력으로 활용한 것에 매우 깊은 감명을 받았고 또한 영광이라고 생각합니다. 세계를 변화시키는 기술과 사회 시스템의 관계를 보다 깊게 분석함으로써 첫 번째 책을 보완한 이 책 역시 한국에서 좋은 반응을 얻길 기대합니다.

오늘날과는 근본적으로 다를 미래를 위해 경제를 혁신하고 준비하는 한국의 의지와 노력은 기술이 기회, 후생, 지역 사회의 관계, 그리고 개인의 정체성에 어떤 영향을 끼칠지에 촉각을 세우는 다른 국가들에게 모범으로 꼽힐 만합니다. 하지만 이 책에서 볼 수 있듯이, 긍정적인 미래를 만들기 위해서 한국의 모든 이해관계자들은 오늘날 우리가 만드는 시스템을 물려받을 다음 세대를 염두에 두며 사회 전반에 신뢰와 낙관주의가 자연스레 심어질 수 있도록 반드시 협력해야 할 것입니다.

나는 한국이 기술적인 리더의 역할을 수행할 뿐만 아니라 지혜, 통찰력, 확고한 의지, 공동체 정신으로 무장해 어려운 문제에 도전하기를 두려워하지 않는 나라의 모범이 되어 다른 국가들에게 계속해서 영감을 줄 것이라 믿어 의심치 않습니다.

Klaus Schwab

사람 중심의 4차 산업혁명 시대를 꿈꾸며

장병규, 대통령직속 4차산업혁명위원회 위원장

2016년 세계경제포럼에서 4차 산업혁명이 논의된 이후, 4차 산업혁명이라는 단어는 일반적인 상식용어가 되었다. 이제 입시나 취업을 준비하는 사람들은 물론 가정주부, 어린 학생들까지 4차 산업혁명을 언급한다. 그러나 대부분의 경우, 인공지능, 빅데이터, 로봇 등 특정 기술에 대한 단편적인 이야기이거나, 일자리 소멸과 같은 극단적인 이야기로 끝나곤 한다. 과연 4차 산업혁명이란 무엇이며, 4차 산업혁명을 준비한다는 것은 무엇을 의미할까? 우리나라 4차 산업혁명 시대를 이끌고 있는 대통령직속 위원회의 위원장으로서 고민이 커질 수밖에 없다.

2016년 발간된 《클라우스 슈밥의 4차 산업혁명》의 후속판 성격인 이 책은 총괄적인 관점에서 우리의 상황을 다시 한 번 들여다보는 거울 역할을 해준다. 나는 4차산업혁명위원장에 취임하면서 모든 정책과 변화는 기본적으로 '사람'이 함께 사는 데 방점이 있어야 한다고 강조했다. 이 책 역시 4차 산업혁명이 사람 중심의 산업혁명이 되어야 한다고 강조하며, 이를 위해서는 가치 기반의 접근 방식이 중요하다고 말하고 있다. 즉 기술이 미래를 결정하도록 방임하는 것이 아니라, 인간이 공공의 선(善)이라는 가치에 기반하여 의도를 가지고 기술을 개발해야 한다는 것이다. 기술개발의 궁극적인 목적은 언제나 '사람'이어야 한다는 나의 신념을 이 책을 통해 다시 한번 확신할 수 있었다.

사람 중심의 산업혁명을 추진한다는 것은 개인과 공동체의 권리를 강화하고, 세상을 바꾸는 힘과 의미를 부여한다는 것이다. 이를 위해서는 지금까지와는 다른 협력적이고 의지가 있는 집단적인 리더십이 매우 중요해진다. 이 책은 4차 산업혁명시대의 새로운 형태의 리더십을 '시스템 리더십'이라고 말한다. '시스템 리더십'이란 변화를 위한 공동의 비전을 함양하고, 글로벌 사회의 모든 이해관계자와 협력하며, 더 나은 미래를 위한 변화를 이끌어내는 원동력이다. 시스템 리더십은 권력을 가진 소수의 일방적인 조정을 지양하며, 상호 신뢰와 협력의 맥락에서 모든 시민들의 권리를 강화한다. 즉 일방적인 톱다운top-down 형식의 리더십이 아닌, 다양한 당사자들이 주도하는 소통과 협력의 거버넌스 형태라 할 수 있다. 이제 기술의 거버넌스 문제가 정부에만 국한되던 시대는 끝났다. 문제의 집단적 해결이 필수적인 4차 산업혁명 시대에는 모든 사람이 시스템 리더가 될 책임이 있다.

4차산업혁명위원회도 이러한 새로운 협력적 거버넌스 모델을 만들기 위해 노력하고 있다. 현재 4차산업혁명위원회는 새로운 사회적 합의 모델로써 '규제·제도혁신 해커톤'을 추진하고 있는데, 이 책이 그 필요성과 배경을 잘 설명해주고 있다. '규제·제도혁신 해커톤'은 빠른 사회 변화가 필요한 영역에 관하여 이해관계자들이 모여 상호 이해와 신뢰를 쌓는 집중 토론을 하고 사회적 합의를 이뤄가는 과정이다. 처음 이 아이디어를 냈을 때, 대부분 사람들은 유용하지 않은 시도라며 반대했었다. 그러나 직접 경험한 참여자들은 이 새로운 방식에 대한 확신을 표현한다. 더 많은 사람들이 여기에 능동적으로 동참한다면, 우리 사회 전반에 사회적 신뢰가 쌓이고 국민을 위한 4차 산업혁명을 만들어갈 수 있을 거라 믿는다.

지금까지 우리는 초연결hyper-connected, 빅데이터, 인공지능 등에 기반한 지능화 혁명에 집중해왔다. 4차 산업혁명 대응에 다소 늦었기에 빠른 성과를 낼 수 있는 분야에 우선 집중한 것이다. 그러나 이 책에서 설명하듯이 4차 산업혁명의 개별 기술은 훨씬 다양하며, 기술 자체만이 아니라 이들 기술이 연결되어 나타나는 시스템 차원의 접근이 중요하다. 책에서는 '줌인, 줌아웃zoom-in, zoom-out 전략'이라는 용어를 사용하고 있는데, 기술의 잠재적 파괴력을 이해하는 것과 함께 각 기술을 연결하는 패턴과 이러한 패턴이 우리에게 미칠 전체적인 영향을 함께 봐야 한다는 것이다. 4차산업혁명위원회가 보다 넓은 범위에서 더 적극적인 역할을 수행해야겠다는 목표가 생긴다.

이 책은 '사람 중심의 4차 산업혁명'이라는 대전제 아래, 개별 핵심 기술들의 잠재력과 위협요인을 깊이 있게 설명하면서도 시스템적 관점에서 전체를 연결해볼 수 있도록 도와준다. 우리의 더 나은 미래를 원한다면 기술이 사회에 미치는 영향과 파급 효과에 대한 논의들에 무관심해서는 안 된다. 이 책이 4차산업혁명위원회를 이끄는 나에게 거울이 되었듯이, 독자 여러분들에게도 기술, 사회, 경제 전반의 변화에 대해 미시적이고도 총괄적인 관점에서 4차 산업혁명을 조망할 수 있는 기회를 제공하길 기대한다.

제로섬 사고방식의 탈피

사티아 나델라Satya Nadella, 마이크로소프트 CEO

세계경제포럼과 창립자인 클라우스 슈밥 회장은 통찰력 있는 포럼 개최와 출판을 통해 4차 산업혁명의 기회와 도전을 조망해왔다. 우리의 손에 달려 있는 4차 산업혁명 기술의 진화를 통해 우리는 제로섬 사고방식에 맞서야 한다.

데이터가 대용량 컴퓨팅 저장 능력 및 인지 능력과 결합되면서 산업과 사회의 모든 부분은 변화를 맞게 될 것이다. 이런 변화는 헬스케어와 교육에서부터 농업, 제조업, 그리고 서비스업까지 예전에는 상상조차 하지 못했던 기회를 창출할 것이다. 내가 몸담고 있는 마이크로소프트를 비롯하여 많은 기업들은 혼합현실, 인공지능, 퀀텀 컴퓨팅과 같은 몇몇 중요한 기술 변화와 기술 결합에 큰 기대를 하고 있다. 혼합현실 기술을 활용하여 우리는 눈앞의 모습이 그대로 터치스크린이 되는 궁극적인 컴퓨팅 기술을 구축하고 있다. 즉, 디지털 세계와 현실 세계가 하나가 되는 것이다. 핸드폰이나 태블릿에 있는 데이터, 앱, 더 나아가 동료와 친구까지 당신이 어디에 있든지 상관없이 – 사무실이나 고객을 방문할 때도, 또는 회의실에서 동료들과 업무를 할 때도 — 원할 때 쉽게 접속하게 될 것이다. 인공지능은 우리의 모든 경험을 극대화할 것이고, 기계의 도움 없이는 절대로 달성할 수 없는 수준으로 인간의 통찰력과 예측 능력을 강화해줄 것이다. 마지막으로 퀀텀 컴퓨팅은 오늘날 우리가 아는 컴퓨팅 물리학을 바꿔 세계의 가장 어렵고 복잡한 문제들을 해결할 수 있는 컴퓨팅 파워를 가능하게 해줌으로써 컴퓨팅 칩에 있는 트랜지스터의 수가 2년마다 두 배로 증가한다는 무어의 법칙을 뛰어넘게 만들 것이다. 혼합현실, 인공지능, 퀀텀 컴퓨팅은 각기 독립적인 기술이지만 언젠가는 하나로 합쳐질 것이다.

이처럼 우리의 당면 과제를 해결해줄 지식에 대한 접근성이 높아지면서 이러한 지식이 대중화됨에 따라 산업과 사회는 사람과 조직에 더 많은 권한을 주는 문제에 주목할 필요가 있다. 예를 들어 우리가 가장 관심을 가지고 있는 기술 중 하나인 인공지능은 헬스케어 산업에서 가장 빨리 적용될 수 있는 기술이다. 혼합현실, 클라우드 등의 비즈니스 최적화 도구들과 함께 사용된다면 인공지능은 실험실과 진료소, 병원 등지에서 일어나고 있는 헬스케어 산업의 혁신의 중심에 서게 될 것이다. 개인별로 상이한 유전자, 면역 체계, 환경, 생활 방식에 대한 이해를 토대로 하는 정밀 의료를 통한 글로벌 헬스케어 산업의 발전은 웹스케일web-scale 수준의 머신 러닝, 감정 인식 서비스, 신경망의 발전을 통해서만 실현될 수 있다. 이런 기술의 설계에는 포괄적이고 투명해야 할 윤리적 의무가 있지만, 공학적 필요도 있다. 이를 통해 제품과 서비스의 품질은 궁극적으로 더 나아질 것이기 때문이다. 이 목적을 달성하기 위해 2016년 마이크로소프트, 아마존, 구글, 페이스북, IBM은 인공지능에 대한 파트너십을 체결했다. 이 파트너십의 목적은 인공지능에 대한 대중의 이해도를 높이고, 현장에서의 도전과 기회에 대한 모범 사례를 도출하는 것이다. 이 파트너십은 자동차, 헬스케어, 인간·인공지능 협업, 경제적 단절 해소, 공익을 위한 인공지능 활용 방법 등에 대한 연구를 진행할 것이다.

경제 성장과 생산성 향상은 우리 모두의 목표다. 기술은 여기서도 중요한 역할을 맡을 것이다. 하나의 방법은 국가 경제 전반에 걸쳐 (특히 비교우위가 있는 분야에) 이런 기술 혁신을 강도 높게 적용함과 동시에 교육과 새로운 기술의 함양을 강조하는 것이다. 디지털 시대에 소프트웨어는 넘치도록 생산되고, 공공 부문과 민간 부문을 포함해 모든 산업에 적용될 수 있는 보편적인 인풋input으로서의 역할을 한다. 디트로이트, 이집트, 인도네시아 등 지역에 상관없이 이 보편적인 인풋은 지역의 경제 잉여economic surplus를 창출해야 한다. 획기적인 기술을 생산적으로 사용하도록 교육받은 인력이 집중적으로 활용하면 모두를 위한 경제 성장과 기회를 확산시킬 수 있다.

마지막으로 오늘날의 디지털 세계에서 신뢰는 그야말로 모든 것이다. 우리는 기술의 혁신적인 사용과 신뢰를 도울 수 있는 규제 환경을 세계 곳곳에 세울 필요가 있다. 여기서 가장 큰 문제는 이런 문제들을 다루기에 매우 부적절하고 구태의연한 법률이다.

이 책에서 소개된 주제들과 세계경제포럼에서 우리가 나눈 대화는 미래에 대한 인류의 이해를 돕고 문제 해결 방안을 마련하는 데 일조할 것이다. 4차 산업혁명의 잠재적 혜택은 전례가 없을 정도로 엄청나다. 이를 누리기 위해서는 이 책의 결론처럼 공공 분야와 민간 분야의 리더십과 파트너십이 반드시 필요하다.

010   011

지속가능하고 평화로운 미래를 위한 인류의 선택

클라우스 슈밥, 세계경제포럼 회장

세계는 지금 중대한 갈림길에 서 있다. 지난 반세기 동안 수백만 명의 사람들을 빈곤에서 구제하고 국가 정책과 글로벌 정책을 형성했던 사회·정치적 시스템은 더 이상 작동하지 않고 있다. 인간의 독창성과 노력의 결과로 나타난 경제적 부가 소수에게 더욱 집중되면서 불평등은 심화되고 있고, 통합된 글로벌 경제가 외부에 끼치는 악영향으로 인해 자연환경과 취약 계층은 더욱 힘들어지고 있다. 그리고 실제 성장 과정에 참여했던 사람들은 성장으로 인한 가치를 거의 흡수하지 못하고 있다.

비즈니스, 정부, 언론은 물론 시민사회에 대한 신뢰도까지도 심각하게 손상되었다. 절반이 넘는 세계 인구가 현재의 시스템은 더 이상 작동하지 않는다고 생각한다. 최상위 소득 계층과 그 외 계층 사이의 신뢰도가 사라지면서 사회적 결속력은 와해되기 일보 직전까지 훼손된 상태다.

이 불안정한 정치·사회적 맥락 속에서 인공지능부터 생명공학, 첨단소재, 퀀텀 컴퓨터에 이르기까지 우리의 삶의 방식을 급격하게 바꾸어놓을 강력한 첨단 기술로 인해 우리는 또 다른 기회와 도전 과제에 맞닥뜨리게 되었다. 우리는 이런 변화를 4차 산업혁명이라고 부른다.

이런 새로운 기술들은 오늘날의 디지털 기술이 점진적으로 발전해 나타난 결과가 아니다. 4차 산업혁명의 기술들은 진정한 의미로 파괴적이다. 현재의 감지, 연산, 조직화, 실행과 물류 등 모든 방식을 뒤흔들 이 기술들은 모든 조직과 시민을 위한 가치를 창출하는 완전히 새로운 방식을 의미한다. 생산 방식, 재화와 서비스를 전달하는 방식, 우리가 소통하고 협력하며 주변 세계를 경험하는 방식까지, 오늘날 우리가 당연하게 생각하는 모든 시스템을 머지않아 변화시킬 것이다. 이미 신경기술과 생명공학의 발전은 인간이 무엇인지에 대한 질문을 제기하는 단계에 이르렀다.

희망적인 것은 4차 산업혁명의 진화는 전적으로 우리에게 달려 있으며, 아직 초기 단계에 머물고 있다는 점이다. 새로운 기술에 대한 사회적 규범과 규제 역시 지금 형성되는 과정에 있다. 기술이 인류에 어떤 영향을 끼칠지에 대해서는 우리 모두가 의견을 개진할 수 있으며, 또 관여해야 한다.

이 교차로에 서 있다는 것은 거대한 책임감을 가져야 한다는 것을 의미한다. 만약 공공의 선을 촉진하고 인간의 존엄성을 보장하며 환경을 보호하는 방향으로 기술 발전을 이끌 수 있는 기회를 놓쳐버린다면, 협소한 이해관계와 편향된 시스템으로 인해 불평등이 심화되고 인간 권리가 침해되면서 오늘날 우리가 안고 있는 문제들은 더욱 악화될 것이다.

4차 산업혁명의 중요성을 인식하고, 특권층이 아닌 모든 사람들이 이익을 얻을 수 있는 시대를 이끌기 위해서는 새로운 사고방식과 개인, 사회, 조직, 정부에 영향을 끼치게 될 새로운 기술들에 대한 광범위한 이해가 필요하다.

이 책은 사회, 조직, 기구에서 발생하는 신기술들에 관한 전략적인 대화에 당신이 참여할 수 있도록 돕기 위해 마련되었다. 당신이 인간 공통 가치에 부합하는 세계를 적극적으로 만들어 나가는 데 이 책이 도움이 되길 희망한다.

이 책은 세계경제포럼의 다양한 커뮤니티에 속한 세계 유수의 전문가 집단이 함께 집필하였다. 특히 섹션 2는 세계경제포럼의 '글로벌 미래위원회와 전문가 네트워크Global Future Councils and Expert Network'에 참여한 전문가들의 시각을 종합한 것이다. 이들이 시간과 지식을 내주지 않았다면 4차 산업혁명 시대의 가장 중요한 기술들을 쉽게 이해할 수 있는 수준의 깊이로 다루지 못했을 것이다. 또한 마이크로소프트의 CEO인 사티아 나델라는 이 책에 더할 나위 없이 적절한 추천의 글을 써주었다. 그에게도 깊은 감사의 뜻을 전한다.

또한 세계경제포럼의 사회혁신국장이자 이 책의 공동 저자인 니컬러스 데이비스Nicholas Davis와, 과학기술국을 이끌고 있는 토머스 필벡Thomas Philbeck에게도 특별히 감사의 뜻을 전한다. 이들의 노력과 헌신, 그리고 지적인 기여는 이 책의 집필에 필수적이었다. 또한 세계경제포럼의 4차 산업혁명 선임 연구위원이자, 기술과 글로벌 개발의 중요하고 세세한 부분을 지적해 준 앤 마리 엥토프트 라센Anne Marie Engtoft Larsen에게도 감사하다는 말을 전하고 싶다.

그리고 이 책이 출판되는 데 가치로 따질 수 없는 도움을 준 카트린 에겐베르거Katrin Eggenberger에게 깊은 감사의 뜻을 전한다. 이 책의 디자인을 담당한 카말 키마우이Kamal Kimaoui, 이 책의 퀄리티를 한 층 높여준 편집 실력의 보유자인 파비엔 스타센Fabienne Stassen, 그리고 전략적인 마인드와 가치 중심의 리더십을 발휘해 이 책의 구성을 담당해 준 멜 로저스Mel Rogers에게도 고맙다는 말을 전한다.

민관 협력을 위한 국제기구인 세계경제포럼의 창립자이자 회장으로서 겪은 그동안의 경험에 비추어봤을 때, 지속적이고 포괄적인 발전이란 다양한 분야의 이해관계자들과 함께 일하면서 공통의 비전을 구축하고 '제로섬 사고방식'을 타개하는 것을 의미한다. 만약 성공적이라면, 우리는 과거 산업혁명의 실패를 해결할 기회를 얻음과 동시에, 모두를 아우르고 지속 가능하며 풍요롭고 평화로운 세계를 만들 수 있을 것이다. 지난 2016년에 출간된 《클라우스 슈밥의 제4차 산업혁명》과 함께 이 책이 우리를 올바른 방향으로 인도할 수 있기를 기원한다.

CONTENTS

SECTION 01

제4차 산업혁명

Shaping the Fourth
Industrial Revolution

GENERAL INTRODUCTION

2016년 발간된 《클라우스 슈밥의 제4차 산업혁명》은 '혁신과 기술이 인류를 중심으로 발전하며 공익을 위해 봉사하는 미래'를 위한 공동의 책임을 우리 모두에게 촉구했다.

우리가 재빨리 대응하고 책임감 있게 새로운 기술 시대를 이끌어갈 수 있다면 우리는 우리보다 더 큰 존재, 즉 진정한 글로벌 문명을 누릴 수 있는 새로운 문화적 르네상스의 시대를 활짝 열게 될 것이다. 4차 산업혁명은 인류를 로봇화할 수 있는 잠재력을 가지고 있기 때문에 우리가 전통적으로 의미를 찾는 대상인 일·사회·가족·아이덴티티를 망가뜨릴 수 있다. 또한 4차 산업혁명을 통해 우리는 공통의 목적에 기반을 둔 도덕적 의식과 새로운 공동체 의식을 함양할 수도 있다. 우리 모두에게는 후자가 현실이 되도록 할 책임이 있다.

이 책임은 2년이 흐른 지금 더 커졌다. 많은 연구 개발의 결과로 첨단 기술들은 더욱 빠르게 변하기 시작했으며 기업들은 새로운 접근 방식을 도입하기 시작했다. 새로운 기술과 비즈니스 모델이 노동 시장과 사회적 관계, 그리고 정치 시스템까지 파괴disrupt할 수 있다는 경험적 증거가 등장하면서 우리의 목소리는 더욱 설득력을 얻었다.

이 책은 2016년에 나온 《클라우스 슈밥의 제4차 산업혁명》을 두 가지 방식으로 보완한다. 첫째, 이 책은 글로벌 리더들부터 시민들까지 모든 독자들이 시스템적 관점을 기르고 새로운 기술, 글로벌 과제, 그리고 우리의 행동 사이의 관계를 조망하면서 '점들을 연결'할 수 있도록 도와준다. 둘째, 최근 사례와 세계적인 전문가의 관점을 더한 이 책은 독자들로 하여금 특정 기술의 핵심과 거버넌스에 보다 깊이 있게 다가갈 수 있게 한다.

이 책이 강조하고자 하는 바는 아래와 같다.
- 4차 산업혁명은 1800년대 이후 수십억 명에 이르는 사람들의 삶의 질을 획기적으로 향상시킨, 지속적인 발전을 위한 희망의 원천을 나타낸다.
- 4차 산업혁명의 모든 혜택을 현실화하기 위해서는 다양한 이해관계자들이 협력해 세 가지 핵심 과제를 해결해야 한다. 즉 파괴적 기술 발전에 의한 편익의 공정한 배분, 외부성의 최소화, 그리고 새로운 기술이 인간을 규정하는 것이 아니라 우리의 능력과 권한을 성장시킬 수 있도록 유도하는 것이다.
- 4차 산업혁명의 핵심 기술들은 많은 방식으로 서로 연결되어 있다. 이러한 연결 지점들은 디지털 능력을 확대하고, 우리 삶 속에 스스로 스며들어 의미를 찾으며, 서

로 결합되어 능력과 혜택을 증폭하고 현존하는 거버넌스 시스템에 도전하는 방식으로 나타난다.

― 4차 산업혁명의 모든 혜택을 누리기 위해서 우리는 새로운 기술을 손쉽게 장악 가능한 '단순한 도구'로 여겨서도, 우리가 전혀 건드릴 수 없는 외부 요인으로 간주해서도 안 된다. 대신 우리는 인간의 가치가 어떤 새로운 기술에 어떻게 심어져 있는지, 그리고 이런 기술이 공공의 선, 환경에 대한 의무, 그리고 인류의 품위를 강화하는 데 어떻게 사용되는지를 이해해야 한다.

― 모든 이해관계자들은 기술이 우리 세계의 시스템을 어떻게 바꾸고 이 지구상의 모든 삶에 어떤 영향을 끼치는지에 대한 국제적 논의에 참여해야 한다. 특히 새로운 기술과 거버넌스에 대한 논의에서 종종 소외되는 세 조직들이 보다 활발하게 참여할 수 있도록 이끌어야 한다. 이 세 조직은 개발도상국, 환경 관련 기구, 모든 소득·세대·교육 수준을 대변하는 일반 시민들을 뜻한다.

'섹션 1'을 구성하는 네 개의 챕터들은, 인간 중심적인 미래를 만드는 데 중요한 도전 과제와 원칙을 제시하며 4차 산업혁명 기술들이 어떻게 서로 연결되어 있는지를 설명한다. 그를 통해 가치의 역할과 새로운 기술 체계의 원칙에 대한 쉬운 이해의 틀을 제공한다. 그리고 4차 산업혁명과 기술의 응용에 더 많이 관여해야 할 당사자들에 대해 썼다.

세계경제포럼의 '글로벌 미래위원회Global Future Councils'의 전문가들과 함께 쓴 '섹션 2'는 총 열두 개의 챕터로 구성되어 있으며, 각 장들은 특정 기술의 잠재력과 이 기술이 중요한 이유에 대해 소개한다. 이는 우리와 데이터의 관계가 변하고 물리적 세계가 급변함과 동시에, 인간의 능력이 강화되고 엄청난 힘의 새로운 시스템이 우리를 둘러싸게 되면서 새로운 기술이 서로 어떻게 상호작용하면서 함께 진화하는지를 보여준다.

끝으로 이 책은 시스템적 리더십을 조망하면서 마무리된다. 이 책의 결론 부분은 보다 포괄적이고 지속가능하며 풍요로운 미래를 만들기 위해 모든 분야의 리더들과 일반 대중이 반드시 해결해야 할 중요한 거버넌스 문제를 담고 있다.

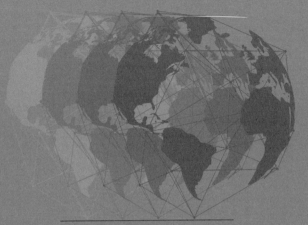

01

제4차 산업혁명

CHAPTER 01

4차 산업혁명 주도하기

'새로운 파괴적 변화의 시대로 돌입한 세계'라는 화두는 글로벌 기업의 이사회와 각 국가의 의회에서 가장 많이 다루는 주제 가운데 하나가 되었다. 챕터 1에서는 4차 산업혁명의 핵심 개념들과 협력을 통해 해결해야 할 도전 과제 세 가지와 함께, 일반 시민과 리더들이 새로운 기술과 시스템의 등장에 발맞춰 적응하고 형성할 수 있도 록 만들어줄 원칙 네 가지를 말하고자 한다.

| 미래를 만들어나가기 위한 생각의 틀 |

4차 산업혁명은 우리를 둘러싼 시스템이 현재 겪고 있는 변화와 앞으로 겪게 될 변화 전체를 말하는 것으로, 이제 우리 대부분은 이런 변화를 당연 하다고 보고 있다. 사실 일상에서 작은 변화를 경험하는 사람들에게 이런 흐름은 그다지 크게 느껴지지 않을 수 있다. 하지만 4차 산업혁명은 분명 작은 변화가 아니다. 4차 산업혁명은 특별한 기술들이 개발되고 상호작용하면서 전개되고 있으며, 앞선 1차, 2차, 3차 산업혁명을 잇는 인류 발전의 새로운 장이다.

4차 산업혁명을 이끄는 새로운 기술은 이전 산업혁명에서 개발되고 축적된 기술에 기반을 둔다. 그중에서도 특히 3차 산업혁명의 디지털 역량이 핵심이다. 이 책의 섹션 2에서는 4차 산업혁명을 이끄는 핵심 기술군 열두 가지를 보다 자세하게 설명할 것이다. 여기에는 인공지능과 로봇공학, 적층제조기술(3D 프린팅), 신경기술, 생명공학, 가상현실과 증강현실, 신소재, 에너지기술, 그리고 아직 우리가 모르는 개념과 기술들도 있다. 하지만 4차 산업혁명은 단순히 기술 중심의 변화를 나타내는 개념이 아닌 그 이상이다. 무엇보다 4차 산업혁명은 강력하고 새로우며 융합된 기술들이 어떻게 세계에 영향을 끼치는지를 논의하고, 기술 리더, 정책결정자부터 모든 소득 계층과 국가, 시민까지 전 계층에 도움이 되는 방법에 대한 여론을 형성할 기회가 될 것이다.

그러기 위해서는 우리가 사는 세상을 만드는 강력하고 새로운 기술들에 대한 우리의 시각과 논의를 변화시킬 필요가 있다. 기술을 우리의 미래를 전적으로 결정할 완전히 외적인 요소로 생각해서는 안 되며, 동시에 우리가 원하는 때에 원하는 방식으로 사용할 수 있는 단순한 도구로 간주해서도 안 된다. 새로운 기술들이 서로 연결되어 직간접적인 방식으로 우리에게 영향을 미치는 것을 인지하고, 투자, 디자인, 적용, 재발명을 할 때 인간의 가치를 반영하고 증폭시킬 수 있도록 기술에 대한 이해를 높여야 한다. 사람과 기술이 어떻게 서로 상호작용하는지를 이해하지 못한다면 우리의 미래에 긍정적으로 영향을 주는 투자, 정책, 단체 행동 등에 협력하기 어려울 것이다. 따라서 4차 산업혁명이 우리에게 제공하는 가장 중요한 기회는 기술을 단순한 도구나 필연적인 외적 요소로 생각하는 것을 넘어, 우리 삶을 형성하는 시스템에 영향을 끼침으로써 가족과 조직, 커뮤니티를 긍정적으로 이끌 수 있는 방법을 모색하게 하는 것이다.

여기서 말하는 시스템이란 우리의 일상생활을 지배하는 규범과 규칙, 기대, 목표, 제도와 인센티브는 물론이고, 인프라, 우리 경제의 근본이 되는 물자와 사람의 이동, 그리고 정치·사회적 구조까지 포함하는 개념이다. 이런 것들이 한데 어우러져 우리가 건강을 챙기고, 의사 결정을 하며, 재화와 서비스를 생산하고, 일하며 소통하고 사람들과 어울리는 방식에 영향을 끼친다. 더 나아가 인간이 된다는 것의 의미를 생각하는 데에도 영향을 준다. 산업혁명의 역사를 통틀어 볼 때 4차 산업혁명의 전개로 이 모든 것들이 근본적인 변화를 겪게 되리라는 걸 짐작할 수 있다.

| 산업혁명, 성장과 기회 |

지난 250년 동안 일어난 세 번의 산업혁명은 인간이 가치를 만드는 방식을 바꾸었으며 세상도 바꾸었다. 각각의 산업혁명을 거치면서 기술과 정치 시스템, 사회제도는 모두 진화했다. 산업혁명은 산업뿐만 아니라 사람들이 자신을 보는 방식과 서로 관계를 맺고 자연과 교류하는 방식까지 바꾸었다 할 것이다.

1차 산업혁명은 18세기 중반 영국의 섬유산업에서 시작했는데, 특히 방직기술이 자동화되면서 본격적으로 촉발되었다. 그 후 100년 동안 1차 산업혁명은 공작기계에서 제강업, 증기기관에서 철도 산업까지 당시 현존했던 모든 산업을 완전히 바꾸어놓았다. 그리고 그보다 더 많은 수의 새로운 산업들이 태동했다. 신기술들은 협력과 경쟁의 방식을 송두리째 흔들었고 이런 변화는 완전하게 새로운 가치 생산과 교환, 확산 시스템을 만들어 농업부터 공업까지, 통신부터 운송까지 산업의 모습을 통째로 변화시켰다. 실제로 오늘 우리가 사용하는 '산업industrial'이라는 단어는 1차 산업혁명의 범위를 아우르기에는 너무 협소하다. 오히려 인간의 노력이 들어간 모든 활동들을 산업이라고 말했던 19세기 사상가인 토머스 칼라일과 존 스튜어트 밀의 사고방식이 더 적절한 생각의 틀일 것이다.

식민지 건설과 환경 파괴라는 결과를 낳기도 했지만, 1차 산업혁명은 세계를 부유하게 만드는 데 성공했다. 1750년 이전에는 영국, 프랑스, 프러시아, 네덜란드, 북아메리카 식민지와 같은 가장 부유했던 국가들도 기껏해야 연 평균 0.2퍼센트의 성장률을 기록했다. 불평등은 오늘날보다 더 심각했고 1인당 소득은 오늘날 우리가 극심한 빈곤이라고 생각하는 수준에 머물렀다. 1850년이 되자 기술 발전의 영향으로 앞에서 언급된 국가들의 연간 경제성장률은 2~3퍼센트로 상승했으며 1인당 소득도 꾸준하게 높아졌다.[1]

1870년에서 1930년 사이에는 서로 밀접하게 연관된 새로운 물결의 기술들이 발전하면서 1차 산업혁명으로 촉발된 성장과 기회가 더욱 증폭되었다. 라디오, 전화기, 텔레비전, 가전제품, 전기 조명은 사회를 변환시킬 수 있는 전기의 영향력을 제대로 보여주었다. 내연기관의 발전은 자동차와 항공기 생산으로 이어졌으며, 궁극적으로는 현대적 제조업과 고속도로 인프라 같은 새로운 생태계를 가능케 했다. 화학에서도 돌파구가 마련되었다. 열경화성 플라스틱과 하버 보슈법Haber-Bosch, 즉 암모니아 합성법의 발전은 질소비료로 이어져 인구의 폭발적인 증가를 낳은 1950년대의 '녹색혁명'의 길을 닦았다.[2] 위생에서부터 항공 여행까지, 2차 산업혁명은 현대 세계의 시작을 알렸다.

1950년 즈음에는 3차 산업혁명의 핵심 기술이 되는 정보 이론과 디지털 컴퓨팅 분야에서 혁신적인 돌파구가 생겼다. 이전의 산업혁명과 마찬가지로 3차 산업혁명이 가능했던 이유는 디지털 기술의 존재 자체가 아니라, 디지털 기술이 우리의 경제 및 사회 시스템을 변화시킨 방식에 있었다. 디지털 형식으로 정보를 저장하고 처리하며 전송하는 능력은 거의 모든 산업을 재편했고, 수십억 명의 일과 생활을 극적으로 탈바꿈시켰다. 지금까지 살펴본 세 개의 산업혁명이 불러일으킨 누적 효과는 부와 기회의 엄청난 증가였다. 적어도 선진국에서는 그랬다.

오늘날 세계 인구의 6분의 1을 차지하는 OECD 국가들의 1인당 소득은

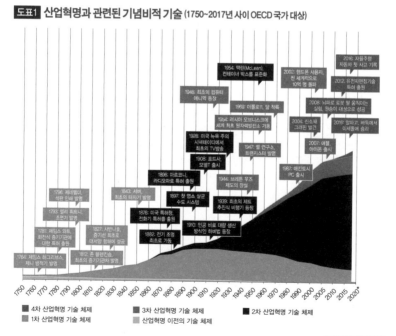

도표1 산업혁명과 관련된 기념비적 기술 (1750~2017년 사이 OECD 국가 대상)

2016: 자율주행 자동차 첫 사고 기록

1956: 매클린(McLean), 컨테이너 박스를 표준화

2002: 핸드폰 사용자, 전 세계적으로 10억 명 돌파

2012: 유전자편집기술 특허 출원

1946: 최초의 컴퓨터 에니악 등장

1969: 아폴로11, 달 착륙

2008: 뇌파로 로봇 팔 움직이는 실험, 원숭이 대상으로 성공

2016: 알파고, 바둑에서 이세돌에 승리

1954: 러시아 오브닌스크에 세계 최초 원자력발전소 가동

2004: 신소재 그래핀 발견

1928: 미국 뉴욕 주의 시네테이디에서 최초의 TV방송

1947: 벨 연구소, 트랜지스터 발명

2007: 애플, 아이폰 출시

1908: 포드사, 모델T 출시

1896: 마르코니, 라디오파로 특허 출원

1984: 매킨토시 PC 출시

1795: 제너럴드, 석판 인쇄 발명

1843: 서버, 최초의 타자기 발명

1944: 브레튼 우즈 제도의 창설

1793: 엘리 휘트니, 조면기 발명

1897: 첫 염소 살균 수도 시스템

1939: 최초의 제트 추진식 비행기 등장

1781: 제임스 와트, 회전식 증기기관에 대한 특허 출원

1876: 미국 특허청, 전화기 특허를 출원

1827: 샤빈뇨, 증기선 최초로 대서양 항해에 성공

1882: 전기 조명 최초로 가동

1910: 인공 비료 대량 생산 방식인 하버법 등장

1764: 제임스 하그리브스, 제니 방적기 발명

1812: 존 블랜킨솝, 최초의 증기기관차 발명

1750 1760 1770 1780 1790 1800 1810 1820 1830 1840 1850 1860 1870 1880 1890 1900 1910 1920 1930 1940 1950 1960 1970 1980 1990 2000 2005 2010 2015 2020*

■ 4차 산업혁명 기술 체제   ■ 3차 산업혁명 기술 체제   ■ 2차 산업혁명 기술 체제
■ 1차 산업혁명 기술 체제   ■ 산업혁명 이전의 기술 체제

출처 세계경제포럼

1800년에 비해서 30배에서 100배 가까이 증가했다.[3] 도표1 은 OECD 국가들의 UN 인간개발지수를 바탕으로 만든 도표로, 1차 산업혁명 이후 각각의 산업혁명이 삶의 질을 얼마나 꾸준하게 높여왔는지를 보여준다.

도표1 은 지배적인 기술과 산업, 제도적 발전이 1750년 이래 인류 발전에 어떻게 기여했는지를 대략적인 추정에 근거하여 작성한 것이다.[4] 이 도표를 보면 기술적으로 선두에서 달리는 국가들도 발전의 가장 큰 부분은 전기, 깨끗한 물과 위생 시설, 현대적 의료 관리 체계와 인공 비료의 발명에 힘입은 농업 생산성의 도약 등 2차 산업혁명의 기술에 의존하고 있음을 알 수 있다. 이런 주장들은 로버트 고든Robert Gordon과 많은 사회학자들이 설득력 있게 제기하였다.[5]

기술 혁신의 과정, 즉 기술의 발명과 상업화, 광범위한 확산과 사용은 역사 시작 이래 부와 안녕을 가져다준 가장 강력한 원동력이었다. 오늘날 평균적인 사람은 과거의 어느 시대보다 더 오래 살며, 더 건강하고, 경제적으로도 안정되어 있고, 폭력으로 죽을 가능성도 현저하게 낮다. 1차 산업혁명 이후 OECD 국가들의 평균 1인당 실질소득은 2,900퍼센트 증가했다.[6] 같은 기간에 출생 시 기대수명은 영국에서는 40세에서 80세로, 인도에서는 23.5세에서 65세로, 거의 모든 국가에서 두 배 이상 증가했다.

| 미래 혜택과 도전 과제들 |

이상적인 조건 하에서 4차 산업혁명은 이전 세 개의 산업혁명의 혜택을 향유할 수 있는 위치에 있었던 운 좋은 사람들에게 도표2 에서 볼 수 있듯이 우상향의 발전을 가져다주는 것은 물론, 기술 발전의 혜택과 제대로 된 공적 제도와 민간 제도를 갖지 못한 사람들의 삶 또한 개선할 수 있는 기회를

제공한다. 만약 4차 산업혁명의 기술들이 적절한 제도와 기준, 규범과 적절히 부합할 수 있다면 많은 사람들이 더 많은 자유와 건강을 누리고 더 높은 수준의 교육을 받고 가치 있는 삶을 살면서 불안과 경제적 불안정을 덜 수 있는 기회를 얻게 될 것이다.

이 책의 섹션 2에서는 새롭게 떠오르는 열두 개 기술군의 잠재력에 대해서 살펴볼 것이다. 예를 들어, 퀀텀 컴퓨팅 기술은 복잡한 시스템을 모델링하고 최적화하는 방식에서 획기적인 돌파구를 제공하여 물류와 신약 개발과 같은 다양한 분야의 효율성을 크게 향상시킬 것으로 기대된다. 분산원장기술은 다양한 이해관계자들 사이의 거래 비용을 극적으로 절감할 뿐만 아니라, 디지털 상품과 서비스에 내재된 가치 흐름의 원동력이 되어 인터넷에 연결된 모든 사람이 새로운 시장에 접근할 수 있도록 하는 안전한 디지털 신원을 제공할 수도 있다. 가상현실과 증강현실을 통해 우리는 이 세

도표2 2050년까지 인류 발전에 대한 산업혁명의 기여도

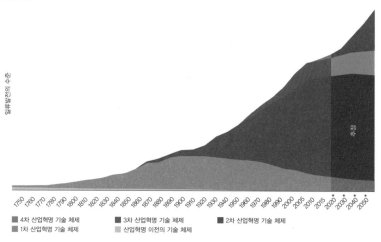

출처 세계경제포럼

상을 완전하게 새롭게 경험할 수 있고, 시간과 장소에 구애받지 않고 학습하며 새로운 기술을 응용할 수 있다. 만약 신소재가 개발되어 배터리 에너지 밀도battery energy density에 획기적인 변화를 이끌어낼 수만 있다면, 이는 상업용·군사용 드론에 혁신을 불러일으키고 취약 계층에게 전기를 공급하고 교통 및 운송 시스템에도 대규모 변화를 가져올 것이다.

언뜻 봐서 이런 혜택들은 거의 전적으로 기술 혁신에 의존하는 것처럼 보인다. 또 언제 어떻게 이런 혜택들이 현실화되고 누가 그 과실을 따게 될지 불분명하다. 불평등 상황, 증가하는 사회적 긴장과 정치적 분열, 악화 일로에 있는 취약 계층의 경제적 불확실성, 그리고 자연재해에 대한 높은 우려 가운데 4차 산업혁명은 새로운 도전 과제들을 만들어내면서 진화하고 있다. 가장 높은 수준의 발전을 이룩하고, 이를 누릴 수 있는 세상을 만들기 위해서 어떤 사고방식과 제도가 필요할까? 공정하고 포용적인 미래를 만들기 위해서는 우리의 사고방식과 제도를 바로잡을 필요가 있다. 앞서 경험한 세 번의 산업혁명은 이런 새로운 기술들이 가져오는 다양한 혜택을 온전하게 누리기 위해서 우리는 다음 세 개의 어려운 도전 과제를 해결해야 한다는 것을 알려주었다.

첫 번째 도전 과제는 4차 산업혁명의 혜택이 공정하게 배분되도록 보장하는 것이다. 앞선 산업혁명에서 만들어진 부와 번영은 균등하지 않게 배분되었고, 지금도 불균등하게 배분되고 있다. 신흥 시장의 등장과 함께 1970년대부터 국가 간 불평등은 줄어들었지만, 국가 내에서의 불평등은 심화되고 있다. 2011년에서 2016년 사이, 선진국의 중간소득은 2.4퍼센트 하락했으며, 백인 노동 계급의 건강 상태가 악화되면서 2015년 미국은 25년 만에 처음으로 기대수명이 줄어들기도 했다.[7] 사람들은 다양한 이유로 이런 혜택들을 종종 놓친다. 이런 혜택들은 실제로 흔하지 않고, 대가가 크며 때로는 삶과 무관하다. 또 과거의 산업혁명들이 만들어낸 시스템이 특정한 방향으로 편향되었을 수도 있으며, 혜택을 사유화하고 부와 기회를 소수의 손에 집중시키려고 하는 제도로 인해 혜택이 골고루 돌아가지 않은 경우도 있다. 챕터 4에서 우리는 4차 산업혁명의 이해당사자들을 상세하게 살펴보면서 그들이 혜택을 누리려면 무엇이 필요한지를 고찰할 것이다.

두 번째 도전 과제는 4차 산업혁명의 외부효과가 초래할 수 있는 리스크와 피해를 관리하는 것이다. 과거 산업혁명 시기에는 의도하지 않은 결과, 변화의 비용, 간접 영향이나 의도적인 오용으로 피해를 줬던 취약 계층을 비롯해 자연환경과 미래 세대를 보호하기 위한 노력은 거의 이루어지지 않았다.

4차 산업혁명 기술들의 파급력과 현대사회처럼 복잡한 사회 및 환경 시스템이 받을 장기적 영향을 고려하면 이런 외부효과와 의도치 않은 결과는 특히 예민하게 받아들여야 한다. 특히 경계할 내용으로 생물권을 갑작스럽고도 되돌릴 수 없는 상태로 훼손할 수 있는 지구공학, 최적의 솔루션을 찾도록 설계된 범용 인공지능artificial general intelligence이 다양하고 혼란스러운 인간의 삶과 충돌할 때 발생할 리스크 등을 생각할 수 있다. 극단적인 경우 현존하는 모든 암호화 체계를 무용지물로 만듦으로서 퀀텀 컴퓨팅은 사생활과 보안 문제에 있어 새로운 유형의 거대한 리스크를 만들어낼 수 있다. 개인 소유의 자율 주행 자동차의 확산 때문에 도시의 교통체증은 더 심해질 것이다. 가상현실의 등장은 온라인 괴롭힘online harassment을 증폭시켜 피해자의 심리적 피해를 악화시킬 수 있다.

세 번째 도전 과제는 4차 산업혁명이 인간이 주도하고 인간이 중심이 되는 혁명이 되도록 보장하는 것이다. 인간의 가치는 값을 매기거나 경중을 따질 수 없는 것이다. 인간은 그 자체로 존중받아야 할 대상이다. 인간 중심의 산업혁명이란 인간이 이 세계에서 의미 있는 대리자로서 권한과 힘을 부여받는 것을 뜻한다. 이 세 번째 도전 과제는 4차 산업혁명 기술이 이전 산업혁명 기술과는 매우 다르기 때문에 특히 더 중요하다. 챕터 12에서도 언급하겠지만, 4차 산업혁명의 기술은 지금까지 사적 공간이라고 여겨졌던 공간에 침투하여 우리의 생각을 읽고 행동에 영향을 미칠 것이기 때문이다. 새로운 기술들은 인간이 처리할 수 없고 이해할 수 없는 데이터에 기반을 두고서 판단을 하고 의사 결정을 할 수 있다. 이는 아직 태어나지 않은 인간을 포함하여 모든 삶의 구성 요소를 바꿀 것이다. 그리고 디지털 네트워크를 통해 과거의 그 어떤 기술 발전보다 더 빠르게 확산될 것이다.

| 새로운 리더십 사고방식 |

위에서 언급한 세 가지의 도전 과제들, 즉 혜택의 공정한 분배, 외부효과의 관리, 인간 중심의 미래는 정부의 규제나 정책을 통해 상의하달 방식으로 쉽게 해결될 수 있는 문제가 아니다. 더욱이 현재의 국제 제도와 국가 제도, 시장경제, 조직적이고 자발적인 사회 운동과 개인들의 인센티브는 해악에서 완전하게 자유롭지도 않고, 또 모든 사람들에게 완전한 권한을 주는 새롭고도 강력한 기술들이 광범위하게 사용될 것으로 보이지도 않는다. 선진국에서는 중간 소득이 정체되었거나 줄어들고 있으며, 개발도상국들에서는 경제 성장의 과실이 포괄적이며 지속가능한 삶의 질 향상으로 이어지는 것이 여전히 쉽지 않다. 아직까지 열 명 중 한 명이 극빈층에 속할 정도로 세계는 이전 세 번의 산업혁명들로부터 파생된 다양한 과제들과 씨름하고 있다.[8] 매들린 올브라이트Madeleine Albright의 말을 빌리자면, 우리는 '19세기 제도와 20세기 마음가짐으로 21세기 기술을 이해하고 활용해야 하는 임무'를 부여받았다. 제도적 변화는 이런 도전 과제들을 해결하는 데 필수적이다. 또한 우리가 직면한 21세기 도전 과제들에 적합한 사고방식 역시 중요하다.

과거 산업혁명의 역사와 4차 산업혁명을 주도하는 기술들의 역학 관계를 종합해서 살펴보면, 다음에 나오는 네 가지 원칙으로 정리해볼 수 있다.

1. 기술이 아니라 시스템

우리는 단순히 기술에만 집중하는 것에 익숙하다. 하지만 정작 중요한 것은 사람들의 안녕을 책임지는 시스템이다. 정치적인 의지와 적절한 투자, 그리고 이해당사자들 사이의 협력이 뒷받침되면 새로운 기술을 통해 시스템이 원활하게 작동됨으로써 더 많은 것을 달성할 수 있다. 이런 요소가 없다면 새로운 기술은 현재의 시스템을 더 악화시킬 수도 있다.

2. 미래를 결정하는 것이 아니라 권한을 주기

우리는 흔히 기술 변화는 통제하기 어려울뿐더러 기술 발전을 우리가 원하는 방향으로 이끌기도 어렵다고 생각한다. 기술이 인간의 행동양식에 영향을 끼치는 것에 대해 우리가 할 수 있는 것은 없다고 생각하기도 쉽다. 하지만 우리는 인간의 의사 결정을 가치 있게 여기면서 새로운 기술을 통해 사람들이 더 많은 선택과 기회, 자유, 그리고 삶에 대한 통제를 얻을 수 있도록 시스템을 구축해야 한다. 이것은 사람이 작동시키지 않아도 스스로 결정하고 행동하며, 명백하면서도 감지하기 힘든 방식으로 우리의 행동에 영향을 주는 새로운 기술임을 고려할 때 특히 중요하다.

3. 의도를 가지고 개발하기

정치와 사회 시스템의 복잡성으로 인해 그것들을 변혁하려는 시도는 오만하고 실패 가능성이 높다고 치부되어 왔다. 하지만 기술은 '원래 그런 것default options'이라는 생각에서 우리 스스로 벗어나야 한다. 디자인 싱킹design thinking, 개발 사고방식 ─ 특히 인간 중심의 개발 철학을 기술에 적용하는 사고방식을 의미한다 ─ 과 시스템적 사고방식systems thinking은 세계를 이끌어 가는 구조를 이해하고 새로운 기술이 현존하는 시스템을 어떻게 전환시키는지 이해하는 데 도움을 준다.

4. 가치를 기술의 필수 요소로

기술은 단순히 사용자의 편의에 따라 활용되는 가치중립적인 도구라고 생각하는 경향이 있다. 하지만 실제로 모든 기술은 초기 아이디어부터 개발과 배포 방법에 이르기까지 암시적으로 가치를 지니고 있다. 우리는 항상 이 점을 명심하고 직접적인 문제가 발생했을 때뿐만 아니라 혁신의 모든 단계에서 가치를 논의해야 한다. 챕터 3에서 우리는 이런 가치들이 어떤 역할을 하며, 그리고 어떤 가치가 4차 산업혁명 시대에 유용하게 사용될 수 있는지를 상세하게 다룰 것이다.

위에서 언급한 네 가지 원칙들은 과학자, 사업가, 시민사회 리더, 정책입안자, 기업의 고위 임원, 언론사 등과 진행한 수백 번의 인터뷰를 통해 정리된 내용이다. 이 원칙들은 오늘날 기술이 우리에게 영향을 미치고 미래를 형성하는 방법을 평가·논의·구체화할 때 판단의 틀이 되어야 할 것이다.

| 4차 산업혁명을 만들어나가는 과정에서 당신의 역할 |

4차 산업혁명 시대의 사회적 규범, 규제, 기술적 기준, 기업 활동이 전 세계에서 현재도 논의되고 생성되기 때문에 위 원칙들은 더욱 중요하다. 알고리즘 편향algorithmic bias 사례에서부터 노동자들이 사회적 보호를 받지 못한 채 노동시장을 떠나야 하는 상황까지, 위에서 언급된 세 가지 도전 과제들은 이미 우리 앞에 펼쳐져 있다.

많은 파괴적 기술들이 전 세계의 실험실이나 차고, 연구개발 부서에서 생겨나고 있고 관련 규제들이 계속 만들어지고 개정되는 현재 상황에서, 시민들과 다양한 분야의 리더들에게는 4차 산업혁명의 시스템을 만들어갈 수 있는 수많은 기회가 열려 있다. 우리는 이 기회를 반드시 붙잡아야 한다. 만약 성공한다면 우리의 부는 더욱 공정하게 배분될 것이고, 불평등은 완화될 것이며, 사회 갈등과 정치 양극화를 완화할 사회적 신뢰가 다시 구축될 수 있을 것이다. 4차 산업혁명 시대에 우리들은 더 건강하고 더 오래 살 것이고, 더 높은 수준의 경제적 안정과 신체적 안전을 보장받을 것이며, 지속가능한 환경 속에서 더욱 의미 있고 성취감 있는 삶을 영위하게 될 것이다.

이를 위한 첫 번째 단계는 4차 산업혁명을 구성하는 다양한 기술들을 점을 잇듯이 서로 연결하여 이해하는 것이다. 이는 챕터 2에서 보다 자세하게 다룰 것이다.

4차 산업혁명은 지난 세 차례의 기술 혁명에서 파생된 기술들을 발판 삼아 만들어진 신기술들이 서로 밀접하게 연결되면서 생겨난 인류 발전의 새로운 장이다. 4차 산업혁명은 아직 초기 단계에 머물고 있으며, 인류는 일상을 영위하고 일을 하며 다른 사람들과 관계를 맺는 방식을 근본적으로 바꿀 새로운 기술을 만들어내고, 더 유연한 거버넌스와 긍정적인 가치를 형성하는 기회와 책임을 갖고 있다.

새로운 기술들은 다양한 산업과 사회에 엄청난 혜택을 가져다줄 수 있다. 하지만 지난 세 차례 산업혁명의 역사를 되돌아보았을 때, 이런 혜택을 완전히 누리기 위해서 인류는 도전 과제를 반드시 해결해야만 한다. 더 풍요로운 미래 사회를 구축하기 위해서 반드시 선결되어야 할 과제는 아래와 같다.

1. 4차 산업혁명의 혜택이 공정하게 분배될 수 있도록 보장해야 한다.
2. 4차 산업혁명으로부터 파생될 수 있는 리스크와 피해와 같은 외부효과를 관리해야 한다.
3. 4차 산업혁명은 인간 주도의, 인간 중심의 산업혁명이 되어야 한다.

급격한 기술 변화가 초래하는 불확실성에 직면한 전 세계의 리더들에게 있어 새로운 세계에 적응하기 위한 필수 조건은 미래 예측이 아니다. 이보다 훨씬 더 중요한 것은 기술이 시스템에 끼치는 영향, 개인들에게 끼치는 영향을 생각할 수 있는 사고방식을 기르는 것이다. 이런 사고방식은 미래지향적이어야 하며 다양한 당사자들 사이의 공통된 가치와 부합해야 한다. 따라서 기술이 우리 사회에 어떤 영향을 주는지 생각할 때 다음에 나오는 네 개의 원칙을 생각해야 한다.

1. 기술이 아니라 시스템

2. 기술 결정론이 아닌 권한의 부여

3. 사고하는 기술 개발

4. 가치 지향적 기술 개발

강력한 신기술에 대한 규제와 규범, 구조가 전 세계적으로 생겨나고 실행되고 있다.

지금은 행동을 해야 할 때다. 4차 산업혁명 시대를 만드는 것은 우리 모두의 몫이다.

CHAPTER 02

점들을 연결하기

4차 산업혁명의 핵심이 되는 강력한 기술들의 영향력을 파악하고 긍정적으로 견인하기 위해서는 '줌인, 줌아웃zoom-in, zoom-out' 전략이 요구된다. 여기서 줌인이란, 섹션 2에서도 논의하겠지만, 특정 기술의 성격과 그 잠재적 파괴력을 이해하는 것이다. 하지만 이보다 더 중요한 것은 줌아웃하여 여러 기술들을 연결하는 패턴과 이런 패턴이 우리에게 끼치는 영향을 전체적으로 보는 것이다.

4차 산업혁명의 기술 변화를 공부할 때 '기술이 아닌 시스템'에 집중하는 리더가 그러지 않는 리더보다 우위에 설 것이다. 기술 자체를 깊이 있게 이해하려는 노력 없이는 기술이 비즈니스, 정부, 사회 시스템처럼 우리와 밀접한 제도를 어떻게 바꾸는지 제대로 이해할 수 없다. 바로 이것이 많은 사람들이 직면한 도전 과제다. 이 문제는 두 갈래 접근법으로 극복할 수 있다. 각각의 기술들을 '최소한의 수준으로 필요한 만큼만' 이해하고 공부하는 것이 그 첫 번째 방법이다. 이 접근법은 전문가들과 지적인 대화를 할 수 있게 해주며, 새로운 아이디어를 실험하고, 가치가 어디서 만들어질 수 있는지를 탐구하도록 도와줄 것이다. 이 책의 섹션 2는 4차 산업혁명을 이끄는 열두 개의 새로운 기술을 간결하게 소개함으로써 바로 그 수준의 이해력을 제공하도록 구성되었다.

이 챕터는 두 갈래 접근법 중 두 번째 접근법에 대해 다룰 예정이다. '점들을 연결'해 새로운 기술들의 발전 추세와 상호 연결성을 살펴봄으로써, 4차 산업혁명의 역동성을 이해하고 이런 기술들이 서로 어떻게 연관되어 우리 사회에 어떠한 영향을 주는지를 살펴보는 것이다. 오늘 등장한 기념비적인 기술은 내일의 기술 발전과 새로운 적용 방식으로 인해 그 빛을 잃게 된다. 때문에 이처럼 빠르게 변하는 세계에서는 새로 등장하는 필수 기술을 반드시 습득해야 한다. 이 장에서는 4차 산업혁명 기술들의 몇 가지 일반적인 측면을 살펴보고 이런 기술들이 서로 어떻게 연관되어 효과를 창출하는지를 살펴볼 것이다. 줌아웃 해서 점들을 연결하다 보면 이런 새로운 기술들은 디지털 시스템에 의존하는 동시에 그 시스템을 확장하고, 디지털 기술의 상호 운영성interoperability으로 인해 빠르게 확대되어 우리 스스로를 포함한 물리적인 제품으로도 표현될 수 있으며, 또한 예측 불가능하거나 파괴적인 방식으로 결합되면서 유사한 혜택과 도전 과제를 낳는다는 것을 알 수 있다.

4차 산업혁명 기술의 가장 분명하고 확실한 측면은 디지털 시스템을 크게 확대하고 변화시킨다는 점이다. 4차 산업혁명의 기술들은 3차 산업혁명 시대에 구축된 디지털 역량과 디지털 네트워크를 필요로 하고 그것을 기반으로 한다는 점에서 서로 연결되어 있다. 3차 산업혁명의 디지털 네트워크가 2차 산업혁명의 전기 네트워크를 기반으로 구축되었듯이 말이다. 이 책에서 논의되는 모든 기술들은 지난 60년 동안 세계를 바꾼 정보 처리 기술과 정보 저장 및 통신기술의 발전 없이는 도저히 불가능했을 것이다. 신기술의 이러한 특성 때문에 때로는 신기술이 단순히 디지털 혁명의 연장선상에 있다는 결론으로 이어지기도 했다. 하지만 중요한 차이점은 4차 산업혁명의 기술들은 오늘날의 디지털 시스템을 파괴하고 완전하게 새로운 가치의 원천을 만들어낼 것이라는 점이다. 이를 통해 오늘날 모든 조직들이 이해하려고 애쓰는 디지털 기술의 충돌은 내일에는 당연하게 여기는 핵심 비즈니스 인프라가 될 것이다.

인터넷이 전기 신호로 만들어진 것이라고 해서 인터넷을 단순히 전기 네트워크의 응용 기술로 생각하는 사람은 이제 없다. 하지만 2차 산업혁명의 사고방식으로는 인터넷이 완전하게 새로운 가치 창출의 생태계라는 것을 이해하기 어려울 것이다.

이와 비슷하게, 미래에는 구조화되지 않은 데이터를 통해 스스로 학습하는 알고리즘을 단순히 디지털 컴퓨팅의 어플리케이션이라고 생각하지 않을 것이다. 4차 산업혁명 시대에는 3차 산업혁명의 사고방식으로는 전혀 상상할 수 없는 새로운 가치 생산의 생태계가 만들어질 것이기 때문이다. 따라서 현재의 디지털 파괴digital disruption도 새로운 도전과 기회로 바라봐야 한다.

두 번째 측면은 4차 산업혁명 기술은 기하급수적으로 성장할 것이며 물리적인 제품으로도 등장해 우리 삶에 자연스럽게 스며들 것이라는 점이다. 새로운 기술이 빠르게 발전할수록 우리는 그 기술의 파괴적 영향력에 보다 적극적으로 대처해야 한다. 4차 산업혁명의 기술은 3차 산업혁명의 디지털 네트워크에서 구축되고 확산되기 때문에 과거 산업혁명의 기술보다 훨씬 빠르게 확대될 것이다. 디지털 네트워크는 지식과 아이디어의 확산을 보다 빠르고 광범위하게 만들기 때문에 물리적 제품들이 신속하게 등장하고 확산된다. 한편 순수한 디지털 제품과 서비스의 경우 극단적으로 낮은 비용으로 복제 가능하다. 도표3 에서 볼 수 있듯이 전화기 사용자가 1억 명에 도달하는 데에는 75년이 걸린 반면 인터넷 사용자가 1억 명이 되는 데에는 10년이 채 걸리지 않았다. 4차 산업혁명 기술이 확산되는 속도가 빨라질수록 이 기술이 투자, 생산성, 조직 전략, 산업 구조와 개인의 행동양식에 끼치는 영향도 커질 것이다. 도표4 에서 볼 수 있듯이 인공지능 기업은 기하급수적으로 등장하고 인수되는 과정을 거치고 있다. 그 어느 때보다 똑똑한 알고리즘을 사용함으로써 직원 생산성은 빠른 속도로 향상되는 중이다. 대표적인 예로 고객 관리 업무에서 챗봇은 직원들의 고객 상담을 도와주고(그리고 빠른 속도로 직원들을 대체하고) 있다.

4차 산업혁명의 기술은 디지털 세상에서 크게 성장하고 있지만, 가상 세계에만 머무르지는 않을 것이다. 3차 산업혁명은 물리적 제품을 코드로 바

도표3 신기술과 어플리케이션이 1억 명의 사용자를 확보하기까지 걸린 시간

전화기		1878
핸드폰		1979
인터넷		1990
아이튠스		2003
페이스북		2004
애플 앱스토어		2008
왓츠앱		2009
인스타그램		2010
캔디크러시		2012

(단위 : 년) 0   10   20   30   40   50   60   70   80

출처 Boston Consulting Group ITU; Statista; BCG research; mobilephonehistory. co.uk; Scientific American, Internet Live Stats; iTunes; Fortune; OS X Daily; VentureBeat; Wired; Digital Quarterly; TechCrunch; AppMtr.com

꿈으로써 비물질화를 가능케 했다. 아날로그적인 카세트테이프에서 디지털화된 CD, 그리고 온라인에서 공유 가능한 디지털 음원 파일로 바뀐 것을 예로 들 수 있다. 4차 산업혁명의 기술은 이와 반대되는 과정, 즉 데이터를 활용해서 다양한 물리적 제품이나 서비스를 만드는 것 또한 가능케 한다. 예를 들면 3D 프린터는 엔진 부품이나 식품, 심지어 살아 있는 세포까지 만들 수 있다. 사물인터넷IoT의 등장으로 우리는 거실 조명을 끄거나 난방을 켜도록 가상의 개인 비서에게 말할 수 있다. 로봇과 드론, 그리고 자율 주행 자동차는 어느덧 자연스럽게 세계에 스며들고 있다. 이처럼 오늘날의 기업들이 제품과 서비스에 새로운 기술을 적용하여 새롭게 출시하는 것은 소비자들에게 익숙한 경험이 되고 있다. 예컨대 미국 운송 회사 UPS는 생산 전문 업체와 협업하여 고객사들이 값비싼 컴퓨터와 절단 기계를 사용하지 않고도 스스로 시제품을 만들고 기계를 실험하며 개인 장비를 만들 수 있도록 미국 전역에 있는 100여 개 매장에서 3D 프린팅과 스캐닝 서

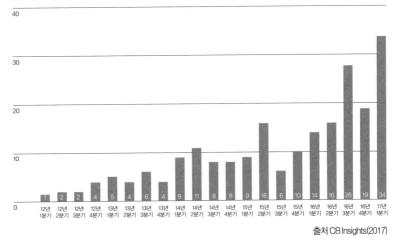

도표4 인공지능 기업 인수합병 건수 (2017년 3월 기준)

출처 CB Insights(2017)

비스를 제공하고 있다.

4차 산업혁명 기술은 우리를 둘러싼 물리적 세계의 일부가 되는 것에서 멈추지 않고, 우리 자신의 일부가 될 것이다. 실제로 많은 사람들은 이미 스마트폰을 자기 신체의 일부처럼 느낀다. 웨어러블 컴퓨터에서 가상현실 헤드셋까지, 오늘날의 많은 기기들은 향후 우리의 뇌를 비롯해 몸에 삽입될 것으로 예측된다. 외골격과 인공 보철은 우리의 신체 능력을 강화할 것이며 신경기술의 발전은 우리의 인지 능력을 향상시킬 것이다. 우리는 우리의 유전자와 우리 자녀의 유전자를 더 적극적으로 조작할 수 있게 될 것이다. 하지만 이런 발전은 심오한 질문을 제기한다. 인간과 기계 사이 어디에 선을 그어야 한단 말인가? 인간이 된다는 것은 과연 무엇을 의미할까?

4차 산업혁명 기술이 서로 결합해 혁신을 거듭하면서 그 기술력이 더욱 증폭되리라는 점도 또 다른 측면이다. 증기력이 공장 자동화와 철도에 영향을 준 사례에서 볼 수 있듯이, 기술은 발전하고 상업화되면서 다른 기술에 영향을 준다. 역사적으로 살펴보면 다양한 산업 및 지역에 커다란 영향을 끼친 소수의 기반 범용 기술과, 그 기본 범용 기술을 바탕으로 하는 전문 기술과 응용 기술이 대거 등장하는 경향이 있었다.

어떤 기술이 4차 산업혁명 시대의 기반 범용 기술이 될까? 그 누구도 확실하게 말할 수 없지만 신기술 분야 글로벌 리더들과 100차례가 넘는 인터뷰 끝에 인공지능, 분산원장기술, 새로운 컴퓨팅 기술이 4차 산업혁명 시대의 기반 기술이 될 가능성이 높다는 데 의견이 모아졌다. 그리고 에너지기술과 생명공학기술은 다른 분야에도 커다란 영향을 끼칠 것으로 보인다. 또한 영향력이 있지만 종종 과소평가되는 기술로 거의 모든 분야에서 핵심 요소인 신소재가 있다. 세계를 또 다른 방식으로 경험할 수 있게 해주는 가상현실과 증강현실도 빼놓을 수 없다. 대부분의 기술들이 더 뛰어난 알고리즘과 더 강력한 컴퓨터, 새로운 특성을 가진 신소재를 활용하여 발전한다는 점에서 이런 결과는 타당하다. 또 이들간의 잠재적인 상호 연결성과 피드백 루프feedback loops는 다양하다. 예를 들어 우수한 인공지능이 탑재된 컴퓨터는 신소재가 보다 빠르게 개발되도록 도움을 주고, 이렇게 개발된 신소재는 다시 더 좋은 컴퓨터를 만드는 데 사용될 것이다. 또한 신소재는 무게에 비해 성능이 훨씬 우수한 배터리를 만드는 데 사용되어 로봇과 드론의 새로운 가능성을 열 수 있다. 이런 예는 계속해서 생각할 수 있다. 가장 영향력이 크고 깜짝 놀랄 만한 발전은 기술들이 서로 연결되면서 가능해질 것이다. 이런 상황에서 수직적이고 외부와 소통하지 않는 조직구조를 가진 공공기관이나 기업은 시간이 흐르면서 도태될 것이다.

마지막으로 4차 산업혁명 기술은 비슷한 혜택과 도전 과제를 만들어낼 거라는 공통점이 있다. 경제학자이자 저자인 돈 부드로Don Boudreaux가 지적했듯이, 100년 전만 하더라도 세계에서 가장 부유한 사람도 TV, 대서양 횡단 비행 티켓, 콘택트렌즈, 피임약, 항생제를 살 수 없었다. 오늘날 이 모든 것들은 선진국에서 평균적인 사람이라면 어렵지 않게 구할 수 있다. 이런 새로운 제품과 서비스의 금전적인 가치를 산출하기란 어렵다. 마찬가지로 4차 산업혁명 기술은 소비자들이 선택할 수 있는 제품의 폭을 급격하게 확대시킴과 동시에 가격을 낮추고 품질을 향상시킬 것이다. 그리고 이런 기술들이 창출할 부가가치를 정량화하는 것 역시 매우 어렵다.

아마도 4차 산업혁명과 관련된 가장 큰 우려는 가치가 균등하게 공유되지 않아 불평등이 증가함으로써 사회적 결속력이 약해질 것이라는 점이다. 4차 산업혁명 시대에 불평등을 악화시킬 수 있는 요소는 바로 독점이다. 예를 들어 이미 구글은 글로벌 검색엔진 시장에서 90퍼센트의 점유율을 자랑하고 있고, 페이스북은 모바일 소셜 트래픽의 77퍼센트, 아마존은 전자책 시장의 75퍼센트를 차지하고 있다.[9] OECD가 경고한 것처럼 미래에는 스스로 학습하는 알고리즘이 서로 담합하여 불법 행위가 절대로 드러나지 않는 방식으로 가격을 올리는 것이 가능하다.[10] 만약 일반적 인공지능이 '초지능(superintelligence, 발전된 형태의 인공지능으로, 옥스퍼드 대학교의 닉 보스트롬Nick Bostrom 교수는 초지능을 '창의성과 지혜, 그리고 사회적 능력'을 포함해 모든 분야에서 최고의 인간 전문가를 뛰어넘는 인공지능이라고 정의했다 – 옮긴이)'으로 스스로 진화할 수 있다면, 이 선점자 효과 first-mover advantage로 수많은 시장을 지배할 수 있을 것이다.

4차 산업혁명 기술의 발전이 잠재적인 불평등으로 이어질 수 있다는 사실에 불편함을 느끼는 사람들이 많다. 하지만 4차 산업혁명 기술이 창출하는 많은 기회들을 보면 어떤 형태로든 분산화를 제공한다는 사실 또한 기억해야 한다. 예를 들어 블록체인은 투명한 익명 거래를 가능케 하는 분산화된 플랫폼으로 기능할 수 있으며, 3D 프린팅은 장기적으로 제조업을 대중화할 수 있다. 심지어 유전자 교정을 가능케 하는 생명공학은 이제 적절한 가격으로 대중화되는 추세이다. 이런 맥락에서 대중화란, 세계적인 규모로 디지털 인프라가 확산되고 지식이 공유되면서 기술이 모든 사람들에게 접근 가능해진다는 것을 의미한다. 이런 의미의 대중화가 기술을 사용하고 경제와 사회에서 기술의 역할을 정하는 의사 결정의 대중화와 동일하게 이뤄질지는 좀 더 지켜봐야 한다. 챕터 3에서 우리는 기술 개발 과정에 사회적 가치를 녹여 규범을 구축하고 의사 결정 과정을 대중화하려면 어떻게 해야 하는지를 살펴보며 이 문제를 다룰 것이다.

4차 산업혁명이 고용에 미칠 잠재적 영향에 대해서는 많은 사람들이 우려하고 있다. 도표5 와 도표6 에서 볼 수 있듯이 여러 분야의 많은 일자리에

도표5 **직업과 자동화**

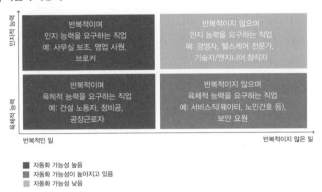

도표6 **직업과 자동화**

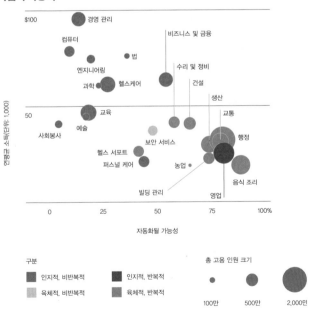

출처 Autor, Levy and Murnane(2003); Blackrock Investment Institute(2014)

서 자동화가 이뤄지고 있다. 이는 이전 산업혁명으로 기존 일자리들이 대체된 것보다 훨씬 규모가 크다. 그리고 4차 산업혁명의 빠른 성장 속도는 일자리 소멸이 더 빠르게 진행될 수 있음을 의미한다. 한편, 오늘날 최첨단 기술 산업에서 일자리가 만들어지는 속도는 지난 수십 년 동안 일자리가 만들어진 속도보다 느리다.[11] 새로운 산업에서 만들어지는 일자리는 기술에 대한 전문성과 비인지적 능력을 요구함에 따라 저숙련 노동자들은 더욱 커다란 어려움에 봉착했다. 선진국에서 대부분의 새로운 일자리는 비정규직, 파트타임, 임시직, 또는 긱 이코노미gig economy 일자리로, 정규직 노동자들이 받는 법적 보호와 각종 편익을 누리지 못한다. 예를 들어 2005년과 2015년 사이 미국에서 만들어진 새로운 일자리의 94퍼센트는 사회보장 혜택을 받지 못하고 기본 노동권 역시 보장되지 않는 '대안적 형태의 일자리'였다.[12] 따라서 4차 산업혁명 기술은 인간의 기술과 관심사를 의미 있는 일에 적용할 수 있는 선택과 능력을 제한하는 측면이 있으며, 이로 인해 불안정하고 분열된 노동의 세대로 이어질 가능성이 있다. 이러한 변화의 물결에 적응하기 위해서는 비정규직과 관련된 새로운 규정이 필요하며 평생 교육 및 선제적 고용 서비스에 대한 투자가 필요하다.[13]

4차 산업혁명 시대에서 우리는 사회보장제도와 '자금 이전transfers'의 역할을 다시 생각해야 한다. 도표7 은 대부분의 국가에서 정부 지출과 사회 복지 프로그램을 통해 이뤄지는 자금 이전이 시장 임금의 분배 구조를 변화시키는 데 매우 중요한 역할을 한다는 것을 보여준다. 예를 들어 스웨덴은 미국, 싱가포르, 멕시코, 터키보다 구조적으로는 더 불평등하지만, 세금과 자금 이전 이후 스웨덴의 지니계수는 위의 국가들보다 낮다. 현재 샌프란시스코에서 실험 중인 것으로 알려진 로봇세에 기반한 기본소득과 같은 다양한 옵션이 제안되고 있다. **14** 세계경제포럼이 발간하는 〈포용 성장과 개발 보고서 2017Inclusive Growth and Development Report 2017〉에 의하면, 각국 정부는 포용적 성장을 어떻게 더 강화할지에 대해 보다 근본적으로 접근해야 한다. 국내 구조 개혁의 범위는 세금과 자금 이전보다 훨씬 클 수 있기 때

도표7 재분배 정책이 불평등을 줄이는 정도

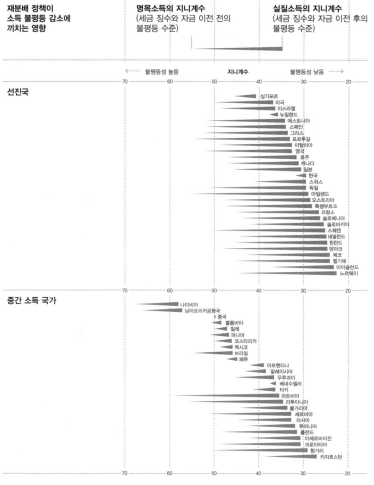

출처 세계경제포럼(2017)

문이다. **15**

경제적 불평등에 끼치는 잠재적 영향력 외에도 4차 산업혁명 기술은 다양한 분야에서 심각한 부정적 외부효과를 만들어낼 수 있다. 다음의 부정적인 외부효과는 〈글로벌 리스크 보고서The Global Risks Report〉에서 조사한 전문가들의 언급을 바탕으로 한 것이다. 이 내용은 섹션 2에서 보다 상세하게 다룰 예정이다.

- 4차 산업혁명 기술은 생명공학기술을 활용하여 만들 수 있는 생물무기를 포함하여, 대량파괴무기들을 만들 수 있는 능력을 대중화할 수 있다.
- 신소재(예: 나노기술)는 환경이나 인간의 건강에 악영향을 끼칠 수 있다. 하지만 이런 악영향은 널리 사용되기 전까지는 이해하거나 알기 어렵다.
- 청정에너지기술의 발전은 화학연료를 생산하는 국가들의 안정성을 훼손함에 따라 지정학적인 불안정을 야기할 수 있다.
- 지구공학을 통해 기후변화를 해결하려는 시도는 생태계에 돌이킬 수 없는 손상을 가져와 예기치 않은 결과를 초래할 수 있다.
- 퀀텀 컴퓨팅의 발전은 기존 온라인 보안 프로토콜을 무용지물로 만들 수 있다.
- 블랙박스 인공지능(black box AI, 인풋이 아웃풋으로 나오는 과정이 불분명한 인공지능의 정보 처리 과정 — 옮긴이)의 광범위한 도입은 경제 시스템을 보다 취약하고 불안정하게 만들면서, 의사 결정의 책임 소재를 불분명하게 만들 수 있다.

－ 신경기술의 발전은 사람들이 링크를 클릭하거나 물건을 구매하거나 또는 행동을 할 수 있게끔 '조종'하는 능력으로 이어지면서 인간의 자유를 침해할 수 있다.

느리고 후진적인 경향이 강한 지금의 거버넌스 모델에만 의존한다면 이런 외부효과를 관리하는 것은 불가능하다. 일례로 미국의 연방항공국이 아마존에 특정 유형의 드론을 실험할 수 있는 '운항 허가 증명서'를 발급하는 데 8개월이나 걸렸다. 8개월을 기다리는 동안 해당 드론은 이미 구식이 되었다. 그 결과 아마존은 캐나다와 영국에서 실험을 해야만 했다.[16] 챕터 3과 결론 부분에서 논의하겠지만, 규제, 규범, 표준의 내용뿐만 아니라 우리가 그것들을 만들어내는 전반적인 절차에 대해 재고할 민첩한 거버넌스에 대한 새로운 접근 방식이 시급한 상황이다.

이런 새로운 접근 방식은 공공의 이익과 인간의 욕구를 충족시킬 수 있는 방식으로 기술을 통제할수 있어야 한다. 그리고 궁극적으로는 우리 인류가 진정한 의미로 세계 문명의 한 부분이라고 느낄 수 있게 해주어야 한다. 그러기 위해서 우리는 우선 기술과 관련하여 인간의 욕구가 무엇인지, 그리고 긍정적인 인간의 가치가 세계를 바꾸는 기술 변화에 어떻게 통합되고 협력할 수 있는지를 파악하고 해결해야 한다.

4차 산업혁명을 보다 깊게 이해하는 생산적인 방식은 '줌인, 줌아웃' 전략이라고 할 수 있는 두 갈래 접근법을 활용하는 것이다. 두 갈래 접근법을 활용하기 위해서는 아래의 두 가지를 기억해야 한다.

1. 다양한 기술의 잠재력을 보다 깊게 이해하고 이런 기술들이 어떻게 활용되는지를 파악할 수 있게 다양한 기술군에 대한 최소한의 지식 갖기
2. 기술과 그 기술이 촉진하는 시스템적 변화 사이의 관계를 이해함으로써 점들을 연결하기

4차 산업혁명의 기술은 우리가 목도하고 있는 시스템적 변화와 관련하여 몇 가지 일반적인 측면을 제시한다. 4차 산업혁명 기술의 네 가지 특징을 고려하면 더 크고 시스템적인 그림을 볼 수 있다.

1. 4차 산업혁명 기술은 중대한 방식으로 디지털 시스템을 확대하고 변화시킨다.
2. 4차 산업혁명 기술은 기하급수적으로 성장하며 물리적인 제품으로도 등장해 우리 삶에 자연스럽게 스며든다.
3. 4차 산업혁명의 파괴적 혁신의 힘은 서로 결합해 혁신을 창출하면서 증폭된다.
4. 4차 산업혁명 기술은 비슷한 혜택과 과제를 만들어낸다.

이러한 기술이 제공하는 혜택과 과제는 불평등, 고용, 민주주의, 주권, 보건과 안전, 그리고 경제개발과 같은 중요한 문제와 관련되어 있다.

4차 산업혁명 기술이 끼치는 영향력의 속도와 규모를 적절하게 관리하려면 민간 분야와 사회적 당사자, 그리고 정부와 전통적인 규제 기관을 포함한 새롭고 더 기민한 거버넌스 모델이 필요하다. 이 거버넌스의 목적은 규범, 표준 그리고 실행을 포함하여 보다 미래지향적이고 유연하게 적응하며 다양한 당사자들이 주도해야 한다는 것이다.

CHAPTER 03

기술에 가치 심기

《클라우스 슈밥의 제4차 산업혁명》에서 복잡하고 불확실하며 급격하게 변화하는 기술 환경에 대한 가치 기반의 접근 방식은 '새로운 시대'를 여는 데 필수라고 주장했다.[17] 이 챕터에서는 이 아이디어를 확장하고 기술의 미래를 형성하는 데 있어 사회의 역할을 공고히 할 원칙과 가치를 제시할 것이다.

기술이 전 세계적으로 생활 수준과 안락함을 상승시키는 데 기여했다는 것은 부정할 수 없는 사실이다. 하지만 동시에 기술은 골칫거리와 원치 않은 결과를 계속해서 만들어낸다. 이런 원치 않은 결과에는 무엇이 있을까? 우선 많은 디지털 플랫폼이 세계의 부를 소수의 사람들에게 집중시키면서 대부분의 노동자들의 삶은 더욱 불안정해졌고 어려운 상황에 노출되었다는 점을 들 수 있다. 노동자들의 희생 위에 대주주의 배는 불러만 갔고, 천연자원 추출 기술은 환경을 계속해서 오염시켰다. 1990년 이후 자본 설비에 대한 투자가 증가하면서 미국 제조업 일자리의 83퍼센트가 사라져 많은 공동체가 해체된 예도 빠질 수 없다.[18]

이런 외부효과는 최근 30년 동안 서서히 일어났다. 하지만 4차 산업혁명이 불러일으키는 변화의 속도가 점차 빨라지고 있다. 우리는 그 어느 때보다 다양하고 복잡하며 파괴적인 기술의 변화에 대응해야 한다. 4차 산업혁명의 미래를 예측하기란 어렵지만, 많은 사람들은 부정적인 영향에 대한 우려를 드러내고 있다. 챕터 2 끝부분에 언급한 것처럼 세계경제포럼의 〈글로벌 리스크 보고서 2017〉은 인공지능, 생명공학, 지구공학, 그리고 사물인터넷을 특히 우려되는 포인트로 보는 전문가들의 의견을 공유했다.[19] 〈글로벌 리스크 보고서 2018〉은 데이터, 인프라, 개인정보 및 신원정보와 같은 디지털 정보에 대한 사이버 공격이 최근 들어 더욱 빈번해지고 그 취약점이 드러나면서 작년 한 해 동안 그 피해가 눈에 띄게 부각되었다고 지적했다. 그렇다면 4차 산업혁명의 기술들이 과연 세계와 우리 삶을 발전시킬지를 어떻게 알 수 있을까? 4차 산업혁명이 불러오는 경제적인 혜택을 비롯해 다양한 혜택은 인간의 희생을 감수할 만큼 값어치가 있을까? 관련 위험을 완화할 효과적인 방법이 있을까? 우리는 이런 기술로부터 무엇을 얻어야 할까?

궁극적으로 여러 기술들은 편리함, 즐거움, 권한, 생산성 등을 우리에게 약속할 수 있다. 하지만 거시적 관점에서 우리가 기술로부터 원하는 것은 인류의 안녕을 증진하고 건강한 경제를 달성하는 것이다. 챕터 1에서 우리는 기술에 대해 '미래를 결정하는 것이 아니라 권한을 주기', '인간을 위한 의도를 가지고 개발하기', '가치를 기술의 필수 요소로 대하기'를 주장했다. 쉽게 말해서 4차 산업혁명은 인간 중심의 산업혁명이 되어야 한다. 4차 산업혁명의 기술이 불평등, 빈곤, 차별, 불안정, 혼란, 환경 파괴를 야기하거나 기술로 인해 인간 존재의 가치가 떨어지고 하찮게 취급되는 것은 결코 우리가 원하는 방향이 아니다.

불행히도 기술 발전과 경제성에 눈이 멀어 정말로 중요한 것을 우리가 놓치고 있다는 느낌이 점점 강력해지고 있다. 에릭 브린욜프슨Erik Brynjolfsson과 앤드루 맥아피Andrew McAfee 같은 저명한 경제학자들은 기술로 인해 임금과 생산성 사이에 생기는 '탈동조화great decoupling' 개념을 대중에게 널리 알렸다.[20] 그리고 기술로 인해 발전하는 긱 이코노미는 2020년까지 모든 일자리의 40퍼센트를 차지할 것으로 예상된다.[21] 여기에다 OECD 국가들의 소득에서 노동 소득 비율 감소분의 최대 80퍼센트가 기술로 인한 것임을 상기해야 한다. 많은 연구 보고서에서 불평등 심화가 기술과 연계된 것으로 분석하고 있으며, 많은 정책들이 사회적 결속이나 인류의 안녕보다는 경제 발전을 우선시하여 만들어지는 것으로 보인다.[22] 기술 변화를 통해 어떤 결과를 얻고 싶은지 물어보기 전에 원치 않은 결과에 우선 대응해야 한다는 점을 주시할 필요가 있다.

기술에 대한 가치 기반적인 접근 방식은 우리가 기술에 압도당하지 않고 균형을 잡는 데 도움이 된다. 첫째, 기술의 정치적인 본질에 대해 명확히 밝히는 것은 책임감 있고 빠르게 대응 가능한 거버넌스를 구축하는 데 도움이 된다. 둘째, 사회적 가치에 거버넌스의 우선순위를 두는 것은 기술을 어떻게 사용하고 누구에게 혜택이 가도록 할지를 관리할 수 있다. 셋째, 기술이 어떻게 기술 체계의 한 부분이 될 수 있는지 명확히 하는 것은 가치를 기술 개발의 단계에 통합시키는 최적의 전략을 도출하는 데 도움이 된다.

기술과 가치의 관계는 쉽게 정의할 수 없다. 가치는 추상적이고 무형한 자산이며 사회마다 다르고 개인마다 다르기 때문이다. 언어에서부터 로켓까지 기술의 범위는 넓고 광범위하다. 이와 관련하여 익숙하지만 잘못된 두 가지 관점을 소개하려 한다.

잘못된 관념 1: 기술이 미래를 결정한다

기술은 우리에게 인센티브와 권한을 주고 행동 방식을 제한하며 기술 발전은 외생적이고 우리가 바꾸거나 멈출 수 없는 결정적인 강력한 흐름이라고 규정하는 것이다. 이 관점을 받아들인 사람들은 기술이 역사를 움직이고, 좋은 방향이든 나쁜 방향이든 우리의 가치를 구성하며, 기술 발전을 멈추려는 시도는 의미가 없다고 주장한다.

잘못된 관념 2: 기술은 가치중립적이다

기술이 우리 사회에 의미 있는 영향력을 준다는 것을 부정하는 관점이다. 대신 기술은 중립적인 도구라고 생각한다. 사회에 영향을 끼치는 것은 기술 활용 방식을 선택하는 개인들이라는 것이다. 이런 주장은 사용자들의 도덕적 특성에만 초점을 맞춘 나머지 (개발자들과 확산자들의 역할도 이런 논의에서는 제외된다) 기술이 무엇을 가능하게 만들 수 있고 사람들에게 어떤 영향을 끼칠 수 있는지에 대한 논의를 간과해버린다.

이 두 관점은 4차 산업혁명 시대에는 적절하지 않다. 분명 어느 정도 일리는 있을 것이다. 하지만 4차 산업혁명의 기술이 챕터 2에서 설명한 대로 더욱 빨리 확산되고 사용자들에게 힘을 더해주는 현 상황에서 이 두 관점은 매우 위험하다.

첫 번째 관점은 사회가 기술을 통제할 수 없다고 보는 반면, 두 번째 관점은 기술이 끼치는 영향과 사회적 책임을 별개로 구분한다. 하지만 두 관점 모두 기술과 사회는 서로에게 영향을 주고받으면서 형성된다는 점을 간과하고 있다. 핵기술은 이런 관점에 전적으로 의존하는 것이 얼마나 위험한지를 단적으로 보여주는 예이다. 핵기술은 분명 '단순한 기술'이 아니다. 핵기술은 핵에너지의 원천 기술이기도 하면서 잠재적인 파괴력 때문에 존재 자체만으로도 사회에 엄청난 압박을 준다. 예를 들어 최근 지정학적 긴장은 핵 위험에 대한 인식을 높이고 있으며 2017년 노벨평화상은 '핵무기폐기국제운동'에게 수여되었다. 하지만 핵기술은 인류의 운명을 결정하지 않는다. 왜냐하면 사회는 어떤 기술이 개발되고, 어떻게 개발되며, 누가 결정권을 갖고, 어떤 목적으로 사용할지를 결정할 능력이 있기 때문이다. 실제로 독일 정부가 2022년까지 모든 원자력 발전소를 폐쇄하겠다고 한 발표 **23**에서 볼 수 있듯이, 점점 더 많은 사회가 핵기술 사용에 반대하는 결정을 내리고 있다.

성공적인 4차 산업혁명 시대를 열기 위해서 우리는 기술의 속성을 이해하면서 더욱 유용하게 사용할 생각을 해야 한다. 동시에 기술이 내포한 목적, 위험, 불확실성에 대해서 세부적인 부분까지 대화를 나눌 수 있는 능력도 갖춰야 한다. 그러기 위해서는 '모든 기술은 정치적이다'라는 제3의 시각이 필요하다. 여기서 정치적이라는 말은 비유적인 의미다. 기술이 정부를 대변하거나 특정한 정치색을 보인다는 의미가 아니다. 기술은 사회적 절차에 따라 개발된 솔루션, 제품 또는 도구로서 사람들을 대변하고 제도를 지탱하며, 내포된 가치와 원칙은 사회 내의 권력과 구조, 지위에 영향을 준다는 의미다.

결국 기술은 우리가 아는 것, 의사 결정을 내리는 방법, 자신과 타인을 어떻게 생각하는지와 연관되어 있다. 이처럼 기술은 우리의 정체성과 세계관, 잠재적인 미래에까지 연결된다. 기술은 핵기술에서부터 우주 경쟁, 스마트폰, 소셜미디어, 자동차, 의료, 인프라까지 정치적으로 만든다. '개발 완료' 국가(developed nation, 선진국)라는 개념도 기술 채택과 그것이 경제·사회적으로 어떤 의미를 갖느냐에 따라 달라진다.

많은 과학자들과 기술 전문가들은 이미 기술의 정치적 측면을 인정하고 있다. 예를 들어 전자전기공학연구소Institute of Electrical and Electronics Engineers 는 인공지능을 '사회·기술적 시스템'이라고 표현했다.[24] 실제로 인공지능의 가치를 깊게 생각해야 할 필요성은 학계, 정부, 산업 전문가들 사이에서 공적 담론으로 이어져왔다. 비슷하게 너필드생명윤리위원회Nuffield Council on Bioethics는 다음 내용처럼 생명공학을 '지식과 실행, 제품과 응용의 조합'으로 정의했다.[25] 이 정의에 의하면 기술은 부분의 합보다 더 큰 존재이다.

생명공학은 엄청난 다양성의 기술 분야다. 그럼에도 특정 사회·역사적 맥락에서 특정 생명기술의 조합으로 이어지는 조건들은 공통적인 문제를 제기한다. 이런 조건들에는 자연적 한계natural constraints와 자발적인 선택이 모두 포함된다(하지만 이런 자발적인 선택이 언제나 인정되거나 명백한 것은 아니다). 이런 선택은 가치, 신념, 기술과 기술 활용에 대한 기대감이 포함된 복잡한 판단에 달려 있다. 이런 선택들이 어떻게 만들어졌는지는 — 서로 다른 가치, 신념, 그리고 기대가 평가되고 통합되었는지 — 중대한 윤리적이고 정치적인 측면을 가진다.

새롭게 발명된 기술은 가치와 목표, 타협의 결과물이다. 그리고 그 기술이 강력할수록 이를 아는 것이 더 중요해진다.

많은 경우 어떤 기술이 만들어지고 어떻게 설계되며 활용될 가치가 있는지 판단하는 것은 경제적 논리에 따른다. 그리고 이런 경제적 인센티브는 사회적 영향과 매우 밀접하게 연관되어 있다. 예를 들어 '가짜 뉴스'에 대항하기 위한 디지털 콘텐츠 필터링 윤리에 대한 최근의 논의는 관련 기술을 개발하는 기업들의 경제적 논리와 플랫폼 개발, 그리고 콘텐츠를 추적·분류하여 소비자들에게 전달하는 기술과 직접적인 관련이 있다. 디지털 소셜미디어 산업에서는 ― 신문, TV, 라디오 등의 전통 미디어와 같이 ― 경제적 인센티브와 제품 관리가 수십억 명의 사람들이 무엇을 알고 어떻게 아는 것에 영향을 끼친다. 핵기술과 마찬가지로 윤리적이고 정치적인 과제를 야기한다. 차이점은 인터넷의 개방성이 소셜미디어 기술의 급격한 확장을 가능하게 하여 '반사회적'으로 여겨지는 콘텐츠를 감시하기가 매우 어려워지리라는 점이다.

기술이 특정한 사회적 태도와 이해관계, 목적을 수반한다는 점을 이해하는 것은 우리가 변화를 시작하는 데 더 큰 힘을 준다. 원치 않은 결과를 기술의 탓으로만 돌릴 수도 없고, 기술이 우리의 의사 결정에 끼치는 영향력도 무시할 수 없기 때문이다. 이를 이해하게 되면 아래와 같은 세 가지 책임감을 인지하게 될 것이다.

1. 특정 기술과 관련된 가치를 파악할 책임
2. 기술이 우리의 선택과 의사 결정에 어떻게 영향을 끼치는지를 이해할
   책임

3. 적절한 이해당사자들과 함께 가장 좋은 방향으로 기술이 발전하도록
   영향을 끼칠 책임

사회, 기술, 그리고 경제 사이의 정치적 협상 과정에서 사회적 가치에 어느 정도의 비중을 두느냐는 우리에게 달려 있다.

| 사회적 가치에 우선순위를 두기 |

기술은 사회의 일부이기 때문에 우리는 기술 발전 과정에서 사회적 가치를 우선순위에 두어야 할 책임과 의무가 있다. 기술은 설계와 사용 목적에 부합하는 가치를 지니는 경향이 있지만, 구체적으로 어떤 가치를 내포해야 하는지에 대해서는 합의가 항상 이루어지는 것은 아니다. IEEE의 존 헤이븐스John Havens는 이에 대해 이렇게 말했다. "만약 우리가 스스로를 알지 못한다면, 우리가 무엇을 가치 있게 여기는지 기계가 어떻게 알 수 있단 말인가? … 우리의 이상향에 부합하는 기술을 만들기 전에 시간을 갖고 우리의 집단 가치가 무엇인지 파악하지 않는다면 우리는 인간의 안녕을 결코 증진시키지 못할 것이다."[26]

서로 다른 사람들과 사회들은 서로 다른 가치를 지니며, 또 기술에 어떤 사회 및 문화적 관점을 투영할지에 대해서도 이견을 보인다. 서로 다른 문화와 가치로 인해 우리의 우선순위는 각각 다르다. 하지만 이런 차이점에도 가치에 기반을 두고 기술에 대해 생각하는 것을 멈추어서는 안 된다. 이런 문제에 대해서 더 많이 생각할수록 우리는 어떤 가치가 정말로 사회에 중요한 것인지, 그리고 기술이 이런 가치에 어떻게 영향을 주는지 더 잘 알 수 있다. 사실 대부분의 문화권에서 공통적으로 높게 여겨지는 몇

몇 가치를 찾아내는 것은 불가능하지 않다. 〈새로운 사회 협약A New Social Covenant〉이라는 제목의 백서를 통해 세계경제포럼의 산하 조직인 '글로벌 어젠다 위원회 가치분과World Economic Forum Global Agenda Council on Values'는 '서로 다른 문화, 종교, 관점을 가진 사람들 사이에서도 존경받는 개인, 서로에 대한 헌신, 다음 세대에 대한 존중이라는 강력하고 통일된 이상향이자 공통된 인류의 열망에 대한 포괄적 합의'가 있다고 말했다.[27]

긍정적이고도 일관된 가치에 합의하는 것은 첫 단계일 뿐이다. 이런 가치들은 실제로 적용되어야 한다. 이를 위한 한 가지 방법은 유연하면서 책임감 있는 거버넌스를 통하는 것이다. 일반적으로 우리의 제도는 기술 변화의 속도와 폭을 따라가는 데 어려움을 느낀다. 많은 법률 제도는 새로운 리스크에 대처할 준비가 부족하다. 실제로 세계는 환경에서 인권에 이르기까지 모든 것을 위협하는 전례 없는 시나리오가 현실로 나타날 수 있다는 점을 깨닫기 시작했다. 더욱이 어떻게 설계·활용·관리·통제되는지에 따라 달라질 수 있기 때문에 새로운 기술들이 만들어낼 수 있는 외부효과가 무엇인지 예측하기도 어렵다. 서로 다른 기술군들이 융합하면서 우리가 예상하지 못하는 새로운 위험이 등장하기도 한다. 거버넌스 전략은 제도를 무용지물로 만들지 않으면서 이런 외부효과에 유연하고 민첩하게 개입하고 대응할 수 있어야 한다.

가치에 대한 새로운 사회 서약

세계경제포럼 글로벌 어젠다 위원회 가치분과(2012~2014)

우리의 소명은 무엇일까? 가치에 대한 고찰은 우리 시대의 가장 중요한 과제이자 고민거리다. 그런 고민을 해결하는 방법 중 하나는 바로 새로운 사회적 협약New Social Covenant을 만들어내는 것이다.

과거에는 개인의 권리를 신장시키는 데 집중했다. 개인의 권리는 매우 중요하다. 하지만 여기에서는 서로가 서로에게, 국가 내부적으로든 아니면 국가와 국가 사이의 관계든, 어떤 빚을 졌는지에 집중하고자 한다. … 가치에 관해서는 매우 큰 문화적 다양성이 존재한다. 하지만 서로 다른 문화, 종교, 관점을 가진 사람들 사이에도 공통된 인류의 열망에 대한 포괄적 합의 역시 존재한다.

– 인종, 성별, 배경 및 신념에 구애받지 않는 인간의 존엄성
– 개인의 이해관계를 초월하는 공동 선의 중요성
– 스튜어드십stewardship : 우리 자신만이 아니라 후세를 위한 노력

이런 가치를 촉진하는 것은 개인적 과제이면서 집단 과제이기도 하다. 우리의 열망과 현실 사이의 격차를 좁히기 위해서라도 가치를 공론화할 필요가 있다. 하지만 단지 토론만으로는 충분하지 않다. 우리는 지금까지와는 다른 선택을 해야만 한다. 그러기 위해서는 인간의 모든 행위에서 전환적인 가치 기반의 리더십을 발휘해야 한다. 세계경제포럼에서뿐만 아니라 그 이후에도 우리는 새로운 모델을 조성하고 존중해야 한다. 또한 반드시 효과적이고 생산적이며 치유적인 방식으로 글로벌 과제에 대응할 수 있는 사람들, 다시 말해 보다 공정하고 관대하며 지속가능한 세계를 구축할 사람들을 이 작업에 참여시켜야 한다.

가치 기반의 거버넌스는 지금도 존재한다. 2018년 중반부터 효력이 발생하는 유럽연합의 '개인정보보호규정General Data Protection Regulation'이 대표적인 예다. 개인정보보호규정은 투명하고 쉽게 이해할 수 있는 조건을 요구함으로써 사용자 동의에 대한 규정을 바꾸어놓을 것으로 기대된다. 데이터를 관리하는 회사들은 보안 위반 사례가 생길 때마다 사용자들에게 알려야 하며, 사용자들의 데이터가 어떻게 이용되는지에 대한 정보도 제공해야 한다. 또한 '잊힐 권리'와 '정보의 이동을 요구할 권리'도 준수해야 하며, 필요할 경우 개인정보 보호관도 고용해야 한다. 그리고 기술과 서비스 설계 단계부터 데이터 보호 관련 법을 준수해야 한다.[28]

설계 단계부터 사생활 보호 대책을 강구하는 개인정보보호규정의 목적은 가치를 말뿐 아니라 실제로 실행에 옮기는 두 번째 방식을 의미한다. 즉, 기술이 개발되는 단계에 가치를 접목해 기술이 기술자들의 가치가 아니라 사회의 가치를 나타낼 수 있도록 보장하는 것이다. 기술과 윤리에 자유방임적 관점으로 다가가면서 파생되는 문제들을 바로잡고 보정하려는 노력을 기울이는 것보다, 기술 개발의 모든 단계에서 윤리와 가치, 사회적 영향을 사전에 고려할 때 우리 사회가 열망하는 집단적 안녕의 증진에 비로소 기술이 중요한 역할을 하게 될 것이다. 블록체인, 사물 인터넷, 자율 시스템, 신경기술 및 알고리즘은 가치가 분명하게 정립되지 않은 분야에서 좁은 관심사를 가진 전문 커뮤니티에 의해 개발되고 있는 기술들의 예이다.

불행히도 특정 가치를 기술 개발 단계에서 접목하는 일은 분명 쉽지 않은 과제다. 그저 '윤리'라는 기능을 추가하는 것처럼 단순하지도 않고, 새로운 방법론을 도입하거나 새로운 조직 문화를 가꾸고 심지어 해당 기술의 발전을 이끄는 시장경제의 사고방식에 도전하는 것만큼이나 복잡한 일이 될 수 있다. 그뿐만이 아니다. 많은 기술들, 특히 디지털 기술은 수많은 방식으로 활용될 수 있고 그 위험과 잠재적 영향력은 예측하기 어렵다. 기술이 내포한 위험이 예측된다 하더라도 기술을 완벽하게 통제할 수는 없다. 예를 들어 어떻게 블록체인기술이 범죄에 악용되지 않을 수 있는지, 어떤 방식으로 잠재적인 탄소 발자국을 줄일 수 있는지는 아직 분명하지 않다. 그럼에도 불구하고 기업과 사회 제도는 기술 설계 및 활용 방법 이상을 생각해야할 의무가 있다. 그들은 시작부터 사회적 책임을 져야 한다. 기술 개발과 제품 개발 단계에서 그들은 시스템적 인센티브와 기술적 요구 사항을 넘어 사회에 끼칠 수 있는 잠재적인 영향력을 보다 폭넓게 파악해야 한다.[29]

| 기술에 가치 심기 |

사회적 가치에 우선순위를 두는 것은 하향식 규제로는 성공할 수 없다. 기술에 사회적 가치를 심기 위해서는 중요한 기술을 공론화해야 하며 사람들과 조직들이 새로운 행동양식을 습득할 수 있는 기회도 만들어야 한다. 또한 리더들도 동기부여를 해야 한다. 가치 심기는 이후에 소개할 가치변곡점inflection points에서 잘 설명되어 있듯이 다양한 단계에서 시작할 수 있다. 가치 심기를 어디에서 시작하든, 행동 변화와 기술의 영향력에 대한 인식 제고, 그리고 사회적 가치의 우선순위화는 다음에 나오는 기술에 대한 접근 방식을 통해 더욱 개선될 수 있다.

첫째, 기술의 중요성과 영향력을 인정하는 것이 우선이다. 기술은 인간의 삶 구석구석에 스며들어 사람들 사이의 상호작용을 촉진하고 경제 발전을 도모하며, 우리의 몸과 환경에 영향을 주고 사회제도와 시민사회에 필요한 정보를 처리한다. 첨단소재와 의학기술과 같은 기술을 존중하는 환경은 충분히 조성되었다. 이제 검색엔진과 자율 시스템, 블록체인 등의 기술들에도 비슷한 수준의 환경과 분위기가 조성되어야 한다. 기술의 수명이 아니라 우리 삶에 미치는 집단적인 영향력을 기준으로 측정하면 겉으로는 단순해 보였던 기술들도 새로운 의미를 부여받게 된다.

둘째, 개인과 조직의 목적을 확실하게 이해하고 기술에 반영함으로써 기술 발전과 활용에 대한 명확한 시각을 얻을 수 있다. 과학 발전과 기술 개발을 추구하려면 한계에 도전할 수 있는 자유가 있어야 한다. 하지만 동시에 우리는 사회의 안녕과 같은 목적과 의미를 되새기면서 새로운 능력을 길러나가야 한다. 한 예로, 1945년 원자폭탄이 최초로 투하된 이후 물리학자 로버트 오펜하이머Robert Oppenheimer는 과학자의 목적은 인류에 공헌할 수 있는 과학의 순수한 내재 가치를 위해 지식을 공유하고 배우는 데에 있다고 주장했다.[30] 이 주장을 시작으로 오펜하이머는 과학자의 호기심, 야망, 그리고 집단 책임을 옹호하면서 원자력위원회의 발족, 정보의 자유로운 교환, 폭탄 제조 금지를 주장했다.

셋째, 가치 또는 가치와 기술의 관계에 대해 명확한 입장을 취하는 것은 신념이 행동으로 이어지는 지점이다. 가치에 대한 조직의 내부 규정은 매우 큰 도움이 된다. 기술에 대한 목적 의식이 있고, 가치 중심적 사고방식 상화를 위해 윤리 강령이나 조직의 입장을 공표하면, 회사나 조직 또는 전체 산업군의 문화를 형성하는 데 큰 도움이 된다. 의사들이 하는 히포크라테스 선서가 대표적인 사례다. 히포크라테스 선서는 의학 연구와 분석 그리고 의학기술의 개발에 있어 어떤 마음가짐을 가져야 하는지에 초점을 맞추고 있으며, 생물공학 산업도 의료계의 영향을 받아 비교적 상당한 자기 반성과 억제력을 보였다.

마지막으로 기술 개발의 모든 단계에서 가치가 일종의 가이드라인 역할을 수행할 수 있도록 가치변곡점을 활용하는 것은 매우 중요하다. 선한 의도와 책무를 갖는 것 역시 중요하다. 하지만 제품 개발 과정의 결정적인 확산 포인트critical amplifying points를 가치에 대한 인식을 높이는 기회로 활용하면 더 많은 것을 도모할 수 있다. 예를 들어 윤리 교육을 할 때 합리적 의사 결정의 문제를 부각하기 위해 '트롤리 문제(다섯 사람을 살리기 위해 한 사람을 희생시키는 것이 윤리적으로 옳은 것인지에 대한 질문 – 옮긴이)'를 종종 사용한다.[31] 이 윤리적 질문은 인간에게 어려운 의사 결정은 종종 무형이면서 값을 매기지 못하는 삶의 특징을 내포한다는 것을 드러낸다. 기계가 이런 문제에 직면하게 되면 이런 측정되지도 않고, 측정할 수도 없는 기준도 코드화되어야 한다. 가치변곡점을 통해 리더들은 기술 형성 과정에서 가치의 역할을 강조할 수 있다.

왜 가치인가?

스튜어트 월리스 Stewart Wallis, **영국의 사상가이자 새로운 경제 시스템 옹호자**

세계는 전례 없는 과제에 직면해 있다. 인류 역사상 처음으로 우리는 지구와 생태계의 한계에 맞닥뜨렸다. 어쩌면 한계를 이미 넘었는지도 모른다. 동시에 인구 성장과 빠른 기술 변화 때문에 2050년까지 약 15억 개의 새로운 일자리가 필요하다. 대부분의 새로운 일자리는 현재의 일자리를 대체할 것이다. 더욱이 탄소를 포함해 생태계적으로 중요한 자원들이 고갈되는 속도를 고려하면 우리는 일자리 창출과 생태계적으로 안전한 환경에서의 삶 사이에서 잠재적인 갈등에 직면해 있다. 여기에 점점 심해지는 지정학적 안보 문제와 대륙을 넘나드는 난민과 경제적 이주자, 계속해서 심화되는 글로벌 부와 소득의 불균형, 4차 산업혁명이 초래하는 다양한 외부효과까지 더해진다. 우리는 파멸적인 후퇴 혹은 긍정적인 진보라는 변화를 맞닥뜨리게 될 것이 자명하다. 어찌 되었든 우리는 압도적인 시스템적 변화에 직면해 있다. 많은 잠재적인 솔루션이 있겠지만, 이러한 솔루션을 채택하고 시스템 변화가 긍정적인지의 여부를 결정하는 것은 근본적으로 가치다.

가치는 명확한 목적지와 거기까지 가는 수단을 제공한다. 서유럽의 산업혁명 뒤에는 창의성, 신뢰, 그리고 기업으로의 가치 이동이 있었다. 노예제도 폐지와 민권운동의 배후에도 가치 이동이 있었다. 이와 비슷하게 20세기 서구 경제에서 일어났던 두 가지의 주요한 변화 뒤에도 가치 이동이 있었다. 20세기 중반에는 케인스주의로의 가치 이동과 신자유주의(1980년대와 90년대를 거쳐 21세기 첫 10년까지)로 투박하게 알려진 가치 이동이 있었다. 가치는 사람들이 행동하도록 한다. 이런 모든 사례에서 가치의 변화는 목표를 설정하고 그 목적을 달성할 수 있는 수단이 되었다. 가치 이동은 변화를 이끄는 강력한 선봉대와 명확하고 긍정적이며 영향력 있는 담론이 수반되어야 달성된다. 그 이후에야 규범과 법의 변화는 일반적인 사람들 속에서 더 큰 가치 변화로 이어진다.

4차 산업혁명 시대에서 기술 변화와 사회 변화의 전례 없이 빠른 속도를 감안할 때, 올바른 결과를 내기 위해서 법률과 경제적 인센티브에만 의존하는 것은 충분하지 않을 수 있다. 법률이 제정되고 실행되는 시점이 오면 이미 구식이 되어버리는 경우가 많다. 긍정적인 결과를 보장하는 것은 지속적인 가치 혁명이다.

기술이 끼치는 영향력이 복잡하다는 것은 누구나 안다. 비슷한 논쟁은 신문의 헤드라인에 매일같이 등장한다. 하지만 가치에 대한 의식을 높이고 기술 개발의 각 단계에 필요한 상황지능contextual intelligence을 갖추는 것은 더 어려운 일이다. 그렇다면 기술 개발의 어떤 단계에서 우리는 효율성과 미적 감각과 같은 특정 가치와, 존엄성과 공동의 선과 같은 더 큰 사회적 가치를 고려할 수 있을까?

다음에 나올 아홉 개의 가치변곡점은 시작일 뿐이다. 기술 개발자와 기업가, 정책입안자와 소셜 인플루언서 같은 리더들은 이 점을 활용하여 가치를 되돌아보고 기술 구현을 광범위한 맥락에서 논의하며 행동을 취함으로써 진정한 차이를 만들 수 있다

1. 교육

우리가 관심을 기울여야 할 대상은 기술뿐만이 아니다. 사람들도 책임감 있게 성장해야 한다. 최근 들어 일부 교육기관은 윤리 과목을 기술자들이 반드시 수강해야 할 필수과목으로 지정했다.**32** 하지만 이런 과목들조차 내부 규정과 전문가다운 행동에만 초점을 맞추고 쉬운 지름길을 취하거나 요구 사항을 회피하는 것이 얼마나 대가가 큰지를 강조한다. 하지만 빈번해지는 사기 행위에 대한 대응으로 많은 MBA 프로그램은 기업의 사회적 책임 및 환경 인식과 함께 윤리를 교과 과정에 포함시키기 시작했다. 엔지니어를 위한 교육 과정에서도, MBA 교육 과정에서도 가치가 기술, 사회, 경제에 어떻게 영향을 끼치는지 허심탄회하게 논의해야 한다.

2. 자금 조달과 투자

기업가와 투자자는 기술 개발과 가치 기반의 접근 방식을 결합하는 데 있어 선봉에 서 있다. 기업가들은 특정한 니즈와 욕구를 가진 사람들과 함께 광범위한 사람들에게 영향을 끼치는 문제를 해결한다. 이런 사업가들이 사회적 영향을 고려하면 사회 전체적으로 폭포수 효과를 기대할 수 있을 것이다. 반면 투자자들은 기술 개발의 방향을 유도할 수 있는 당근을 가지고 있다. 개인 투자자들은 사회적 영향력에 더 많은 관심을 쏟고 가치에 기반을 둔 투자 판단을 내릴 수 있다. 만약 그들이 기업가들로 하여금 가치 기반의 기술 개발에 박차를 가하도록 긍정적으로 영향을 주고 인센티브를 준다면, 놀라운 결과가 우리를 기다릴 것이다.

3. 조직 문화

기업가와 조직 리더들의 가치는 일자리와 기술 발전에 거대한 영향을 끼친다. 기업 리더들은 조직 문화를 바꿀 수 있으며 사회 가치에 우선순위를 매길 수 있다. 스타트업들은 가치 설정에 특히 효과적인데, 초창기 멤버들은 비슷한 관심사와 목표를 가진 사람들인 경우가 많기 때문이다. 효과적인 기업 리더십의 예로 코스타리카의 주류 제조 회사인 FIFCO를 들 수 있다. 이 회사의 CEO가 가졌던 가치는 알코올 섭취량을 일정 수준으로 조정하고 직원들이 빈곤에서 벗어날 수 있도록 보장하는 데 기여했다.[33] CEO를 비롯해 각 조직의 리더들은 이런 가치변곡점에서 커다란 영향력을 행사해 목적의식이 강하고 사회의식이 높은 조직을 만들 수 있다.

4. 의사 결정과 우선순위 선정

예산 편성, 연구 의제 결정, 시장 선택 등의 기업 활동을 할 때 업무의 우선순위가 정해진다. 이렇게 정해진 우선순위는 명백한 연쇄효과를 만들어 낸다. 예를 들어 기술과 비즈니스 프로젝트 단계에서 내리는 의사 결정은 효율성, 사업의 확장성, 이익 등과 같은 인센티브를 전제로 한다. 이런 인센티브에 의문을 제기한다는 것은 어떤 근본적인 가치가 이런 인센티브 구조를 만들고, 기술 개발과 응용 절차에 있어 조직과 개인의 선택이 다른 사람들에게 어떤 영향을 끼치는지를 파악할 수 있다. 스마트폰 어플리케이션을 만들든, 비밀 군사기술을 개발하든, 이런 의사 결정 과정을 분해하다 보면 의사 결정 과정의 가치 구조가 드러난다. 리더들은 이런 기회를 활용해 더 큰 사회적 우선순위와의 관계를 재평가할 수 있다.

5. 업무 방식

1970년대부터 사회학자들은 과학자와 기술자들이 실험실에서 일하는 방법과 과정은 그들 사이에 녹아든 가치를 보여준다고 주장했다. 이러한 구조화된 가치는 과학자들이 만들어내는 물리적 제품과 과학이라는 결과에 영향을 끼친다.[34] 절차와 과정, 그리고 프로토콜에 대한 논의는 가치 인식을 높이는 또 다른 기회를 제공한다. 또 리더들은 기술 개발 과정에 개입할 수 있고, 실험도구와 제품의 제한도 암암리에 기술 개발 방식에 영향을 줘 특정 가치를 심을 수도 있다. 작업 환경을 면밀하게 조사하면서 리더와 실무자들은 어떤 가치와 편향이 결과물에 삽입되는지를 찾아낼 수 있다.

6. 경제적 인센티브 구조

모든 경제 체제는 사회 가치와 목표에 영향을 주는 인센티브를 만든다. 주주 책임이나 생존 경쟁력과 같은 경제적 압박을 찾아내면 기술이 어떤 목적에서 사용되는지, 그리고 기술이 경제성과 가치 가운데 무엇에 초점을 맞춰 개발되었는지를 생각할 수 있게 된다. 경제성이 특정 기술군의 발전을 가로막는 경우도 있다. 예를 들어 투자 수익이 기대치보다 낮거나 시장이 크지 않은 경우 현재의 경제적 인센티브 구조는 종종 사회적으로 이득이 되는 기술의 발전을 가로막는다. 로봇 보철기술이 그런 기술의 한 예다. 경제성이 낮아 개발이 더딘 부분을 찾아낸다면 우리가 기술로부터 얻어야 할 것이 무엇인지에 관심을 기울일 수 있고 따라서 우리의 행동양식을 형성할 수 있을 것이다.

7. 제품 개발

모양에서 기능까지, 제품 개발의 거의 모든 분야는 가치와 연결되어 있다. 제품 개발 관련 부서는 생산물 책임제product liability, 문화적 편향, 소비자의 감정 등 많은 사항을 고려해야 한다. 제품 개발자들이 가치를 염두에 두고 제품을 개발하도록 권장하는 가장 대표적인 예는 '공학 및 물리과학 연구위원회Engineering and Physical Sciences Research Council'가 발표한 로봇 원칙이 있다. 총 다섯 개의 원칙으로 그 중 세 개는 로봇은 인간의 니즈를 충족시키기 위해 생산된 제품임을 명시하고 있다.[35] 임원, 발명가, 제품 개발자와 대중은 제품 개발의 모든 단계에서 각자 역할이 있으며 기술과 사회적 가치를 일치시키는 것이야말로 리더십을 발휘할 기회다.

8. 기술 구조

다른 기술들 ─ 인터넷, 군사기술 및 교통 인프라와 같은 ─ 을 가능케 한 대규모 기술 생태계는 어디에 어떻게 구축되었고 어떤 방식으로 활용되는

지에 따라 스스로 가치를 삽입시킨다. 예를 들어 인프라 관련 기술은 데이터 흐름을 통제하고 인터넷 네트워크에 영향을 미치며 민권에 대한 의문을 제기하며 디지털 격차와 같은 현상에 기여한다.[36] 이처럼 정책입안자와 산업 리더들은 대규모 시스템을 설계하고 구축하는 동안에 기술 구조technical architecture가 사회에 어떻게 영향을 끼치는지 고려함으로써 가치를 감안하고 사회의 우선순위에 관심을 기울인다.

9. 사회적 저항

가치는 수많은 협상 과정을 통해 기술에 삽입된다. 특정 관심사를 가진 소수의 사람들이, 의도했건 의도하지 않았건, 자신들의 가치를 직접 개발한 기술에 접목한다. 이렇게 새로운 기술은 등장하는 것이다. 기술의 특성이 사회의 우선순위를 침해함에도 불구하고 개발자들이 밀어붙일 때 사회적 저항이 일어나곤 한다. 만약 이런 기술이 대중이나 특정한 이해당사자들의 거센 반발에 부딪힐 경우, 무엇에 대한 반발인지를 면밀하게 조사하면 사회의 가치와 기술이 내포한 가치가 어떻게 다르고 서로 어떻게 충돌하는지를 알 수 있다.

대부분의 가치변곡점들은 제대로 활용되고 있지 않다. 윤리와 가치와 관련된 논의도, 기술 개발에 있어 윤리와 가치가 어떻게 가치 기반의 접근 방식을 만들어나가는지에 대한 논의도 활발하게 이루어지고 있지 않다. 투자자들은 초기 단계에서부터 관여할 수 있지만, 불행히도 규제 당국이 개입하는 시기는 마지막 가치변곡점인 사회적 저항에 부딪혔을 때다. 사회적 저항이 존재하는 이유는 기술 개발 단계에서 기술이 사회적으로 어떤 영향을 끼치고 어떤 가치를 내포하는지를 생각하고 고려할 수 있는 많은 기회를 놓쳤다는 것을 의미한다. 각 가치변곡점에서 성공적으로 가치를 포함시키면 CEO, 정책입안자, 리더들은 단순히 경제적 가치를 넘어 더 큰 관점에서 기술에 영향을 끼칠 수 있는 유연함을 얻게 될 것이다. 또한 올바른 시민으로서의 역할을 수행할 기회도 가질 수 있다.

젊은 과학자들의 윤리 강령

명확한 가치와 우선순위의 수립은 다양한 모습으로 이뤄질 수 있다. 어떤 가치는 굉장히 협소하지만 전문적일 수 있고, 또 어떤 가치는 보다 포괄적일 수 있다. 세계경제포럼의 젊은 과학자 커뮤니티가 만든 광범위한 범위의 윤리 강령을 예로 들어본다.

다음의 윤리 강령은 학제적이며 글로벌하다. 이 윤리 강령은 계속해서 보다 정교해지고 발전하면서 과학자와 연구자가 스스로를 억제하는 가이드가 된다.

1. **진실 추구** − 연구 과정과 결과에 투명성을 유지하고 객관적인 평가를 할 수 있는 동료들에게 검증을 요구하면서 연구 결과를 수용할 것.
2. **다양성 확보** − 경험적 증거에 따라 다양한 집단의 아이디어가 제시되고 평가될 수 있는 환경을 조성할 것.
3. **대중과의 교류** − 과학과 연구의 의미, 그리고 연구의 필요성을 제시할 수 있게 양방향 소통 창구를 유지할 것.
4. **의사 결정권자와의 교류** − 적절한 시간에 리더들이 근거를 기반으로 의사 결정을 내려 긍정적인 사회 변화를 이끌 수 있게 할 것.
5. **멘토 되기** − 다른 전문가들이 성장할 수 있고 잠재력을 키울 수 있도록 경험을 공유하고 권한을 부여할 것.
6. **위험 최소화** − 실험 과정의 일부인 위험을 최소화하기 위해 모든 합당한 예방 조치를 취할 것.
7. **책임감** − 연구를 수행하는 데 있어 책임감을 가질 것.

　새로운 기술은 가치를 창출하고 교환하며 배포하는 방식뿐만 아니라, 우리에게 어떤 미래가 열려 있는지, 그리고 어떤 미래가 살 만한 미래인지를 상상할 수 있게 도와주는 방식도 변화시킨다. 성공으로 가는 길에는 기술의 정치학에 대한 인식을 높이고 모든 변곡점에서 우리의 선택이 어떤 결과를 낳을지를 고려해야 한다. 4차 산업혁명의 시대에는 모든 분야의 리더들이 기술에 대해서 책임감을 가져야 하며 그들의 결정으로 인해 영향을 받게 될 사람들을 항상 염두에 두어야 한다. 혁신의 생태계에 포용성을 집어넣기 위해서는 강력한 가치와 더 나은 미래를 만들려는 리더들의 헌신이 요구된다.

　더 많은 사람들에게 의미 있는 기회를 제공하고 사회 구성원으로서 개인의 본질적인 가치를 존중하는 새로운 시스템을 만들려면 기술이 우리가 보지 못하는 수면 아래서 어떻게 바뀌고 있는지 깊게 고려할 필요가 있다. 추가적으로, 기술 발전에 대해 가치 기반의 접근법을 유지하는 것은 대중과 정부, 그리고 산업계 사이의 신뢰를 구축하는 하나의 방식이 될 수 있다. 이런 새로운 기술들이 만들어낼 올바른 미래를 위해 우리는 이런 기술들을 만드는 힘을 유지해야 한다. 문화의 르네상스가 일어나기 위해서 우리는 사회적 가치가 중요하다는 것을 널리 알려야 하며 사회와 기술, 그리고 경제 사이에서 적절한 균형을 다시 찾아야 한다. 우리는 함께해야 하고, 또 바로 지금 해야 한다. 다양한 당사자들을 모으고 그들의 노력과 가치와 관점을 한데 어우르는 것은 포용적이고 풍요로운 미래를 만들어나가는 첫 걸음이다. 다양한 이해당사자들에 대해서는 챕터 4에서 보다 자세하게 다룰 예정이다.

두 세대나 세 세대가 지나 오늘날 등장한 기술이 충분하게 발전한 뒤, 우리의 후손들은 우리를 떠올리며 어떤 생각을 할까? 우리가 이런 기술을 공정, 품위, 그리고 공동의 선을 위해 사용했다면 우리에게 감사함을 느낄 것이다. 만약 우리가 기회를 놓치면 원망의 시선으로 우리를 기억할 것이다.

기술과 관련하여 잘못된 관념 두 개가 있다. 이 두 관점은 4차 산업혁명 시대에 기업 전략과 거버넌스를 도출하는 데 어떤 도움도 주지 못한다.

잘못된 관념 1: 기술은 우리가 통제할 수 없고 우리의 미래를 결정한다.
잘못된 관념 2: 기술은 단순히 도구일 뿐이며 가치중립적이다.

이 두 관점은 기술과 사회에 내재된 정치적인 속성과 가치를 통해 지속적으로 서로를 형성한다는 사실을 반영하지 못한다.

우리는 기술에 대해 보다 건설적인 관점을 가질 필요가 있다. 이런 관점을 가질 때에만 인간 중심의 기술 개발이 가능해진다. 이런 관점은 아래와 같다.

1. 모든 기술은 정치적이다 – 기술은 개발과 활용의 모든 단계에서 사회적 가치의 총체이며 타협의 결과물이다.
2. 기술과 사회는 서로 영향을 주며 형성된다 – 우리는 우리가 만든 제품만큼이나 우리 기술의 산물이다.

이런 시각으로 기술을 바라보다 보면 기술은 사회적 절차를 통해 만들어지며 우선순위와 가치가 깊이 밴 솔루션이자 제품임을 다시 한 번 깨닫게 된다.

이런 방식으로 기술을 이해하는 것은 다음의 책임을 수반한다.

1. 특정 기술에 연계된 가치를 파악하기

2. 기술이 매일같이 일어나는 인간의 선택과 의사 결정에 어떻게 영향을 주는지 이해
   하기
3. 적절한 이해관계자들과 함께 기술 발전에 최선의 방식으로 영향을 주기

이 장에서는 아홉 개의 가치변곡점을 설명했다. 이런 가치변곡점은 기술이 만들어지는 과정에서 가치가 삽입될 수 있는 지점들을 의미한다.

1. 교육
2. 자금 조달과 투자
3. 조직 문화
4. 의사 결정과 우선순위 선정
5. 업무 방식
6. 경제적 인센티브 구조
7. 제품 개발
8. 기술 구조
9. 사회적 저항

국제 인권 프레임워크

4차 산업혁명의 기술은 우리의 사회를 변혁시키고 있으며 우리의 미래 또한 재편해나가고 있다.

이에 따라 인간 중심의 기술 개발과 인간 중심의 기술 활용을 위해서는 윤리적 프레임워크, 규범적인 기준, 그리고 가치에 기반을 둔 거버넌스 모델을 보다 명확하게 할 필요가 있다. 이런 거버넌스 모델은 물리적 지리와 정치적 경계에 구애받지 않는다.

인권은 결코 추상적인 개념이 아니다. 국제 인권 프레임워크는 이러한 문제를 해결하기 위한 실질적인 근거가 된다.

1948년에 채택되고 전례 없이 192개국이 서명한 세계인권선언UDHR은 다양한 문화에 공통적으로 수용될 수 있는 보편적인 원칙을 내포하고 있다. 세계인권선언이 채택되었을 때는 세계가 아직 홀로코스트의 후유증으로 움츠러들어 있을 때로, 새롭고 희망찬 미래를 만들기 위한 열망이 전 세계적으로 확산되고 있는 상황이었다. 세계인권선언은 작성분과위원회의 에르난 산타 크루스Hernán Santa Cruz의 다음 말처럼, 무엇보다 글로벌 가치를 선포하기 위해 고안되었다.

나는 진정으로 의미 있는 역사적 사건에 참여하고 있음을 분명히 인식했다. 이 역사적 사건은 세속 권력의 결정에 의한 것이 아니라, 존재한다는 사실 자체만으로 인간의 가치는 생겨난다는 것에 대해 합의를 이룬 것이다.

서명국들과 많은 사람들의 노력을 대변한 세계인권선언은 국제형사법과 환경, 국제 개발과 무역, 안보와 이민과 같은 광범위한 사안의 법과 정책을 개발하기 위한 보편적 기준을 제시한다. 세계인권선언과 그 조항에 정교하게 담긴 법적 구속력이 있는 조약들은 새롭고 더 강력한 기술이 주도하는 인류와 지구 중심의 혁신에서 평등, 공정, 정의를 증진하기 위한 민간 조직과 국제기구, 그리고 국가의 필수 기반이 된다.

전 세계적으로 통용되는 표준화된 권리는 처음에는 국가가 스스로의 행동을 억제하기 위해 채택되었지만, 점차 민간 부문에도 확장·적용되고 있다. 예를 들어 생산과 공급 과정에서 노동권을 준수하려고 노력하는 글로벌 기업들, 사생활 보호와 표현의 자유 사이에서 고군분투하는 정보통신 기업들은 인권의 틀 안에서 이런 문제들을 해결할 것을 요구받고 있다. 마찬가지로 유전자편집기술은 놀랍도록 새롭고 흥미로운 기술이지만, 인권은 고통의 완화라는 목적과 새로운 과학에 내재된 위험 및 불확실성 사이에서 균형을 맞추려는 거버넌스 문제의 기준이 되고 있다.

4차 산업혁명의 발전 방향은 우리가 꿈꾸는 사회에 대한 더 깊은 고찰에 토대를 두어야 한다. 오늘날 기술은 인간의 능력을 극도로 강화할 수 있는 잠재력을 갖고 있지만, 인간, 일상, 그리고 인권에 초점을 맞추려는 노력을 게을리해서는 안 된다.

　인권은 더 이상 국가나 국제기구에서만 다룰 문제가 아니다. 민간 부분에서도 인권 문제에 있어 리더십을 발휘해야 한다. 그 시작점으로 민간 단체와 많은 이해당사자들이 세계인권선언에서 강조한 가치를 기준으로 삼아 스스로의 가치를 되돌아보고 행동을 측정하고 평가할 수 있는 메커니즘을 개발할 필요가 있다.

CHAPTER 04

모든 이해관계자들에게 권한 주기

4차 산업혁명의 약속을 현실로 만들기 위해서는 4차 산업혁명의 혜택이 모든 이해당사자들에게 골고루 돌아갈 수 있도록 보장하는 것이 매우 중요하다. 챕터 4에서 우리는 다중 이해관계자multistakeholder 방식의 중요성을 강조하고자 한다. 이와 동시에 우리가 쉽게 간과하는 이해당사자들로 누가 있는지를 살펴보고, 그들에게도 혜택이 돌아갈 수 있도록 권한을 주려면 무엇이 필요한지를 고찰할 것이다. 이런 이해당사자들 중에는 1·2·3차 산업혁명의 혜택을 얻기 위해 아직도 노력하는 개발도상국이 있다. 과거 중에는 모든 산업혁명 기간 동안의 기술 변화로 다른 종(種)과 미래 세대의 희생을 치르면서 외부효과를 견뎌야 했던 환경과 자연도 이해당사자이다. 마지막으로 매우 높은 수준의 소득이나 정치력의 혜택으로부터 배제당하거나 간과되는 전 세계 대부분의 시민들도 이해당사자라 할 수 있다.

세계는 여러 전환적 변화를 동시에 겪고 있다. 이런 변화에는 도시화, 세계화, 인구통계학적 변화, 기후변화, 점점 고도화되는 파괴적인 기술 등이 있다. 젊은 인구가 폭발적으로 증가하는 개발도상국들은 신속하게 많은 일거리를 창출해야 한다. 환경 변화가 가속화되면서 기후변화의 짐을 가장 많이 짊어지는 개발도상국을 포함해 많은 나라에서 신속한 조치가 요구되고 있다. 신기술이 부의 분배와 사회적 결속에 끼치는 영향을 보면 우리의 정치 시스템과 경제 모델이 모든 시민들에게 균등한 기회를 제공하지 못하고 있음을 명백히 알 수 있다.

이런 모든 추세들이 한데 이우러져 만들어지는 영향력에 제대로 대처하기 위해서는 전통적인 국경 개념을 초월한 지속가능하고 포용적인 파트너십이 필요하다. 역사는 의도와 행동 없이는 포용성이 생기지 않는다는 것을 보여준다. 챕터 3에서 주장했듯이, 기술만으로는 광범위한 사람들에게 의미 있는 기회가 제공되지 않는다. 기회는 모든 이해당사자들이 참여하여 처음부터 사회적 가치와 포괄적 솔루션을 고려할 때만 찾아온다. 우리 모두의 미래를 만들어나갈 의사 결정은 단독으로 만들어지지 않는다. '의사 결정자들은 당면 과제에 대한 모든 이해당사자들과 소통할 수 있는 능력과 의지를 반드시 가져야 한다. 이런 식으로 우리는 더 연결되고 포용적이 되길 열망해야 한다.'37 따라서 4차 산업혁명에서 연결과 포용이라는 이상을 이루기 위해서는 신중한 행동과 헌신이 요구된다.

새롭게 등장하는 기술이 개발도상국에 어떤 영향을 미치는지에 대한 논의에 이해관계가 있는 모든 사람들을 포함시키는 것은 다중 이해관계자 원칙의 핵심이다. 이 원칙에 의하면 복잡한 글로벌 과제를 해결할 수 있는 솔루션은 기업, 정부, 시민사회 및 학계 리더들 사이의 협력, 젊은 세대의 참여를 통해서만 가능하다.

새로운 기술들이 주는 사회적 혜택은 진정으로 혁명적일 수 있다. 보스턴컨설팅그룹BCG이 세계경제포럼과 함께 자율주행 자동차가 도심 지역에 끼치는 영향을 분석한 결과, 자동화된 교통 시스템은 상황에 따라 배기가스 배출량을 줄일 뿐 아니라 교통체증을 완화하고 이동 속도를 높이며 사고로 인한 사망과 부상을 줄일 수 있는 것으로 나타났다.[38] 비감염성 질환을 관리하는 정밀의료기술의 등장은 – 노화 진행 속도를 줄이려는 유전자편집기술을 제외하더라도 – 손쉽게 전 세계의 평균수명을 1년에서 2년까지 늘릴 수 있다. 또한 유전자편집기술은 말라리아모기의 유전자를 조작하여 말라리아와 같은 질병을 종식시킬 수 있다. 블록체인기술은 수백만 명의 사람들이 자신의 토지에 소유권을 가질 수 있도록 공공 토지 등록을 가능케 하고, 이렇게 획득한 토지소유권은 담보로 사용되어 사람들이 금융 서비스를 이용할 수 있게 만들 것이다. 가상현실과 증강현실 같은 안전하면서도 몰입된 환경에서 신기술을 배우고 연습할 수 있게 하여 교육 성취도를 극적으로 향상할 수 있다.

신기술이 생산성에 끼치는 간접적인 영향은 종종 직접적인 영향보다 더 중요하다. 2차 산업혁명의 결과로 전기가 각 가정에 보급되자 세탁기, 식기세척기, 전기 오븐, 진공청소기 등 많은 가전제품이 등장했다. 이런 제품들은 요리와 청소 시간을 대폭 줄여주었다. 그 결과, 여전히 불균형적으로 가사노동의 부담을 짊어지긴 해도, 여성들이 더 많은 여가 시간을 즐길 수 있게 되었다. 이런 가전제품들은 집안일의 총량을 줄였으며, 이어서 가족구조를 변화시켰고, 집 밖에서 더 생산적인 활동을 할 수 있는 시간을 제공했다.

하지만 산업혁명의 이런 이점들이 빈곤에서 벗어나지 못하고 있는 사회

주변부의 사람들, 특히 과거의 산업혁명의 혜택도 충분히 누리지 못한 이들에게는 어떤 의미가 있을까? 자동화의 혜택을 누리지 못하는 약 6억 명의 소규모 자작농들은 1차 산업혁명 이전의 삶을 여전히 살고 있다. 세계 인구의 약 3분의 1(24억 명)은 깨끗한 식수와 안전한 위생 시설의 혜택에서 소외되어 있다. 약 6분의 1(12억 명)은 2차 산업혁명의 발명품인 전기도 없이 살고 있다. 새로운 기술의 등장과 사회적 저항, 제도적 변화는 많은 지역의 여성들을 가사 노동에서 해방했지만, 아직도 중동, 라틴아메리카, 카리브해 연안 지역 여성 다섯 명 중 한 명은 여전히 가사 노동에 묶여 있다. 세계 인구의 절반이 조금 넘는 약 39억 명의 사람들은 아직도 3차 산업혁명의 가장 대표적인 발명품인 인터넷에 접속하지 못한다.[39] 개발도상국에서 인터넷에 접속하지 못하는 사람들의 비율은 85퍼센트, 선진국에서는 22퍼센트다.[40]

만약 이런 글로벌 불균형이 개선되지 않는다면 4차 산업혁명의 진정한 전환적 잠재력은 크게 훼손될 것이다. 우리 앞에는 선택지가 놓여 있다. 하나는 모든 이해관계자들에게 소득, 기회, 자유라는 경제·사회적 가치를 분배하는 기술을 개발하는 것이고, 다른 하나는 수많은 사람들을 뒤에 버려두고 가는 것이다. 포용성을 생각한다면 가난하고 소외된 공동체를 예외라고 생각하지 말고 우리가 해결할 수 있는 문제로 바라봐야 한다. 그러면 우리는 '우리의 특권은 그들의 고통과 같은 지도상에 있다'는 것을 깨달을 수 있다.[41] 모든 이해당사자들을 포함시키는 것은 단순한 소득과 재정 지원 혜택을 넘어서는 것이다. 물론 이 둘은 중요하다. 하지만 우리가 진정으로 알아야 할 것은 모든 이해당사자를 포함시키는 것과 혜택을 균등하게 배분함으로써 모든 이들의 자유가 확대될 것이라는 사실이다.

경제학자이자 철학자인 아마르티아 센Amartya Sen은 배고픔으로부터의 자유, 일을 할 수 있는 자유, 민주적 절차에 참여할 수 있는 자유, 친밀한 관계를 맺을 수 있는 자유는 '기본적인 목적이자 중요한 수단'이라고 말했다. 자유는 사람들에게 권한을 준다. 그리고 자유는 그 사회의 부의 정도와 상관없이 좋은 삶을 살 수 있는 능력을 준다. 모든 사람들에게 동일한 수준의 부와 혜택이 돌아갈 필요는 없지만, 그들이 가치 있다고 생각하는 삶을 살 수 있을 정도의 부와 혜택은 배분되어야 한다. 다중 이해관계자 접근법은 소수가 아니라 모든 사람들을 위한 세상을 발전시킬 논의를 진행하는 방법이다.

4차 산업혁명에서 파생되는 긍정적 외부효과와 혜택을 공정하게 배분하는 것은 단지 윤리적인 과제만은 아니다. 정치 혁명의 역사를 살펴보면 불평등은 문제를 야기한다는 것을 알 수 있다. 많은 민주주의 시스템이 그들의 경제 체제로 인한 부와 기회의 격차를 해소하는 데 실패하게 되면 분열과 불안정을 초래한 사회·경제적 불균형이 고착화되는 결과가 따라왔다. 세계경제포럼의 〈글로벌 리스크 보고서 2017〉에서는 경제적 불평등과 정치적 양극화는 경제·정치 시스템의 정당성의 토대인 사회적 결속을 해치고, 이는 여러 종류의 글로벌 위험을 증폭시킨다고 지적했다.[42]

2016년 1월에 발효된 UN 지속가능발전목표SDGs는 이러한 지속적인 구조적 분열을 인식하고 해결하려고 노력하고 있다. UN 지속가능발전목표는 빈곤 종식, 민주적 정치제도, 평화 구축, 기후 행동과 회복 탄력성, 불평등 감소와 경제성장에 초점을 맞춘다. 4차 산업혁명은 인간 개발의 기회를 널리 확산하는 공동의 목표를 방해하는 것이 아니라, 이에 기여해야 한다는 것이 중요하다.

| 개발도상국 |

경제학자 리카르도 하우스만Ricardo Hausmann과 MIT 미디어 랩 교수인 세사르 이달고Cesar Hidalgo는 인류의 진보를 이끄는 신기술을 생산적으로 사용하는 것은 집단적 능력이라고 주장한다. 불행히도 이런 능력은 국가들 사이에 균등하지 않게 배분되어 있다.

생산적 지식의 사회적 축적은 보편적인 현상은 아니었다. 세계의 몇몇 지역에서는 생산적 지식이 축적되었지만, 다른 곳에서는 그러지 못했다. 지식이 축적된 곳에서는 놀랄 만한 수준으로 삶의 질이 향상되었다. 그러지 못한 곳의 삶의 질은 몇 세기 전과 크게 달라지지 않았다. 부유한 나라와 가난한 나라 사이의 엄청난 소득 격차는 축적된 생산적 지식의 광대한 차이를 나타내는 것이다.**43**

성공적인 국가 경제는 기술과 아울러 이런 기술들을 개발하고 사용할 수 있게 해주는 지식과 능력, 소수가 보유한 지식을 다수에게 확산하는 시장과 제도가 결합되면서 높은 수준의 생활 수준을 보장한다. 모든 국가가 최첨단 기술력을 보유할 수도 없고 그래야만 하는 것도 아니다. 하지만 글로벌 지식 경제 시대에 국가, 사회, 경제 발전을 위해서 모든 국가는 새로운 기술을 흡수하고 적용하는 능력을 갖추어야 한다.

몇몇 사람들은 4차 산업혁명의 기술에 적절한 제도적 개혁이 결합되면 개발도상국들이 전통적인 산업화 방식보다 더 빠르게 발전해 이전의 기술 발전 공식을 '껑충 뛰어넘을leapfrog' 수 있을 거라고 주장하기도 한다. 가장 대표적인 예로 3차 산업혁명의 디지털 기술에 대한 막대한 투자가 광범위한 핸드폰 보급과 낮은 비용으로 이어진 것을 들 수 있다. 이 덕분에 개발도상국들은 국민에게 높은 수준의 통신 네트워크 서비스를 제공하기 위해 더 이상 막대한 지상 통신선 인프라를 구축할 필요가 없어졌다.[44] 비슷한 긍정적인 예로 생명을 구하는 의약품과 백신을 제공하기 위해 민간 드론을 사용하는 것, 유전적으로 조작된 씨앗과 비료를 이용해 농업 효율성을 중대한 것, 저궤도 위성 기술을 기반으로 저비용의 고속 인터넷 서비스를 제공하는 것 등이 있다. 하지만 4차 산업혁명 하에서의 비약적인 발전은 여전히 희망 사항으로 남아 있다.

한 가지 우려는, 4차 산업혁명의 영향력을 가속화하고 확대할 디지털 인프라에 대한 의존도는 — 국내외적으로 — 디지털 격차를 없애는 것에 악영향을 끼친다는 것이다. 만약 고속 디지털 네트워크와 기술이 4차 산업혁명의 전제 조건이라면, 지리적 또는 교육적 배경을 가진 사람들, 소득이 있는 사람들에게 권력이 집중될 수 있다. 그리고 소득과 인프라가 부족하거나, 언어 장벽이 있거나, 콘텐츠를 접할 기회가 부족한 수십억 명의 사람들은 계속해서 소외되고 말 것이다.

모바일 혁명과 관련된 두 번째 우려는 이 새로운 인프라는 혁신과 발전을 촉진하지 않았다는 점이다. 아프리카에서 모바일 혁명이 제공하는 서비스는 대부분 기술 생산자가 아니라 소비자를 위한 서비스다. 모바일 혁명은 안정적인 일자리를 창출하고 경제 발전을 위한 기본 인프라를 구축하거나, 인접 기술을 유치하고 활용하는 데 크게 실패했다.[45] 모바일 혁명이 산업 발전과 경제적 다변화를 촉진하기 위해서는 '4차 산업혁명 정책'이 수반되어야 한다. '4차 산업혁명 정책'은 혁신, 기업가 정신, 인프라 및 산업화 정책의 진화를 유발하는 데 목적을 두어야 한다.

셋째로, 4차 산업혁명은 저비용의 풍부한 노동력을 활용해 제조업을 육성하고 그 후 투자와 기술 발전에 집중하는 전통적인 산업화 발전 방식을 뿌리째 흔들어놓을 수 있다. 그리고 지능형 로봇들로 운영되는 고정밀 공장이나 광범위한 3D 프린팅의 확산으로 생산 기지가 본국으로 다시 돌아오는 '리쇼어링'에서 볼 수 있듯이 보다 극단적인 시나리오인 노동 대체적 자동화는 저비용 미숙련 노동자들의 역할을 축소할 것이다. 이런 상황에서 산업화의 수준이 낮은 농업 국가는 어떻게 4차 산업혁명의 신기술을 획득하고 활용하여 궁극적으로 자체 개발까지 가능한 지식 기반 경제로 탈바꿈할 수 있을까?

기술의 중요성이 날로 증대된다는 점을 고려하면, 기술을 효과적인 방식으로 활용할 수 있는 능력 개발이 필요하고 이를 위해서는 교육과 국가 차원의 연구 개발 투자가 절실하다. 따라서 4차 산업혁명 시대에는 선진국과 개발도상국 사이의 교육 및 연구 역량의 격차를 줄이는 것이 더욱 중요하다. 그리고 신기술이 이런 역량 개발을 가속화한다고 하더라도, 개발도상국들이 높은 수준의 연구와 교육 시스템의 혜택을 누리기 위해서는 수십 년 동안 공을 들여야 하며 많은 자원이 투입되어야 한다.

2014년에는 전 세계적으로 2억 6,300만 명의 어린이들이 학교에 다니지 못했다. 학교에 다니지 않는 학생 비율이 가장 높았던 국가들은 경제 발전과 사회 발전의 필요성이 가장 큰 나라들, 또 인구에서 어린이와 청소년이 차지하는 비중이 높은 나라들이었다.[46] 지리적 격차 외에 교육 기회의 부족은 성별에서도 두드러진다. 가장 개발이 안 된 지역의 젊은 여성은 젊은 남성보다 학교에 다니지 않을 확률이 더 높았다.[47] 학교에 다니지 않는 인구의 비율이 가장 높은 국가들의 입장에서 보면, 이런 불리한 출발점은 그들의 기회를 박탈하며 산업화 노력을 억제하는 것과 같다.

아이들을 학교에 보내는 것은 첫 단계일 뿐이다. 세계가 더욱 다양해지고 경제가 복잡해지면서 충분한 연구 자금이 있는 안정적이고 공인된 교육 기관을 더 필요해졌다. 오늘날 선 세계 학술지의 절반 이상이 미국과 영국에서 출판된다. 세계에서 가장 뛰어난 대학교 대부분이 이 두 국가에 있다는 것을 생각하면 놀라운 일도 아니다.[48] 물론 출판되는 지역이 저자들의 출신과 의도를 말해주지는 않지만, 새로운 지식의 대부분이 서양에서 생겨나고 출판되는 것은 이런 지식이 다른 지역으로 확산되고 활용되는 것을 제한할 수 있다. 따라서 서양 국가들이 다른 지역과 협력해 로컬 지식을 파악하고 서로 연계해야 할 책임이 크다. 더욱이 글로벌 연구 개발에 대한 투자(전체 GDP에서 연구 개발에 투자되는 비중 포함 – 도표8 참고)는 북미 지역과 서유럽이 지배하고 있지만, 동아시아와 태평양 지역으로 점차 움직이고 있다.[49] 하지만 그 외 다른 지역의 비중은 무시해도 좋을 정도다. 이처

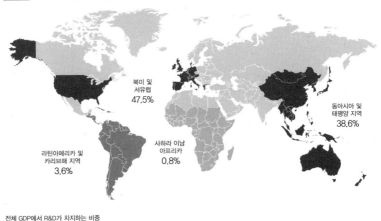

도표8 GDP에서 연구 개발에 투입된 비중의 지역 평균

북미 및
서유럽
47.5%

동아시아 및
태평양 지역
38.6%

사하라 이남
아프리카
0.8%

라틴아메리카 및
카리브해 지역
3.6%

전체 GDP에서 R&D가 차지하는 비중
0 - 0.25% 0.26% - 0.50% 0.51% - 1.00% 1.01% - 2.00% 2.01% and above

출처 UNESCO(2017)

럼 선진국과 개발도상국 사이에는 교육과 연구 개발에 투입되는 자금의 격차가 막대하다. 이로 인해 개발도상국들은 4차 산업혁명의 시대가 열리는 이 시기에도 지식 생산과 기술 개발에 심각한 불리함을 안고 있다.

개발도상국에서 교육과 연구 개발에 대한 투자가 증가하면 모두가 이득을 볼 수 있다. 더 많은 문화권에서 생산되는 지식과 새로운 전문성이 글로벌 연구 개발 시장에 편입된다면 사상의 다양성이 증폭될 것이다. 바로 이 것이 2017년 1월 챈 저커버그 이니셔티브Chan Zuckerberg Initiative가 인수한 캐나다 스타트업인 '메타Meta'의 목표다. 메타는 '과학 생태계를 위해 인공지능을 활용해' 매일 전 세계적으로 생산되는 연구 보고서를 읽고 분석하는 툴을 만든다. 메타는 단순히 과학 저널을 읽거나 검색하는 데 그치지 않는다. 메타는 실시간으로 과학 분야의 데이터를 발굴하고 패턴과 통찰력을 찾기 위해 4차 산업혁명의 기술을 지렛대로 삼는다.

개발도상국의 경우 연구 개발에 대한 투자가 충분하지 않다. 사람들의 삶에 실질적인 영향을 줘 삶의 질을 향상시키기 위해서는 지식의 상업화가 요구된다. 지식의 상업화란 사상과 기술이 보호되고 많은 사회와 산업에 확산되어 실제로 사용되는 것을 의미한다. 특허를 통해 지식을 상업화하면서 서양은 역사적으로 이 부분을 장악했다. 아시아는 빠른 속도로 발전을 이루고 있지만 라틴아메리카와 아프리카는 계속해서 뒤처져 있는 상태다.

특허를 적게 등록하는 지역은 부를 적게 창출한다. 개발도상국은 특허 등록 된 기술을 사용하기 위해서 큰돈을 지불해야 하기 때문에 산업화에 어려움이 따른다. 따라서 이는 글로벌 불평등에도 영향을 준다.

낮은 수준의 교육과 연구 개발, 그리고 상업화된 신기술 부재로 인해 개발 도상 지역은 발전 방향을 조정할 수 있는 능력이 제한된다. 몇몇 개발도상국은 전 세계적으로 4차 산업혁명이 어떻게 전개되고 있는지는 물론이고, 새로운 기술과 지식이 국내 사회에 어떤 영향을 미칠지에 대해서도 실질적인 통제권을 상실한 상태다. 선진국들이 기술 개발과 설계, 활용에 있어 선점자 우위를 확보함에 따라 기술과 사회, 경제의 균형을 맞추는 협상 조정은 서양의 가치와 서양 경제의 이익에 따라 편향될 위험에 처해 있다. 우리가 즉각 행동에 옮기지 않으면 기술은 우리에게 권한을 주는 것이 아니라 우리의 미래를 결정할 것이다. 우리의 설계에 의해 만들어지는 미래가 아니라 그냥 우리에게 던져진 미래를 맞이하게 된다는 뜻이다.

이런 모든 과제들을 해결하기 위한 정치적 의지나 적절한 제도는 아직 요원하다. 과거 산업화 시대보다 더 빠르고 효과적으로 기술을 확산하고 교육과 기술 개발을 촉진하기 위해서는 엄청난 노력이 요구될 것이다. 하지만 4차 산업혁명이 시작되는 지금, 이런 노력들은 우리에게 신기술로 포용성을 확보하고 자유를 확대하며 혜택이 전 세계적으로 모든 이해관계자들에게 골고루 돌아갈 기회를 줄 것이다.

개발도상국이 4차 산업혁명 기술이 안고 있는 위험을 관리하면서 성공적으로 활용해 경제 개발과 사회 발전을 도모하기 위해서 우리에게는 더욱 새롭고 포괄적이며 신중한 접근 방식이 필요하다. 다시 말해서 개발 전문가, 기술 발명가, 글로벌 비즈니스, 정부, 시민사회, 국제 기구를 포함해 모든 관계자들이 참여하는 다중 이해관계자 절차multistakeholder process가 필요하다. 세계 인구 대다수의 미래를 설계하는 작업을 어느 한 집단에게 맡길수는 없다. 편견에 의해 왜곡되고 발전이 방해되거나, 신기술의 혜택이 소수에게만 돌아갈 위험이 있기 때문이다. 광범위하고 전 세계가 함께 헌신하는 UN 지속가능발전목표는 목적 달성을 위한 하나의 단계다. 진정한 성공을 위해서는 지역 당사자들과 국제 당사자들의 책임감 있고 소통하는 리더십이 필요하다.

| 환경 |

지난 3세기 동안 산업혁명은 역사상 유례없는 부를 창출했다. 하지만 이렇게 창출된 부는 세계의 모든 사람들에게 골고루 돌아가지 못했을뿐더러 자연환경을 희생양으로 삼았다. 기후, 물, 공기, 생물 다양성, 삼림, 바다는 진례 없는 수준으로 심각한 압박을 받고 있다. 종들은 자연 수준의 100배 비율로 멸종하고 있다.[50] 1800년에는 10억 명의 세계 인구 가운데 3퍼센트만이 도시 지역에 살았지만 오늘날에는 74억 명의 세계 인구 가운데 절반 이상이 도시 지역에 산다.[51] 이 중에서 92퍼센트는 세계보건기구WHO가 안전하다고 판단하는 수준 이상의 대기오염에 노출되어 있다.[52] 2050년에는 바다의 모든 물고기의 무게를 합한 것보다 생산한 플라스틱의 무게가 더 클 것이다.[53] 세계적으로 이산화탄소 배출량은 1850년 이후 150배 늘었다.[54] 현재 수준으로 이산화탄소가 배출될 경우 2100년까지 세계 평균 기온이 현재보다 섭씨 4~6도 정도 상승하여 지구온난화가 가속화될 것이라는 전망은 이미 조금씩 현실로 다가오고 있다.[55] 이럴 경우 지난 1만 년 동안 우리가 누려왔던 안정적인 기후 시스템은 돌이킬 수 없는 수준으로 망가지고 말 것이다.[56]

기후변화는 실제로 국가 경제를 파괴하고 있으며 많은 사람들의 삶에 영향을 주고 있다. 또한 사람들과 사회, 시스템에도 불확실성과 변동성과 관련된 비용을 포함, 과도한 비용이 부과되고 있다. 세계의 많은 지역이 여전히 산업화를 거치고 있으며 향후 15년 동안 세계 인구가 10억 명 증가할 것

으로 예상됨에 따라 지정학적 불안정과 대규모 이주, 식량 생산 감소, 안전
에 대한 위협 증가를 포함해 기후 관련 비용은 급증할 것으로 보인다.**57**

4차 산업혁명 시대에는 많은 도전 과제들을 해결해야 한다. 이런 도전
과제들 중에는 독성 화학물질을 방출하는 엄청난 양의 e-폐기물(폐기된
전자 기기 - 옮긴이)의 증가를 포함하여, 디지털 기술이 환경에 끼치는 영

도표9 기후변화 추세

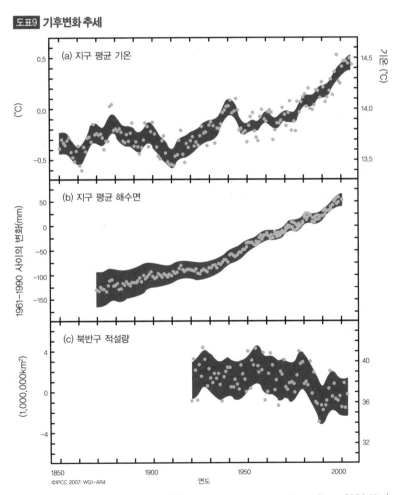

출처 Intergovernmental Panel on Climate Change(IPCC 2014)

향도 포함된다. 더욱이 전력소비율이 높고 잘 분산된 디지털 인프라에 필요한 데이터 센터가 늘어남에 따라 탄소 배출량 역시 증가하고 있다. 기술개발과 활용의 원칙과 관련된 도전 과제들도 있다. 우리가 이러한 도전 과제를 극복하기 위해 향후 수년 또는 수십 년 동안 할 일은 미래 세대의 삶뿐만 아니라 지구 생태계의 미래까지 결정할 것이다.

4차 산업혁명의 기술은 글로벌 코먼스(global commons, 인류의 공통 자산으로서의 지구 환경 — 옮긴이)를 지속가능하게 보호할 수 있는 여정에 착수함으로써 과거 산업혁명에서 파생된 외부 효과를 관리할 기회를 우리에게 제공한다. 2030년에는 전 세계 대부분 가정에 최소한 한 대의 3G 핸드폰이 있을 것이다. 모바일 탄소 거래에 블록체인과 같은 분산원장기술을 적용하면 모든 개인들에게 지구 한계선(planetary boundaries, 지구가 수용하고 유지할 수 있는 인류 행위의 최대치 — 옮긴이)을 침범하지 않는 수준에서 동일한 쿼터quota를 제공한다. 또한 블록체인 기술은 수자원을 분배하고, 삼림 파괴를 방지하고 관리하는 데에도 활용될 수 있다. 실제로 온두라스 정부는 분산원장기술을 활용해 국가 토지대장과 거래 정보를 관리하는 방안을 실행하기로 했다.

인공위성 영상기술의 발전은 글로벌 온실가스 배출량의 15퍼센트를 차지하는 방화를 통한 삼림 벌채 예방에도 도움을 준다.[58] 드론은 산불과 작물 수확, 수자원을 감시하고, 작물을 심는 데에도 활용되고 있다. 농부들은 하루에 손으로 3,000개의 씨앗을 심을 수 있는 반면, 드론으로 씨앗을 공중에서 뿌리는 실험을 해보니 씨앗 3만 개 이상을 하루에 심을 수 있다는 것이 드러났다.[59] 한편 인공위성은 해양 관리와 보호에도 기여한다. 인공위성과 교신하는 센서와 데이터 처리기술은 선박들이 바다를 어떻게 사용하는지 더 잘 보여준다. 곧 있으면 나노위성 네트워크로 지구 전체를 고해상도 사진으로 매일 촬영할 수 있을 것이다. 드론 십(drone ships, 자동형 무인선박 – 편집자)은 우리 해양의 상태를 확인하고 해양자원의 수확을 감시하는 데 큰 도움이 될 것이다.[60]

기술의 등장과 접근성의 확대로 이제 전문가만이 환경 관리를 할 수 있었던 시대는 저물어가고 있다. 더 많은 사람들이 스마트폰으로 환경 관리에 참여할 수 있게 되면서 보다 수평적이며 민주적인 방향으로 변화하고 있다. 그 결과 현재 환경 관리 시스템은 양호한 수준이지만, 아직은 4차 산업혁명이 불러올 파괴적 변화의 속도와 규모에 대처하기에는 충분하지 않다. 임박한 파괴적 변화에 효과적으로 대처하기 위해서는 현재의 경제 체제는 자원 소비를 줄이고 지속가능한 제품과 서비스를 권장하는 방향으로 생산자와 소비자 모두에게 혜택을 줄 수 있도록 재구성되어야 한다. 그렇게 하기 위해서는 보다 지속가능한 생산과 소비를 할 유인을 만들 수 있도록 현재 숨겨진 환경 비용이 가격으로 환산되는 새로운 비즈니스 모델이 필요하다. 이런 구조 변화는 단기적 사고방식에서 장기 계획으로 근본적인 변화를 요구하며, 동시에 수취 – 제조 – 폐기 방식의 선형경제 모형에서 탈피해 산업 시스템이 의도와 설계에 의해 스스로 회복하고 재생하는 순환경제를 구축해야 한다. 이런 재구성 과정에서 단기적으로는 비용이 발생할 터지만, 지금 아무것도 하지 않으면 나중에 더 많은 비용을 지불해야 할 것이다.

4차 산업혁명은 이제 막 전개되기 시작했으며 희망의 조짐도 이미 나타나고 있다. 현재 화석연료에 투자되고 있는 액수의 두 배가 재생에너지에 투자되고 있다.[61] 하지만 세계는 선택에 직면해 있다. 우리는 과거 세 차례의 산업혁명 시기에 했던 대로 환경문제를 우선순위 밖에 둘 수도 있고, 아니면 4차 산업혁명을 올바른 방향으로 이끌 수 있는 리더십을 발휘해 모든 당사자들이 신중하게 협력을 할 수 있도록 이끌어 환경문제를 해결할 수도 있다. 상업적 가치가 있을 뿐만 아니라 공공의 이익에도 부합하는 솔루션을 개발하는 데 자금을 투입하는 것도 포함된다. 우리는 자연을 신기술 개발의 매몰 비용으로 간주한 과거 산업혁명 시대의 사고방식에서 반드시 벗어나야 한다. 분명 쉽지 않을 것이다. 4차 산업혁명의 외부효과를 관리하지 못하면 의도하지 않은 결과가 소외 계층에 집중되거나, 환경오염이 미래 세대에게 고스란히 전해질 것이다. 지난 세 차례의 산업혁명 이후 취약해진 지구의 생물권을 고려해보면, 실패의 비용은 너무나 높다.

| 사회와 시민 |

지정학적인 영향과 환경에 대한 영향 외에도, 기술 혁명은 성공에 필요한 기술을 통해 사회의 모습을 바꿀 수 있다. 예를 들어 3차 산업혁명은 지식 노동자들의 삶을 향상시켰다. 지식 노동자들의 삶은 2차 산업혁명 시대에 삶의 질이 크게 좋아진 공장 노동자들보다 나아졌다. 경제학자 브랑코 밀라노비치Branko Milanovic의 유명한 '코끼리 곡선'(도표10)은 1988년과 2008년 사이 글로벌 소득 분배가 어떻게 변했는지를 보여준다. 글로벌 소득 증대의 혜택은 가장 가난한 사람들을 비켜 갔을 뿐만 아니라 선진국의 중하위층도 피해 갔다. 이처럼 많은 산업 근로자들은 프레카리아트(precariat, '불안정'과 '프롤레타리아트'를 합성한 단어 – 옮긴이)가 되었다. 이들의 삶은 불안정하며 임금은 정체됐다. 이제 점점 확산되는 자동화의 물결은 다시 한 번 사회의 모습을 바꿀 것이다.

최근 인공지능의 발전으로 개발된 로봇과 알고리즘 등 새로운 형태의 자동화 물결은 공장 노동자뿐만 아니라 회계사와 변호사 같은 전문직까지 점차 대체하기 시작했다. 2000년에는 골드만삭스의 뉴욕 사무실에 600명의 트레이더들이 근무했다. 2017년에는 자동화된 트레이딩 프로그램의 도움을 받으며 일하는 두 명의 트레이더만 남았다.[62] 이와 같은 자동화의 바람은 많은 월스트리트 기업들에서 볼 수 있다.[63] 이런 변화로 자본과 지적재산권을 소유한 사람들에게는 부가 더욱 집중될 것으로 보인다. 최근 영국과 미국의 선거에서 볼 수 있듯이 이러한 사회적 변화와 개인에 끼치는 영향이 해소되지 않으면 분노, 두려움, 정치적 반발이 초래될 수 있다.

경제에 대한 직접적인 도전 과제를 넘어, 개인과 가족, 지역 사회에 의미를 제공하는 노동의 역할 역시 도전받고 있다. 지난 250년 동안 지역 사회, 정체성, 목표 의식은 노동자와 사회의 생산적인 구성원이라는 우리의 역할과 밀접하게 연결되어 있었다. 지금과 같은 파괴적 시대에는 정치적 리더가 개인과 사회, 그리고 경제활동의 관계를 규정하는 패러다임을 다시 생

도표10 글로벌 소득 분배의 각 백분위에서 1988년과 2008년 사이 실질소득의 변화 (2005년 달러 기준 계산)

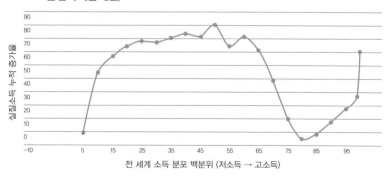

출처 Milanovic(2016)

각해야만 한다. 이런 변화하는 패러다임에는 개인과 사회 사이의 사회적 계약을 개정하는 개혁도 포함된다.

보편적 기본소득에 대한 논의는 대표적인 예 가운데 하나다. 보편적 기본소득은 핀란드에서 케냐까지, 캘리포니아에서 인도까지 광범위한 지역에서 실험되는 급진적인 아이디어다. 이성적임과 공평함에 대한 논의를 넘어, 보편적 기본소득의 가장 주된 정당성은 사회적 정의에 있다. 즉, 토지, 천연자원, 지적재산과 같은 사회의 모든 집단적 부에 소득이 점점 집중되면서 모든 사람들은 조건 없는 기본소득의 형태로 이 집단적 부의 일부를 가져야 한다는 것이다. 보편적 기본소득을 만병통치약으로 소개하려는 것은 아니지만, 보편적 기본소득의 급진적인 성격 때문에 전 세계적으로 뜨거운 논쟁이 벌어지고 있다. 이와 관련된 논쟁은 반드시 광범위한 경제·사회적 개혁을 염두에 두어야 하며, 4차 산업혁명 시대에 모든 이해관계자들이 혜택을 보도록 경제 시스템을 재고하는 용기도 필요하다.

리더들은 또한 4차 산업혁명이 어떤 방식으로 서로 다른 성(性)에 영향을 끼칠지에도 관심을 가져야 한다. 1차 산업혁명과 2차 산업혁명 당시에 여성들은 집 안으로 떠밀렸고 그들의 정치 및 경제적 영향력은 감소되었다. 19세기에 대부분의 사람들이 어려운 삶에 맞닥뜨리게 되면서 여성들이 공장노동자로 합류하기 시작했는데, 이는 여성들이 본격적으로 여성의 권리와 함께 보통선거권과 참정권을 요구하며 조직화되는 계기가 되었다. 그 결과 여성들은 경제 및 사회활동에 더 적극적으로 참여하기 시작했다. 하지만 성 격차는 아직도 존재한다. 전 세계적으로 남성은 여성보다 경제적으로, 그리고 정치적으로 더 많은 권한을 누린다. 세계경제포럼이 발간하는 〈세계 성 격차 보고서 2016〉에서 142개의 조사 대상국의 절반 가까운 국가에서 성 격차가 확대된 것으로 조사되었다.[64] 불행하게도 소수의 고도로 숙련된 기술자와 기업 소유주를 선호하는 4차 산업혁명의 기술 편향은 이러한 성 격차를 더욱 확대할 수 있다.

과학 연구에 종사하는 여성의 비율은 30퍼센트 미만이며, 특히 STEM 분야에서의 비율은 이보다 적다.[65] IT 관련 직종에서 근무하는 여성의 비율은 25퍼센트 이하이며, 기술 사업가tech entrepreneurs의 비중은 이보다 더 적다.[66] 여성들은 남성들보다 인터넷 사용률이 50퍼센트나 낮으며, 이 격차는 몇몇 개발도상국에서 확대되는 것으로 드러난다.[67] 거의 모든 측면에서 남성과 여성의 격차는 개발도상국에서 가장 크고, 여성은 남성보다 훨씬 더 불리한 위치에 놓여 있다. 이런 격차로 인해 여성은 4차 산업혁명에 참여해 미래를 만들어나가는 기회를 박탈당한다. 더 자세하게 말하면 이런 격차는 수백만 개의 좋은 아이디어와 재능을 모든 논쟁에서 제외해 필요한 지식 생산을 제한하는 것과 같다. 이런 이유로 우리는 정치, 경제, 사회 분야에서 성 평등을 우선순위로 다뤄야 한다. 4차 산업혁명 시대에 여성의 잠재력을 발휘하는 것은 그 사회의 잠재력을 발휘하는 것이다.

성 격차를 해소할 기회와 더불어 4차 산업혁명은 역사적으로 성별이나 인종, 나이, 성적 취향, 장애 등의 이유로 차별받고 사회의 주변부로 밀려난 사람들을 포함할 가능성도 제공한다. 새롭게 등장하는 기술은 우리가 성, 나이, 신체를 바라보는 시각을 바꿀 수 있다. 장애를 가진 사람은 인간의 신체적 결함을 보완해주는 기술을 활용함으로서 혜택을 볼 수 있다. 이처럼 장애라는 개념은 언젠가는 낡은 개념이 될 것이다.

점점 흔해지는 로봇 기술은 지금껏 가져왔던 편견을 떨쳐버리게 해준다. 하지만 이러한 편견을 제대로 불식하기 위해서는 챕터 3에서 논의한 것처럼 기술을 개발하고 활용할 때 가치를 중요시해야 한다. 이미 우리가 프로그래밍하고 상호 교류를 하는 기계들은 우리가 갖고 있는 성차별과 인종차별 같은 편견에 영향을 받는다.**68** 따라서 이론적으로 인간형 로봇은 개발 단계에서 인종과 성별을 초월하도록 설계될 수 있음에도 불구하고 대부분의 경우 고객 대응 로봇은 여성의 특성을 중심으로 만들어지고, 산업용 로봇은 남성의 특성을 중심으로 만들어진다. 이런 현상은 수세기 동안 지속된 고정관념을 없애고 전통적인 영역에 보다 포용적인 사고방식을 확대, 적용하는 데 신기술을 활용하는 것을 어렵게 만든다. 신기술이 기존의 고정관념을 영속화할지, 아니면 모든 개인과 공동체의 안녕을 증진시킬지 여부는 개발 과정에서의 의식적 선택에 달려 있다.

| 모든 당사자들을 포용하는 책임과 소통의 리더십 |

4차 산업혁명이 어떻게 전개될지는 우리가 의식적으로 행동을 하는가, 아니면 경제성장과 환경 및 사회적 도전에 무모하게 대응하는가에 달려 있다. 만약 우리가 우리 자신보다 더 큰 존재, 즉 진정한 글로벌 문명의 일부임을 자각한다면 우리의 미래 계획에 모든 사람들을 포함해야 한다. 우리는 개발도상국 사람들, 특히 과거 산업혁명의 혜택을 온전히 누리기 위해 지금도 노력하는 젊은이들에게 권한을 부여하고 동등한 기회를 부여할 책임감을 공유해야 한다. 우리는 미래 세대에게 건강한 지구를 물려주고, 나이, 소득, 인종, 종교를 막론하고 모든 시민들에게 이 기술 시대의 혜택이 골고루 공유될 수 있는 방안을 반드시 모색해야 한다.

우리의 공통된 도전 과제를 해결하기 위해서는 급진적인 사고방식이 요구된다. 노동을 대체하는 기술, 심각한 기후변화, 불평등에 대한 심각한 우려와 대두되는 경제적 불안감은 우리의 사회와 경제의 토대가 되는 모델과 패러다임을 서서히 침식시키고 있다. 모든 국가와 모든 분야의 리더들은 진정으로 필요한 사회적, 경제적 시스템 변화가 무엇인지, 그리고 이런 변화를 어떤 혁명적인 방식이나 점진적인 방식으로 이끌어야 하는지에 대해 진지하게 토론해야 한다.

다중 이해관계자 방식은 4차 산업혁명을 지속가능하고 포용적인 미래로 이끌기 위해서 반드시 필요하다.

다중 이해관계자 원칙은 복잡한 글로벌 과제를 해결할 수 있는 솔루션은 기업, 정부, 시민사회 및 학계의 리더들 사이의 협력과, 젊은 세대의 참여를 통해서만 가능하다고 주장한다.

4차 산업혁명 시대에 개발도상국의 참여를 유도하기 위해서는 이런 조건들이 충족되어야 한다.

- 미래가 어떤 모습이어야 하고 신기술이 지역민들에게 어떤 편익을 줄 수 있는지에 대한 지역 차원에서 대화
- 모든 시민들이 신기술의 혜택과 기회를 충분히 누릴 수 있는 임파워링empowering을 위한 혁신, 인프라 및 산업화와 관련된 지역 및 글로벌 차원의 정책

4차 산업혁명 시대에 환경을 보호하기 위해서는 이런 조건들이 충족되어야 한다.

- 단지 폐해를 피하기 위해 신기술을 설계하고 활용하는 것이 아니라, 자연을 보호하고 개선한다는 예방적이고 미래지향적인 목표
- 생산자와 소비자 모두에게 인센티브를 제공하여 자원 소비를 줄이고 지속가능한 제품과 서비스를 장려하는 방향으로 기술을 사용하고 영향을 끼치도록 경제 체제를 재구성

풍요롭고 포용적이며 공정한 4차 산업혁명 시대의 사회를 만들고 시민을 육성하기 위해서는 경제, 환경, 그리고 사회체제에 영향을 줄 수밖에 없는 기술 개발을 할 때 보다 의식적인 선택을 해야 한다. 이를 위해 현재의 경제와 정치 패러다임에 도전할 용기가 필요하며, 인종과 나이, 성별과 배경에 무관하게 모든 개인들에게 권한을 줄 수 있도록 재구성해야 한다는 것을 의미한다.

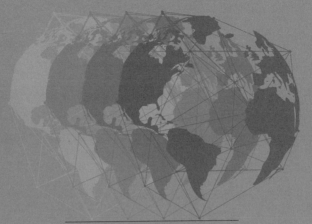

02

기술, 기회, 그리고 파괴적 혁신

SECTION 02 INTRODUCTION

섹션 1에서 우리는 4차 산업혁명 기술의 역동성에 대해 서술했다. 그리고 모든 이해
당사자들이 참여하는 인간 중심과 가치 기반의 접근 방식에 대해 배웠다. 섹션 2에서
는 이런 특별한 기술을 보다 자세하게 들여다보고, 이러한 기술이 새로운 시대를 열
어가기 위해서는 어떤 조건이 충족되어야 하는지를 알아볼 것이다. 이런 기술들이 끼
칠 영향력의 크기와 범위, 그리고 속도는 산업 규모를 초월한다. 이 기술들은 역사를
바꿀 잠재력이 있으며 우리 삶의 모든 부분에 영향을 줄 것이다.

세계경제포럼의 글로벌 미래위원회 및 전문가 네트워크Global Future Councils and
Expert Network와 함께 공동으로 작업한 섹션 2의 열두 개 챕터는 4차 산업혁명을 만들
어나가는 기술들에 대한 통찰력을 제공한다. 확대되는 디지털 기술, 격변하는 물리적
세계, 인류의 또 다른 시작, 그리고 개척해야 할 환경의 최전선이라는 세부 파트로 구
성된 섹션 2에서는 중요한 주제를 중심으로 관련 기술을 논의하고 이런 기술이 세계
에 어떻게 영향을 주고 새로운 시대의 시작을 알리는지를 살펴볼 것이다. 섹션 2는 기
술의 잠재력에 대한 큰 시각을 보여주고 그 기술이 활용되는 방식을 알려주는 '줌인,
줌아웃' 전략에 맞춰 독자들에게 '더 큰 그림'을 보여주고자 기획되었다.

열두 개의 챕터에 등장하는 각각의 기술들은 각기 새로운 카테고리의 기술, 혁신적
인 절차, 훌륭한 제품과 서비스를 나타내면서 가치 사슬과 조직 구조도 바꾼다. 예를

들어 디지털 기술들은 로봇공학, 유전자 서열 기계genetic sequencers, 웨어러블 기기, 드론, 그리고 가상현실과 증강현실 기기들의 네트워크를 구축하는 클라우드 컴퓨팅 기술을 통해 현실 세계에 남기는 흔적을 키워나간다. 인공지능 플랫폼은 모든 산업군에서 적용되고 있으며 기업의 의사 결정 능력을 강화한다. 첨단소재는 우리의 물리적 세계를 계속해서 '업그레이드' 한다.

이러한 혁신적인 엔지니어링 기술과 과학적 응용, 그리고 이를 활용한 인프라 개발의 영향력은 모든 이해관계자들에게 미친다. 산업뿐만 아니라 사회관계, 심지어 정치 전략도 신기술의 영향에서 자유롭지 않다. 미래의 몇십 년을 성공적으로 항해하기 위해서는 그 영향을 관리하는 것이 공공부문과 민간부문 모두에서 무엇보다 중요하다. 관리의 핵심은 '더 큰 그림'을 보는 것이다. 따라서 섹션 2는 각 장에서 소개되는 기술에 대한 이해를 넓혀 독자들이 '줌아웃'을 할 수 있도록 돕는다. 동시에 독자들이 '줌인' 도 할 수 있도록 각 장에서 이런 기술들의 잠재력이 어느 정도인지, 언제 어떻게 활용되는지를 구체적으로 설명했다. 끝으로 '스페셜 인서트'에서는 각 기술의 전문가들이 기술에 대한 다양한 관점을 제시했다.

여기에 나오는 열두 가지 기술들이 새로운 기술의 전부가 결코 아니다. 이외에도 굉장히 많은 기술들이 존재하며 이 기술들을 모두 포괄하기는 어려운 일이다. 저 너머에는 더 많은 기술들이 존재한다. 섹션 2에 나오는 기술들은 현재 가장 눈에 띄기 때문에 선택된 것이다. 이런 기술들은 우리의 신체, 지능, 경험뿐만 아니라 환경과도 상호작용을 할 것이며, 그 효과는 광범위하고 예측하기 어렵다. 우리가 일하는 방식과 아이를 양육하고 다른 사람들과 교류하는 방식은 물론이고, 우리의 삶 자체에도 영향을 끼칠 것이다. 그리고 우리의 권리, 사회 및 국가와 교류하는 방식 등 더 큰 부분에도 영향을 미칠 것이다. 그러면서 이런 기술들은 우리의 삶에서 무엇이 가능하고 무엇이 허용되며 무엇이 필요한지를 재구성할 것이다. 이러한 이유로 우리는 기술을 인간 중심적으로 개발하고 사용하도록 예의 주시해야 한다.

PART 1 확대되는 디지털 기술

우리가 3차 산업혁명이라고 부르는 디지털 혁명은 우리에게 컴퓨팅 기술, 소프트웨어, 개인용 컴퓨터와 디지털 인프라와 인터넷으로 연결된 세상을 선물했다. 하지만 우리에게 익숙한 대부분의 컴퓨팅 기술들은 1940년대 확립된 하나의 고전적인 컴퓨팅 프로세스의 발전에 의한 것이다. 오늘날의 연구자들과 기업가들은 정보의 저장, 조작, 통신과 관련하여 우리의 능력을 키우고 확장할 수 있는 컴퓨팅의 또 다른 가능성을 찾아내기 위해 불철주야하고 있다. 파트 1에서는 새로운 컴퓨팅 기술, 블록체인과 분산원장기술, 그리고 사물인터넷의 성장을 다룬다. 그리고 혁신적인 디지털, 퀀텀 컴퓨팅이 우리의 미래를 어떻게 바꿀지 사례를 통해 보여준다.

Chapter 05 새로운 컴퓨팅 기술

Chapter 06 블록체인과 분산원장기술

Chapter 07 사물인터넷

PART 2 격변하는 물리적 세계

4차 산업혁명의 기술들로 인해 대역폭은 확대되고, 클라우드 서비스는 성장하며, 그래픽 처리 장치의 속도는 빨라지고 능력은 향상된다. 결국 이런 발전은 산업 생산, 도시의 교통 인프라와 인터랙티브 기기의 본격적인 발전을 촉진한다. 2차 산업혁명의 부산물인 전력망이 디지털 기술의 발전으로 이어졌듯이, 디지털 인프라는 우리의 삶과 환경뿐만 아니라, 산업과 사회에서 우리와 상호작용하는 물리적 세계를 재구성할 수 있는 기반을 제공한다. 파트 2에 수록된 세 개의 챕터에서는 인공지능, 로봇공학, 첨단소재, 적층가공과 3D 프린팅, 그리고 드론을 다룬다. 우리는 이제 디지털 에이전트와 액터들이 소프트웨어와 인공물의 경계선을 넘나들면서 새로운 기능에 대한 영감을 고취하고 더 나아가 인간으로부터 독립하여 활동하는 미래에 직면해 있다.

PART 3 인류의 또 다른 시작

기술과 인간의 구분은 점점 흐릿해지고 있다. 이는 인간과 닮은 로봇이나 합성 유기체를 의미하는 것이 아니다. 새로운 기술들이 말 그대로 우리의 일부가 될 수 있다는 뜻이다. 기술은 이미 우리가 스스로를 어떻게 이해하고 생각하며, 우리의 현실을 어떤 방향으로 결정하는지에 영향을 미치고 있다. 이 섹션에 소개되는 기술들이 계속해서 인간 친화적인 방향으로 발전한다면 우리는 디지털 기술을 우리의 몸과 결합할 수 있게 될 것이다. 우리는 더 이상 '사이보그'라는 개념에 충격을 받지 않지만, 가까운 미래에 우리 존재의 의미를 재정립할 수 있는 디지털과 아날로그의 흥미로운 결합을 보게 될 것이다. 파트 3에서는 생명공학, 신경과학과 뇌과학, 그리고 가상현실과 증강현실을 다룬다. 여기에서 소개되는 기술들은 4차 산업혁명의 그 어떤 기술들보다 윤리적 문제를 초래할 것이다. 이 기술들은 우리의 신체 속에서 작동할 것이며 우리가 세계와 교류하는 방식을 바꿀 것이다. 이 기술들은 몸과 마음의 경계에 구속받지 않고 우리의 신체적 능력을 강화할 것이다. 그리고 심지어 삶도 영구적으로 영향을 받게 될 것이다. 이 기술들은 단순한 도구가 아니다. 우리의 존재와 행동, 인권을 존중하거나 침해할 수 있는 이 기술을 우리는 특별한 관심을 가지고 봐야 한다.

Chapter 11 생명공학

Chapter 12 신경기술

Chapter 13 가상현실과 증강현실

Special Insert 4차 산업혁명에 대한 예술·문화적 관점

PART 4 개척해야 할 환경의 최전선

4차 산업혁명은 인프라를 개발하고 글로벌 시스템을 유지하며 미래로 가는 새로운 길을 여는 기술에 전적으로 의존한다. 파트 4에 소개되는 것은 바로 이런 기술들이다. 지속가능한 소재와 절차를 토대로 하는 에너지 생산, 저장, 전송은 화석연료에 대한 의존도를 줄이고 저렴하고 분산된 에너지원을 제공할 것이다. 많은 부분이 아직은 추측에 가까운 지구공학은 우리로 하여금 기후를 관리하기 위해서는 무엇을 고려해야 할지, 기온 상승이라는 글로벌 과제에 가장 잘 대처하는 방법이 무엇일지를 생각하도록 한다. 우주기술은 과학·탐사·기술 혁신의 최전선으로 우리를 둘러싼 행성과 생태계를 모니터링한다. 지구공학과 우주기술은 우리를 행성과 그 너머에 있는 광활한 우주와 연결하며, 땅, 공기, 우주로 이루어진 자연은 우리 모두의 공통된 책임이라는 사실을 다시금 일깨워준다. 이런 기술들이 긍정적인 영향력을 만들어내기 위해서는 미래를 위한 우리 모두의 공통된 노력과 의사 결정이 요구된다.

우리가 3차 산업혁명이라고 부르는 디지털 혁명은
우리에게 컴퓨팅 기술, 소프트웨어,
개인용 컴퓨터와 디지털 인프라와
인터넷으로 연결된 세상을 선물했다.
오늘날의 연구자들과 기업가들은
정보 컴퓨팅의 또 다른 가능성을 찾기 위한
새로운 항해를 하고 있다.

PART 1

확대되는 디지털 기술

Extending Digital Technologies

CHAPTER 05

새로운 컴퓨팅 기술

1947년에 발명된 트랜지스터의 크기와 생산 비용이 기하급수적으로 줄어들면서 디지털 컴퓨팅 기술은 3차 산업혁명의 범용 기술이 되었다. 새로운 컴퓨팅 기술은 계속해서 중요한 기술로 활용될 것이다. 강력하고 효율적이며 값이 저렴한 유비쿼터스 디지털 기술은 4차 산업혁명 시대를 지탱하는 척추가 될 것이며, 컴퓨팅 능력의 혁신적 발전 또한 예상되기 때문이다.

컴퓨팅 기술의 발전은 정보를 처리하고 저장하며 상호작용할 수 있는 소재와 아키텍처architectures, 구조의 혁신이 바탕이 되었다. 이런 기술 혁신은 중앙화된 클라우드 컴퓨팅, 퀀텀 컴퓨팅, 신경 회로망, 생체 데이터 저장 장치biological data storage와 메시 컴퓨팅mesh computing으로, 그리고 다시 소프트웨어의 발전과 새로운 유형의 암호 기법cryptography으로 이어졌다. 이런 기술 발전은 사이버 보안 문제를 만들고 해결하면서, 자연어 처리 능력을 개선하고 있고 헬스케어와 물리 및 화학 분야에서의 엄청난 효율성 향상을 약속한다. 새로운 컴퓨팅 기술은 우리가 직면한 가장 어려운 과제의 일부를 해결할 수 있다. 하지만 컴퓨팅 기술에서 파생되는 혜택이 골고루 분배되지 않고, 보안 문제를 해결하는 유연한 거버넌스가 없다면 중대한 위험에 직면할 것이다.

| 영향력이 확대되고 대중화되어 가는 무어의 법칙 |

인텔의 공동 창립자인 고든 무어Gordon Moore의 이름을 딴 '무어의 법칙'에 의하면, 1960년대 중반부터 1제곱인치당 트랜지스터의 수가 약 18개월에서 2년마다 두 배가 된다고 한다. 컴퓨터의 크기는 기하급수적으로 작아지고 성능은 빨라지면서 컴퓨터값은 연평균 30퍼센트 하락했다. 무어의 법칙이 없었다면 매우 작은 프로세서와 저장 장치를 필요로 하는 모바일 컴퓨팅도 없었을 것이다. 또한 모바일 서비스 산업도, 그리고 세계 인구의 43퍼센트가 스마트폰을 보유할 정도로 막대한 모바일 산업의 영향력도 없었을 것이다.[69][70] 연구원, 기술 사업자, 그리고 기업은 놀라운 속도를 자랑하는 컴퓨터를 저렴한 가격에 사용할 수도 없었을 것이다. 이 모든 것은 혁신과 생산성 향상을 이끌어왔다.

지금까지 비용 절감과 성능 향상이 놀라울 정도로 진행되었지만 이 추세는 앞으로도 계속되어야 한다. 설령 무어의 법칙이 지속되지는 못하더라도 말이다. 약 40억이 넘는 사람들은 아직도 인터넷에 접속할 수 없지만, 디지털 정보 기술은 경제적 기회를 창출하는 강력한 동인인 점은 분명하다.[71] 무어의 법칙을 유지하는 데에는 어려움이 있다. 최근 몇 년 동안 반도체 생산자와 신소재 과학자는 트랜지스터 크기를 줄이는 것이 물리적 한계에 직면하고 있다는 우려를 나타냈다. 트랜지스터 속도가 증가하고 전력 사용량이 감소한다는 '데너드의 법칙Dennard's law'은 이미 10여 년 전에 끝났다. 지금의 트랜지스터는 이미 바이러스보다도 작다. 14나노미터는 상업용 표준으로 가장 작은 트랜지스터 크기다. 이보다 더 작은 10나노미터 트랜지스터는 2017년부터 생산에 돌입했으며 인텔은 향후 5년 내에 7나노미터 트랜지스터를 생산할 예정이다. 참고로 인간 머리카락의 직경은 5만 나노미터다.

터널효과tunneling effects, 트랜지스터의 비효율성을 가져오는 누전 등으로 인해 5나노미터는 실리콘으로 만든 트랜지스터의 물리적 한계로 인식된다. 국제 반도체 기술 로드맵International Technology Roadmap for Semiconductors은 '반도체 산업에서 수평으로 집적하는 방식은 한계에 부딪히고 있다'고 말한다.[72] 트랜지스터를 수평이 아니라 수직으로 쌓는 기술이 해결책이 될 수 있으나, 기능을 저하시키는 온도 관리가 어려워진다는 새로운 문제에 직면한다. 반면 신소재는 크기 제한의 문제를 해결해 트랜지스터의 크기를 더욱 줄일 수 있다.

버클리 연구진은 탄소나노튜브와 이황화 몰리브덴을 사용해 1나노미터 회로로 작동하는 트랜지스터를 만들었다.[73] 하지만 언젠가는 1제곱인치당 들어가는 트랜지스터의 수를 계속해서 늘리는 것이 물리적으로 불가능해질 것이다. 이런 물리적 한계에 부딪히기 전에 상업적으로 이미 불가능해질 것이다. 무어의 2법칙이라고 알려진 록의 법칙Rock's law에 의하면 새롭고 더 작은 반도체를 만들기 위한 반도체 제조 설비 비용은 4년마다 두 배 증가한다. 생산 기계가 더욱 정밀해지고 오작동 비율을 줄여야 할 만큼 고성능의 기계가 필요하기 때문이다. 피터 데닝Peter Denning과 테드 루이스Ted Lewis가 지적한 바와 같이, 록의 법칙은 새로운 제조 설비 가동이 경제적으로 가능해지려면 새로운 세대의 반도체 시장 규모가 적어도 기존 시장의 두 배가 되어야 한다는 것을 의미한다.**74** 반도체 생산 과정이 더욱 복잡해지고 대규모 투자가 필요해지면서 반도체 집적밀도가 두 배가 되는 기간이 기존 2년에서 2년 6개월로 늘어났다.**75**

컴퓨팅 기술이 기하급수적으로 성장하기 위해서는 단순하게 트랜지스터 크기를 줄이는 것이 아니라 시스템 개선에 더 집중할 필요가 있다. 2016년 전자전기공학연구소IEEE는 새로운 접근법이 필요하다는 것을 인정했다. 그동안 전자전기공학연구소는 트랜지스터 크기를 줄이는 데 초점을 맞춘 보고서들을 발간하면서 반도체 투자를 이끌어왔다. 미래에 그들은 '새로운 무어의 법칙을 만들고 시장에 새롭고 참신한 컴퓨팅 기술을 내놓기' 위해 '기계와 시스템에 대한 국제 로드맵International Roadmap for Devices and Systems'을 만드는 데 다시 집중할 예정이다.**76** 신소재, 새로운 아키텍처, 시스템을 통해 성능과 효율성을 높이는 새로운 방식이 연구되고 있다. 이는 보다 많은 사람과 조직이 저비용의 유비쿼터스 컴퓨팅의 이점을 누리게 되리라는 점을 의미한다.

지속적인 성능 향상의 한 방법은 보다 특수화된 프로세서에 집중하는 것이다. 컴퓨팅 기술이 처음 나왔을 때 특정한 용도로 반도체를 특수 제작 했던 것처럼 말이다. 그러다 1970년대 이후 디지털 컴퓨팅은 표준화되고 대량생산된 범용 마이크로프로세서가 지배했다. 이런 마이크로프로세서는 어떤 용도로도 사용될 수 있게 만들어졌다.**77** 그러나 동일한 작업을 반복해서 수행하는 데이터 집약적인 기능의 경우 표준화된 중앙처리장치CPU는 상대적으로 비효율적이다. 오늘날 중앙처리장치 다음으로 두 번째로 많이 사용되는 마이크로프로세서는 화면상의 정보를 처리하는 그래픽처리장치GPU다.

머신 러닝machine learning의 중요성과 적용 범위가 확대됨에 따라 맞춤형 컴퓨팅 아키텍처에 대한 새로운 유형의 수요가 발생했다. 세계에서 가장 큰 반도체 구매자 중 하나인 구글은 딥 러닝 알고리즘용 텐서 처리 장치 tensor processing units를 대규모로 생산했다. 구글은 텐서 처리 장치를 2016년 세계 바둑 챔피언 이세돌을 이긴 알파고 프로그램에 사용했다. 새로운 메모리 구조와 처리 구조는 '인공지능 엑셀러레이터AI accelerators'라고 알려진 새로운 종류의 마이크로프로세서의 등장으로 이어졌다. 인공지능 엑셀러레이터는 많은 머신 러닝의 중심에 있는 인공신경 회로망의 기능에 최적화된 시스템이다. 이런 새로운 컴퓨팅 아키텍처는 인공지능 알고리즘의 대규모 응용 프로그램에 필요한 속도, 비용, 에너지 효율성 측면에서 이점을 제공한다.[78]

공급을 늘리고 성능을 향상시키는 것은 우리가 관리해야 할 많은 문제 중 하나일 뿐이다. 우리는 단순히 더 좋은 성능이나 더 빠른 속도, 더 많은 트랜지스터만 필요한 것이 아니다. 우리는 기계와 데이터가 급격하게 확산되면서 증가하는 수요를 충족시켜야 한다. 우리는 컴퓨팅 기술을 의미 있는 방식으로, 그리고 상황과 경우에 따라 실시간으로 활용할 수 있어야 한다. 예를 들어 클라우드 기반 응용 프로그램은 수초 내로 전 세계에서 동시에 활용될 수 있지만, 인공지능이 사람들과 함께 일하면서 공공 안전이나 교통 시스템의 니즈를 충족시키고자 한다면 엑사바이트 수준의 많은 데이터를 수천분의 1초나 심지어 백만분의 1초라는 짧은 시간 내에 컴퓨팅을 할 수 있는 능력을 갖춰야 한다. 현재 우리가 해결하고자 하는 문제의 핵심은 크기가 아니라 속도나 지연 속도latency, 에너지와 관련된 문제들이다.

하지만 물리학과 재료과학의 발전을 극단으로 밀어붙이는 과정에서 디지털 컴퓨터에 기반을 둔 프로세서뿐만 아니라 우리가 퀀텀 컴퓨팅이라고 부르는 가장 유망하면서도 가장 파괴적인 컴퓨팅 기술이 등장한 것도 사실이다.

| 퀀텀 컴퓨팅: 파괴적 잠재력과 현실적인 어려움 |

안정적이고 강력한 퀀텀 컴퓨터 모형은 4차 산업혁명 기술 중에서 가장 파괴적인 기술 중 하나가 될 잠재력이 있다. 하지만 아직 갈 길은 멀다. 퀀텀 컴퓨터는 양자역학의 이상한 이론을 활용하면서 컴퓨팅을 다시 생각하게끔 만든다. 전통적으로 컴퓨터가 정보를 저장하고 기능을 수행하기 위해 1과 0으로 구성된 2진법으로 만들어진 트랜지스터 대신에, 퀀텀 컴퓨터는 퀀텀 비트quantum bits로 운영된다. 퀀텀 비트는 줄여서 큐비트qubits라고도 불린다. 1과 0으로 제한된 비트와는 다르게 큐비트는 1과 0 둘의 중첩이 존재할 수 있다. 이는 동시에 다양한 상태를 시뮬레이션할 수 있게 한다.

양자물리학의 재미있는 현상에는 '양자 얽힘entanglement'이라는 개념이 있다. 여러 큐비트가 서로 연결되어 한 큐비트의 양자 상태를 측정하면 연결된 다른 큐비트의 정보를 획득할 수 있다는 의미다. 따라서 퀀텀 컴퓨터는 확률적 지름길을 만들 수 있는 퀀텀 알고리즘을 활용할 수 있으며, 현대의 디지털 컴퓨터가 해결하는 데 과도한 시간을 필요로 하는 어려운 유형의 수학 문제에 대해 수용 가능한 해답을 제공할 수 있다. 한 예는 대수의 소인수를 찾는 것이다. 지금의 컴퓨터로는 빠르게 할 수 없기 때문에 많은 암호 기법encryption technologies이 필요하다. 또 다른 예로 많은 변수가 포함된 최적화 문제를 해결할 수도 있다. 이는 엄청나게 다양한 종류의 운영 효율성이나 로지스틱 관련 문제에 적용하거나, 비구조화된 대규모 데이터베이

스를 검색하는 데 유용하다.[79]

또한 퀀텀 컴퓨터는 원자와 다른 입자의 움직임과 같은 다른 양자계quantum systems를 비정상적인 조건에서 더 정확하게 모델링할 수 있다. 마치 대형 강입자 충돌기(Large Hadron Collider, 두 개의 입자를 빛보다 빠른 속도로 충돌시켜 빅뱅 이후의 상황을 재현할 목적으로 스위스에 만든 시설 – 옮긴이)처럼 말이다. 퀀텀 시뮬레이션을 통해 퀀텀 컴퓨터는 기존의 컴퓨터가 하기 힘든 어려운 계산을 쉽게 할 수 있다. 이런 계산은 더 스마트한 신소재, 클린 에너지 기계, 신약 개발에 빈드시 필요한 핵심 요소다. 따라서 현실화된 퀀텀 컴퓨팅은 4차 산업혁명의 토대가 되는 많은 기술과 시스템을 구동시킬 것이다.

하지만 여기에는 중요한 함정이 있다. 퀀텀 컴퓨터는 1982년에 리처드 파인먼Richard Feynman이 최초로 제시한 이후 지난 30년 동안 이론적으로 존재했으나, 보편적인 퀀텀 컴퓨터를 만드는 것은 공학적으로 극도로 어렵기 때문에 퀀텀 컴퓨터의 파괴적인 잠재력을 말하는 것은 여전히 추측에 가깝다. 큐비트의 수를 늘리고 유지하려면 절대 0도에 가깝게 냉각된 환경처럼 극한 조건에서 시스템을 운영해야 한다.[80] 오늘날의 선도적인 퀀텀 컴퓨터들은 매우 적은 큐비트(IBM이 생산하는 퀀텀 컴퓨터는 5큐비트에 불과하다)를 가지고 있거나 용도가 굉장히 제한적이다(양자 냉각 방식으로 구동되는 디웨이브의 경우) 두 경우 모두 성능과 해결할 수 있는 문제는 제한적이다. 하지만 퀀텀 컴퓨터의 현실적인 잠재력을 보여줄 정도로 빠르게 발전이 이뤄지고 있다. 이론 또한 계속 발전하고 있으며 퀀텀 알고리즘과 퀀텀 기계 학습 분야에 새로운 아이디어가 지속해서 제시되고 있다.

퀀텀 컴퓨팅 기술에 대한 물리적이고 공학적인 문제점들이 해결되면 더 많은 도전 과제가 등장할 것이다. 그중에서 가장 중요한 것은 신뢰와 보안이다. 은행 정보와 이메일 계정을 해킹으로부터 보호하기 위해 전송 계층 보안을 이용하는데, 이 기술이 보호하는 2048비트의 정보를 해독하는 데 현대의 컴퓨터는 130억 년이 걸린다. 그러나 1994년 수학자 피터 쇼어Peter Shor가 개발한 알고리즘을 사용하는 퀀텀 컴퓨터는 현재의 많은 암호화 접근법을 쓸모없는 것으로 만들 정도로 빠른 연산이 가능하다.[81] 우리는 온라인 거래와 정보를 안전하게 보호할 수 있는 대안을 확보하기 위해 현재 사용하는 표준을 다시 생각할 필요가 있다. 이는 퀀텀 컴퓨터의 공격에 취약하지 않은 기존 접근 방식을 지속적으로 개발하고 새로운 유형의 양자 암호화quantum cryptography를 만들기 위해 퀀텀 효과quantum effects를 최대한 이끌어내는 방법을 찾아야 한다는 의미이다.

퀀텀 컴퓨팅 기술은 현재의 컴퓨터를 무의미하게 만들지는 않을 것이다. 퀀텀 효과가 일상적인 정보 처리의 영역에서 제공하는 이점은 수학이나 화학과 같은 특정 영역에서 제공하는 이점에 비해 크지 않다. 더욱이 현재 우리의 물리학 지식으로는 퀀텀 컴퓨터가 지금의 컴퓨터보다 더 싸지거나 더 작아지는 것을 상상하기 어렵다. 퀀텀 컴퓨터의 잠재적인 영향력은 막대하다. 하지만 퀀텀 효과는 – 최소한 5차 산업혁명의 시대가 올 때까지는 – 전문적인 컴퓨팅 기술의 고비용 분야에 국한될 것으로 보인다.

| 작고 빠른 컴퓨터의 막대한 영향력 |

마크 와이저Mark Weiser는 1991년 "가장 근본적인 기술은 형체가 없다. 그런 기술은 일상 속에 녹아들어 일상과 분간할 수 없다"라고 말했다.[82] 무어의 법칙이 지속되어 모든 디지털 기기들에게 적용됨에 따라 디지털 컴퓨터

는 더 이상 별도의 물체로 취급되지는 않는다. 오늘날의 컴퓨터는 자동차나 전자제품, 가전제품의 중요한 부품 그 이상이다. 컴퓨터는 이제 의류에도 삽입되고 있으며 우리 주변의 도로와 가로등, 다리와 빌딩과 같은 인프라에도 장착된다.[83] 우리는 이제 컴퓨터가 만든 세상에 살고 있다.

새로운 센서와 기계 학습 알고리즘 덕분에 우리는 이제 새로운 방식으로 컴퓨터에 접속할 수 있다. 음성 명령 시스템과 자연언어 능력의 발전으로 우리는 이제 스크린과 키보드에서 해방되고 있다. 신체 언어, 손과 눈의 제스처를 이해하는 센서는 우리의 의식적인 의도와 무의식석인 의도를 읽어 컴퓨터, 휠체어, 의족과 같은 기계를 움직일 수 있게 한다. 페이스북은 2017년 4월 기계 학습 전문가들과 신경 보철 전문가들을 포함한 60명의 연구진이 생각만으로 컴퓨터에 명령을 내리고 메시지를 전달할 수 있는 방법을 연구 중이라고 발표했다.[84] 이처럼 컴퓨터에 접속하는 다양한 기술들은 새로운 멀티태스킹 및 정보 처리 방식을 제공할 것이다.

또한 컴퓨터는 신체적으로도 우리의 일부가 되고 있다. 스마트 시계, 인텔리전트 이어버드, 증강현실 안경과 같은 웨어러블 디바이스는 우리 몸의 신체적 한계를 뛰어넘는, 이식 가능한 마이크로칩으로 점점 대체되고 있다. 이런 기술 발전은 통합 치료 시스템부터 인간의 신체 능력 강화에 이르기까지 흥미로운 가능성을 제시한다.

바이오 컴퓨팅biological computing의 발전으로 특수 제작 된 마이크로칩을 유기체에 이식해 맞춤형 유기체를 만드는 날이 곧 올 것이다. 바로 바이오 해킹biohacking이라고 불리는 새로운 문화와 소비 행위이다. MIT 연구진은 센서, 메모리 스위치, 회로가 인간의 장내 세균에 코딩될 수 있다는 것을 시연했고, 이는 우리의 신체가 염증성 장 질환이나 대장암을 발견하고 치료

할 수 있도록 설계될 수 있다는 것을 뜻한다.[85]

이런 잠재적 혜택에는 위험과 과제가 따르기 마련이다. 우리 자신과 환경 사이의 양방향 정보의 흐름이 가능해지면서 지속적으로 대역폭을 확장하고 압축 기술을 개선해야 한다는 과제가 대두됐다. 디지털 세계에서 생성된 방대한 정보를 저장하기 위해서는 고밀도 장기 저장이 가능한 새로운 접근법이 필요하다. 해결책 가운데 하나는 바로 DNA에 정보를 저장하는 것이다. 2012년에 하버드 대학교의 조지 처치George Church 교수는 최고의 플래시 메모리가 저장할 수 있는 데이터 양의 10만 배가 넘는 데이터를 DNA에 저장할 수 있는 가능성을 보여주었다. 이 기술은 온도와 환경에 상관없이 안정적이었다. 처치 교수는 "사막이든 당신의 정원이든 어디에다 떨어뜨려 놓아도 40만 년 후에도 그대로 있을 것이다"라고 말했다.[86]

어떤 면에서, 특히 극한 상황에서, 유비쿼터스 컴퓨팅은 세계를 더욱 취약하게 만들 수 있다. 컴퓨팅 시스템이 항상 가동되도록 유지하려면 전력난의 위험이 제기된다. 이런 전력난은 중대한 과제를 야기한다. 기초적이고 수동적인 고장 대처 시스템에 익숙하지 않을수록 이런 위기는 더 부정적인 결과를 낳을 수 있다. 전례 없는 유비쿼터스 컴퓨팅은 사회적으로도 큰 영향력을 끼칠 것이 확실하다. 이미 더 작고 빠른 컴퓨터들은 인간의 행동양식을 바꾸어놓았다. 예를 들어 테이블에 스마트폰이 있다는 것만으로 상대와의 대화에 대한 몰입도가 낮아지고 대화의 세세한 내용을 기억할 가능성 역시 낮아진다.[87] 또한 소셜미디어는 젊은 사람들의 공감 능력이 떨어지는 것과 관련이 있다.

컴퓨팅 기술이 계속해서 확장되면서 환경은 더 큰 외부효과에 노출될 것이다. 선진국에서 데이터 센터는 이미 전체 전기 사용량의 2퍼센트를 차지한다. 미국의 경우 데이터 센터가 시간당 700억 킬로와트를 소비하는데, 이 수치는 호주의 1년 전기 사용량보다 더 크다. 연구자와 기업이 컴퓨팅 기술에서 미래 혁신을 이끌어내기 위해서는 경제적 지속가능성을 유지하면서 컴퓨팅 방식과 하드웨어의 에너지 효율성을 제고할 수 있는 시장 메커니즘에 집중해야 한다. 새로운 프로세서가 개발될수록 자원의 지속가능성이 핵심 목표가 되어야 한다.

경제적 지속가능성을 염두에 두면서 우리가 현재 구축하고 있는 시스템의 한계를 인지하는 것은 중요하다. '클라우드'가 상업적으로 활용되기 시작한 것은 아직 10년이 채 되지 않았지만, 더 크고 더 효율적인 중앙 데이터 센터가 속속 등장하면서 보안과 사생활 보호에 대한 우려가 커지고 있는 상황이다. 우리는 데이터를 어디에, 어떻게 저장할지, 관련 비용이 얼마나 증가할지에 대해서 창의적으로 생각할 필요가 있다. 만약 데이터를 사용하는 이유가 실시간으로 인사이트를 얻고 의사 결정을 내리기 위해서라면 많은 기기들이 분산된 상태로 연결된 네트워크인 메시 컴퓨팅mesh computing이 해결책이 될 수 있다. 데이터 센터는 대규모 데이터를 유지·관리할 수 있지만, 메시 컴퓨팅은 분석과 의사 결정을 보다 신속하고 효율적으로 수행할 수 있다. 그러면서 높은 수준의 효율성을 유지하는 데 많은 비용이 들지 않는다.

또 다른 중요한 문제로 접속의 평등이 있다. 새로운 컴퓨팅 기술 발전과 활용은 크고 부유한 시장, 풍부한 인적 자본, 대규모 투자 자금을 확보할 능력이 있는 선진국에서 일어나는 경향이 있다. 하지만 4차 산업혁명이 많은 사람들에게 혜택을 제공하기 위해서는 비용이 적게 들고 다양한 환경에서도 작동이 가능한 컴퓨팅 기술을 개발해야 한다. 이런 컴퓨팅 기술은 전력 공급이 불안정하고 기온 변화가 심한 곳에서도, 심지어 방사능 위협이 도사리는 환경에서도 작동되어야 한다.[88] 한 예로, 전 세계 사람들이 컴퓨터를 보다 편하게 사용할 수 있도록 설계된 저가의 고성능 컴퓨터인 라즈베리 파이Raspberry Pi가 있다. 라즈베리 파이는 2012년 처음 출시된 이후 1,200만 대가 팔렸다.[89]

다양한 조건에서 사용 가능한 컴퓨터를 개발하는 것은 새로운 컴퓨팅 기술에서 파생되는 혜택의 분배 방식을 구체화하는 데 있어서 작은 부분에 불과하다. 혁신 기술의 혜택은 대개 선두주자들에게 집중된다. 경제적, 사회적, 신체적으로 취약한 사람들이 새로운 도구를 사용할 수 있게 하려면 특별한 노력이 필요하다. 새로운 범용 기술로 인한 경제적 혜택을 공유하려면 반드시 해결되어야 하는 문제다. 이는 꼭 공정한 세금의 문제만이 아니라 경쟁 정책과 소비자 권리에 대한 문제이기도 하다. 컴퓨팅 기술 발전의 최전선에 서게 되면 '슈퍼 플랫폼'을 활용해 모든 가치 체인상에서 방대한 힘을 발휘할 수 있다. 일례로 특수화된 프로세서를 사용하고 엄청난 양의 데이터에 접속하는 능력은 소비자들 사이에서 가격 차이를 가져올 것이고, 그 기술의 혜택을 받지 못하는 경쟁자들은 결국 파산할 것이다.[90]

끝으로 제도와 기술에 대한 신뢰가 위협받고 있다. 컴퓨터가 우리의 일상에 녹아들어 우리의 일상과 분간할 수 없게 되면서 사생활 보호는 시민, 정부, 기업 사이의 신뢰를 회복하는 데 필수가 되었다.

1. 무어의 법칙(트랜지스터 크기와 값의 지속적인 감소)은 물리적 한계를 넘어섰고 트랜지스터의 속도가 증가하고 전력 사용량이 감소한다는 데너드의 법칙은 이미 깨졌다. 재료과학이 해결책을 제시할 수 있겠지만, 그저 기능을 높이려는 시도는 언젠가는 물리적 한계에 부딪힐 것이며 새로운 유형의 컴퓨팅 기술이 실현되어야 한다.

2. 컴퓨팅은 단순히 프로세싱 능력(즉, 얼마나 많은 트랜지스터가 있는지)에만 달려 있지 않다. 우리는 스피드, 근접성, 지연 속도, 에너지 소비를 고려하면서 컴퓨팅을 새로운 시각으로 바라보고 있다. 이 때문에 퀀텀 컴퓨팅, 포토닉스, 메시 컴퓨팅과 같은 대안이 매력적으로 다가오는 것이다.

3. 더 작고 빠른 컴퓨터의 확산은 도시 환경, 소비재, 집, 심지어 우리의 몸까지 포화 상태로 만든다. 이런 컴퓨터들이 인터넷에 연결되면 글로벌 네트워크의 한 부분이 될 것이다('챕터 7 사물인터넷' 내용 참조).

4. 데이터 센터는 데이터를 저장하는 중앙화된 공간이 되었으며 아카이브 데이터 archived data에 대한 접근권과 컴퓨팅 파워를 제공한다. 앞으로 반응형 컴퓨팅에 대한 수요가 늘어나면서 속도와 적시성을 보장하기 위해 기계간 연결된 분산형 컴퓨팅이 요구될 수 있다. 이 말은 컴퓨팅 기술력의 기반과 용도에 큰 변화가 생길 수 있다는 의미다.

5. 우리는 새로운 컴퓨팅 기술이 사회와 공동체에 어떤 영향을 끼칠 것인지에 대해 예의 주시해야 한다. 이것이 새로운 컴퓨팅 기술이 직면한 문제다. 우리가 기술력에 주목하는 것처럼 접근성, 포용성, 보안과 개인정보 보호에도 관심을 가져야 한다.

CHAPTER 06

블록체인과 분산원장기술

2008년 10월 기본적인 분산원장기술에 대한 논문을 발표한 사토시 나카모토(한 명이 아닐 수도 있다)는 훗날 기술 전문가들 사이에서만 아니라 누구나 다 아는 이름이 될 것이다. 그(또는 그녀, 그들)가 쓴 블록체인(수학, 암호학, 컴퓨터공학, 게임 이론의 획기적인 조합의 결과물)에 기반을 둔 매우 혁신적인 결제 기술에 대한 논문은 디지털 화폐의 등장과 함께 디지털 경제와 실물경제 모두에서 가치를 축적하고 교환하는 새로운 시스템 구축을 위한 첫걸음이었다.[91]

2030년이 되면 분산원장기술 또는 '블록체인'은 온라인 금융 거래는 물론이고 투표 방식부터 상품 제조 방식까지 모든 것을 바꿀 것이다. 한번 상상해보자. 세계 GDP의 약 10퍼센트가 국가의 주권이 미치지 않는 통화에 보관되어 거래되는 미래를. 또는 모든 산업 분야에 걸쳐 실시간으로 세금이 투명하고 자동적인 방식으로 징수되는 미래를. 블록체인 기술의 확산은 역사의 전환점이 될 수 있다. 하지만 아직 블록체인 기술과 그 기술의 도입은 초기 단계에 머물고 있다. 동시에 블록체인 네트워크 구조에 대한 의견은 엇갈리고 있으며 거래가 국가 데이터 전송 시스템의 규정에 위반될 수 있다는 사실은 기술의 혜택이 완전하게 꽃을 피우는 데 방해 요소가 된다. 이 혁신적인 기술을 통해 신뢰와 거래를 재정립할 수 있는 잠재력을 실현하고자 한다면 집단적 거버넌스와 이해관계자들의 참여, 그리고 많은 '오프라인' 조정 문제가 선결되어야 한다.

| 신뢰 구조 |

'분산원장기술'이라는 말이 암시하듯, 블록체인 기술의 핵심은 디지털 기록을 중앙 신뢰 기관 없이도 생성하고 교환할 수 있는 능력이다. 암호 기술과 P2P 네트워킹을 현명하게 조합함으로써 블록체인 기술은 정보가 정확하고 투명하게 저장 및 공유되도록 한다. 이에 더해 모든 거래 내역을 확인할 수 있을 뿐 아니라 프로그래밍이 가능한 '스마트 계약'도 할 수 있다.

블록체인 기술은 네 가지 이유로 혁명적이다. 첫째, 블록체인 기술은 디지털 정보가 완벽하게 복사되고 한계비용을 거의 들이지 않고도 많은 사람들에게 동시다발적으로 전송함으로써 디지털 경제의 양날의 검을 극복한다. 이런 특징은 정보를 공유하는 데에는 유용하지만 특별한 가치를 가지거나 확실한 출처가 중요한 무언가를 전송할 때 문제가 발생한다. 일례로 디지털 화폐나 민감한 정보가 담긴 서류, 중요한 예술품 등이 있다. 블록체인은 위·변조나 이중 지불의 위험 없이 검증 가능한 특별한 디지털 정보를 만들고 전송할 수 있게 한다. 그를 통해 이른바 '가치의 인터넷the internet of values'을 만들게 된다.[92]

블록체인의 두 번째 혁명적인 특징으로는 분산원장기술이 중앙 신뢰 기관 없이도 투명성, 검증 가능성, 불변성을 보장한다는 점이다. 거래의 세부 사항을 기록하거나 중요 자산의 소유권을 주장할 때 중앙 신뢰 기관을 신뢰하지 못하거나 그 방침에 동의하기 어려운 상황이 실제로 종종 발생하기 때문이다.

셋째, 분산원장기술은 프로그래밍된 행위를 가능케 한다. 즉, 인간의 개입 없이도 자동적으로 거래를 처리, 추적, 검증할 수 있다. 알고리즘에 기반을 둔 거래나 자동화된 온라인 거래보다는 진일보한 개념이다. 블록체인의 스마트 계약은 강우량이 일정 수준을 초과할 때 지불하는 보험 계약과 프로젝트의 작업량에 따라 복수의 관계자들에게 자동으로 상금을 수여하는 보상 시스템 같은 상황에서 정보와 자산을 전송하도록 설계할 수 있다. 여기서 중요한 것은 스마트 계약을 실행하는 코드 자체가 블록체인에 저장되고 지연 없이 모든 사람을 대상으로 검사와 실행이 가능하다는 것이다.

넷째, 디지털 원장은 포괄적으로 설계할 수 있다. 블록체인 거래는 기본적으로 투명하고 안전하며 추적이 가능하다. 원하는 경우 익명으로 처리할 수도 있다. 적어도 사용자 입장에서 블록체인 거래는 전력도 많이 필요 없고 기본적인 소프트웨어, 저장소, 연결망만 있으면 된다. 이는 일반적으로 시장에서 소외되었던 개인들과 소규모 참여자들이 디지털 방식을 통해 추적 가능하고 거래 가능한 자산의 생산자로서, 주주로서, 수혜자로서 또는 소비자로서 시장에 참여할 수 있게 되었다는 것을 뜻한다.[93]

위에서 언급한 블록체인의 네 가지 특징은 독점적이고 지대 추구적rend-seeking인 중앙 중개자가 요구하는 중개료나 여러 간접 비용 없이 경제활동에 따른 보상을 배분할 수 있음을 의미한다. 분산원장기술은 사람들의 데이터가 중요한 자산이자 잠재적인 책임의 원천이 되는 세상에서 개인 데이터가 창출하는 가치의 일부를 개인들이 되찾을 수 있게 해주며, 적어도 더 많은 투명성과 안정성을 보장해준다.

| 블록체인, 새로운 개척지 |

버크먼 인터넷 사회 센터Berkman Center for Internet & Society의 프리마베라 드 필리피Primavera de Filippi는 현재의 블록체인을 1990년대 초의 인터넷과 비교했다. 당시 기술 전문가들과 기업가들은 인터넷의 잠재적 가치나 무한한 사용 방식을 이해하지 못했다. 드 필리피에게 블록체인의 가장 혁신적인 역할은 기술 의존적인 사회와 경제에 적합한, 새로운 사회계약에 영향을 줄 수 있는 능력을 활용하여 착취를 방지하고 막는 도구로 사용하는 것이다.

암호화폐의 장점과 전망에 대한 과도한 기대감에도 불구하고 블록체인은 만병통치약도 아니며 해결해야 할 과제도 있다. 비트코인의 경험을 통해 우리는 어떤 당면 과제가 있는지를 확인할 수 있다. 비트코인은 블록체인 기술이 최초로 활용된, 세계에서 가장 크고 유명한 암호화폐다. 비트코인이 성장하고 확대되면서 수요도 증가한다. 그러면서 거래의 효율성을 높이기 위해 비트코인 블록체인의 핵심 규칙(예를 들면 '블록'의 크기)을 수정할 필요가 있는지 여부에 대한 참가자들의 의견이 나뉜다. 중앙화된 거버넌스가 없는 상태에서 참가자들은 핵심 규칙의 개정을 요구할 수 있다. 이런 경우 참가자들의 그룹이 나뉘고 나름의 이해관계에 따라 서로 다른 대안을 받아들일 수 있다.

블록체인을 구축하기 위해서는 조정 문제를 해결하는 것이 중요하다. 브라이언 벨렌도프Brian Behlendorf가 지적했듯이, 블록체인이 제대로 작동되기 위해서는 분산원장이 그 어떤 대안보다 자신들의 이해관계를 충족해주리라고 믿는 다양한 이해관계자 초기 집단이 있어야 한다.**94** 이것은 다양한 기술적 접근 방식에 동의하고 새로운 기술과 작업 방식을 도입하기 위해서는 자원이 투자되어야 한다는 것을 의미한다.

블록체인은 언제 유용할까?

하이퍼레저 프로젝트Hyperledger Project의 브라이언 벨렌도프 이사에 의하면 분산원장은 다음의 상황에서 특히 유용하다.

- 둘 이상의 당사자 사이에 거래가 발생할 가능성이나 충족되지 않은 잠재력이 있을 때
- 아래의 이유로 인해 거래가 비효율적이거나 불가능할 때:
  * 많고 다양한 거래 당사자들이 중앙 신뢰 기관이 거래를 효율적이고 중앙집권적으로 중개하지 못할 것이라고 동의할 때
  * 독점, 지대 추구, 부패, 투명성의 부재나 제도적 비효율성으로 거래 비용이 상당하고, 불확실성이 시스템에 걸쳐 분산되어 있을 때
  * 거래 시 검증이나 관리 비용으로 인해 개인이나 단체가 현존하는 플랫폼에서 제외될 때
  * 참가자들이 서로 믿지 못할 정도로 자산 거래가 쉽게 위·변조되거나 복사될 때

블록체인 시스템을 구축하는 것은 쉽지 않다. 개인이나 조직이 분산원장을 통해 거래를 시작하기 전에 다음을 포함하여 다양한 이슈에 대해서 반드시 동의해야 한다.

- 가치의 범주: 원장에 표시되는 가치의 단위는 무엇일까?
- 기술 구조: 프라이빗 블록체인은 퍼블릭 블록체인에 편승하고 있는가? 어떤 방식으로 원장이 안정적으로 거래를 입증하는가? 토큰의 가치는 어떻게, 그리고 얼마나 빠르게 생성되는가?
- 참가자들은 블록체인의 '시작 조건'을 어떻게 검증할 수 있을까?

실제 제품을 대상으로 디지털 거래를 할 때, 제품을 어떻게 안전하게 식별하면서 디지털 토큰에 태그하고 연결할 수 있을까?

조정 문제는 분산원장이 널리 도입될 때 더 복잡해진다. 다시 말해서 암

호화폐 블록체인이 탄소 배출 블록체인 네트워크 등의 연결 가능하도록 다양한 네트워크와 연동되어 상호 운용 되는 게 당연히 바람직하다. 이를 위해서는 다양한 응용 방식에 통용될 수 있는 표준이 필요하지만 이런 표준은 아직 존재하지 않는다.

분산원장은 환경에도 외부효과를 끼친다. 블록체인이 불변성이라는 목표를 달성하는 가장 보편적인 방식은 거래 내역을 안정적으로 검증하는 '작업증명proof-of-work'이다. 하지만 거래를 증명하기 위해서는 네트워크 참가자들이 엄청난 양의 컴퓨팅 작업을 하면서 에너지를 소비해야 한다. 비트코인과 이더리움이라는 암호화폐가 활용하는 작업증명 모형에서는 거래가 많을수록 검증에 더 많은 에너지를 소비한다. 따라서 환경에 미치는 영향 역시 더 커진다. 이처럼 환경에 대한 외부효과는 4차 산업혁명이 우리에게 부과하는 또 다른 비용이다.[95]

한편 안전하면서 익명으로 프로그래밍된 네트워크는 범죄 비용을 낮춘다는 것도 문제다. 개인들의 이익을 보호할 수 있는 암호화된 스마트 계약의 프로토콜은 범죄조직이 마약 거래, 인신매매, 사기 등과 같은 불법 행위에 악용할 수 있다.[96] 또 다른 문제는 기술 자체에 대한 접근성이다. 비트코인 '지갑'의 접근성과 활용성이 향상되고는 있지만, 개인이나 조직이 블록체인 기반의 플랫폼을 받아들이게 만드는 인센티브는 그리 많지 않다. 빠른 시일 내로 개발되기는 하겠지만 현재 다양한 플랫폼과 직관적인 어플리케이션이 없다는 것도 또 다른 장벽이다.

신뢰의 기술

카르스텐 스투어카 Carsten Stoocker, **독일 이노지**Innogy **블록체인 사업팀장**
부르크하르트 블레슈미트 Burkhard Blechschmidt, **독일 코그니전트**Cognizant **최고투자책임자**

역사적으로 제품이나 거래는 생산 공급망을 거치면서 신뢰가 쌓였다. 물리적 기록이나 전자 기록은 모든 제품의 생산지, 목적지, 수량과 역사를 증명할 수 있도록 기록했다. 이 모든 정보를 생산하고 추적하며 검증하는 일은 은행, 회계사, 변호사, 감사관 및 품질 보증관에게 시간과 노력이라는 막대한 '신뢰 세금'을 부과한다. 이 과정에서 중요한 정보가 사라질 수도 있고, 접근이 어려워질 수도 있으며, 심지어 의도적으로 숨겨질 수도 있다.

4차 산업혁명이 전개되면서 실제 세계와 디지털 세계 간 경계가 흐려지는 가운데 블록체인 기술의 발전으로 디지털 프로덕트 메모리를 활용해 공급망에 걸쳐 제품 관련 데이터를 실시간으로 수집할 수 있게 되었다. 암호의 측면에서 안전한 태깅 시스템과 결합되면 블록체인은 진정한 디지털 ID와 위·변조가 불가능한 기록을 만들 것이고, 공급자와 소비자의 거래는 서로 검증 가능해지고, 더 쉽고 싸질 것이다.

블록체인 기반의 '분산된 신뢰'는 다음과 같은 완전하게 새로운 제조업 비즈니스 모델을 이끌 것이다.

- 개발자들이 결과물을 보호된 생산 개발 파일 형태로 발표하고 돈을 받을 수 있는 안전한 시장
- 제조업체가 제품 관리, 규정, 보증, 리콜 등에 드는 비용을 줄일 수 있는 디지털 프로덕트 메모리 시장
- 제품 개발, 마케팅, 공급망 관리 및 생산 등의 분야에서 데이터 기반의 통찰력을 함양하기 위한 블록체인 기반의 데이터 서비스
- 제3의 생산업체에 의존하면서 블록체인 기반의 투명하고 믿을 수 있는 공급망 데이터를 통해 작업을 검증할 수 있는 '자산 없는' 기업들

새로운 세계의 잠재적 승리자는 다음과 같다.

- 법질서와 지식재산권의 개념이 약한 지역의 생산자와 서비스 제공자. 블록체인 기술은 강력한 정부 제도가 없는 상황에서도 데이터와 금융 거래를 보다 쉽게 보호한다.
- 지리적으로 멀리 떨어져 있는 사업 파트너와 신뢰를 쌓는 데 너무 많은 비용과 시간을 투자하는 소규모 제품 개발자들이나 원자재 공급업체, 서비스 제공자

- 블록체인 가치 사슬 내에서 생산되는 제품의 가치를 극대화 할 수 있는 블록체인 데이터를 생산, 수집하는 기업들
- 블록체인에 의해 가능해진 분산형 자율 생산 조직의 서비스 제공자·로봇 및 선박 생산, 파이낸싱이 대표적인 예
- 고가치의 주문 생산 제품에 특화된 소규모 제조업체

잠재적 패배자는 다음과 같다.

- 간접비용이 높고, 비효율적이며, 낮은 질의 제품과 서비스를 제공하는 업체. 이들 업체의 전통적이며 복잡하고 느리고 불투명한 사업 방식은 블록체인으로 대체될 수 있다.
- 이커머스와 같이 '매칭'이나 '시장'을 제공하는 중개 비즈니스 서비스 제공자.
- 공장 노동자나 단순 사무직과 같은 저숙련 노동자. 블록체인과 3D 프린터, 로봇공학 같은 새로운 기술이 반복 업무를 자동화하고 제품과 계약을 추적할 수 있다.
- 회계사, 품질 보증관, 변호사 같은 고숙련 노동자. 블록체인은 복잡한 협상, 추적, 검증 절차를 자동화할 수 있다.
- 금융, 감사 관련 기관. 결제, 위험 관리, 품질보증은 블록체인으로 옮겨가고 있다.

결과적으로 블록체인 기반의 분산 신뢰distributed trust와 4차 산업혁명의 다양한 기술이 결합해 전체 생태계가 급변할 것이다.

초기 블록체인 사용자들은 시스템 통합, 비즈니스 사례, 표준 및 규제와 같은 분야에서 여전히 진화하는 기술로 인해 어려움에 직면해 있다. 많은 사람들은 산업 간 파트너십을 구축·발전시키고 적극적으로 생태계를 만들어 비용 면에서 효율적이고 위험이 낮은 혁신 생태계에서 리더십을 발휘하고 있다.

블록체인의 특징인 영구성과 투명성 덕분에 안전한 디지털 ID를 만들 수 있다. 블록체인 기반의 안전한 디지털 ID는 의료 기록에서 투표, 정부 정책 실행에 이르기까지 모든 것을 변혁시킬 수 있는 잠재력이 있다. 하지만 임페리얼 칼리지 런던Imperial College London 대학교의 암호화폐 및 엔지니어링 연구 센터Centre for Cryptocurrency Research and Engineering의 캐서린 멀리건Catherin

Mulligan이 주장한 것처럼 우리는 한 방향으로 달려가기 전에 잠시 숨을 멈추고 위험을 고려해야 한다. 분산원장에 저장된 정보는 개인 키private key에 대한 접근 권한을 가진 악의적인 정부에 의해 악용될 수 있다.[97]

블록체인이 직면하고 있는 가장 중요한 과제는 중앙 기관의 부재일 것이다. 중앙 기관의 부재는 제도적인 문제 이상이다. 심리적인 문제며 인간이 만든 질서와도 연관되어 있다. 복잡한 알고리즘에 의존해 신뢰를 분산시키는 것은 지식의 원천이 인간의 추론 능력에서 현대의 과학 기계로 대체되는 것만큼이나 급진적이다. 경제적 인센티브가 인간의 추론 능력을 촉진할 수 있지만 인간 사회가 과학 기계에 적응하는 데에는 수 세기가 걸렸다는 것 역시 간과할 수 없다. 결국 블록체인 기술의 발전으로 인해 신뢰는 더 이상 정치인이나 개인, 또는 공신력 있는 기관이 아니라 수학자들과 디지털 인프라와 함께하게 될 것이다. 이는 정치적인 문제와 기술적인 문제와 함께 다루어야 할 비중 있는 과제이다.

| 단순한 비즈니스 기술을 넘어서 |

아프리카의 다이아몬드 생산 국가들이 2000년 5월 남아프리카공화국의 킴벌리에 모였다. 목적은 분쟁 다이아몬드의 확산을 막기 위함이었다. 이들 국가는 품질보증의 의무화를 요구하는 법률과 제도의 확립 및 이 과정을 지원할 입법기관 설립에 동의하였다. 이후 2015년 '킴벌리 프로세스'를 지지하는 목적으로 런던에서 에버레저Everledger라는 스타트업이 설립되었다. 에버레져의 목표는 블록체인과 머신비전machine vision 기술을 결합해 다이아몬드 공급망에서 발생하는 사기 행위와 맞서는 것이었다.

이처럼 블록체인의 가장 혁신적이고 가치 있는 용도 중 일부는 물리적 세계에 있다. 멸종 위기에 처한 물고기에서부터 순수 예술품까지 공급망 추적 문제를 해결하는 데 있어 잠재적인 가능성으로 인해 분산원장기술은 매우 매력적이다. 예를 들어 블록체인은 세계 무역 시장의 최대 2.5퍼센트를 차지하는 것으로 추정되는 글로벌 위조화폐 시장을 잠재적으로 붕괴시킬 수 있다.**98** 머신비전, 생체인식, 3D 프린팅과 나노기술과의 혁신적인 결합은 태깅tagging과 트래킹을 가능하게 한다. 이 말은 안전하고 투명한 공급망이 이미 우리 곁에 다가와 있음을 의미한다. 이 기술은 고부가가치 재화와 관련된 산업에서 중요하다.

블록체인은 물리적 세계에 이제 막 발을 들여놓은 상태지만 이미 디지털 생태계에 커다란 족적을 남기고 있다. 비트코인을 비롯한 암호화폐의 기반 기술인 블록체인은 수십억 달러 규모의 거래를 가능하게 했다. 2017년 6월 기준으로 7,000억 달러가 넘는 규모의 비트코인이 거래되었다. 물론 어느 정도 변동성과 가치 조정이 없었던 것은 아니다. 이처럼 블록체인에 기반을 둔 응용 프로그램은 커다란 수익을 낼 수 있는 기회를 제공한다. 또한 블록체인 금융 서비스는 은행을 거치지 않고서도 시장에 대한 접근성과 서비스를 제공하면서 금융 포용성을 확대할 수도 있다. 블록체인이 물리적 세계에 적용되는 데 있어 걸림돌이 되는 마지막 구간last-mile의 문제는 사용의 편리성과 블록체인 응용제품 및 소비자의 접근성, 블록체인 플랫폼의 안정성이다.

블록체인의 진정한 영향력은 4차 산업혁명의 다른 기술들과 결합되면서 파생된다. 공급망에 대한 위의 논의에서 제시한 바와 같이, 블록체인과 사물인터넷의 조합은 흥미로운 미래를 약속한다. 생산 타당성 인증에서부터 계약 협약서까지, 파일 전송과 무역 금융까지 블록체인을 통해 완전한 안정성을 확보한 단대단 서비스 시장이 설계되고 있다. 이 과정에는 개별 플레이어와 컨소시엄 모두가 함께하고 있다. 이런 서비스의 등장과 함께 카메라, 프린터 센서 리더기와 같은 실제 검증 부품들real world verification componentry의 가격이 지속적으로 하락하면서 우리는 머지않아 새로운 시장이 생겨나는 것을 볼 수 있을 것이다.

암호화폐, 자금, 거래와 자산 관리는 여전히 분산원장 생태계의 상당 부분을 차지한다. 하지만 디지털 ID 관리, 정부와 법률 기술, 에너지, 물류, 홍보 목적으로 쓰여 대중의 관심을 끄는 토큰 등에서도 상당한 활동이 일어나고 있다.[99]

대부분의 사업에서 블록체인의 영향력은 긍정적이다. 블록체인 기술은 새로운 시장에 대한 접근성을 높여주고 안정적이면서 프로그래밍이 가능한 거래를 보장해주는 동시에 일상적인 관리 감독과 감사 업무의 부담을 조금이나마 덜어준다. 사회에 끼치는 영향력은 이보다 복잡하다. 블록체인 기반의 금융 서비스와 데이터를 제공하는 미국 블록체인사Blockchain社의 CEO 피터 스미스Peter Smith는 이렇게 말했다. "협업의 방식으로 블록체인은 보다 안전하게 가치를 창출하고 전달하면서 사람들에게 혜택을 가져다준다. 하지만 블록체인이 다양한 산업에 적용된다면 오늘날 거래를 중개하는 기관이나 사람들이 필요 없어지면서 수백만 개의 일자리가 사라질 수 있다."[100] 물론 경제 전체적으로 보면 시간이 지나면서 블록체인의 순이익은 발생할 것이다. 중개인과 중개 기관이 입을 손실을 충분히 상회하는 수준으로 블록체인은 소규모 거래와 가치 창출이 가능한 세계를 만들 수 있기 때문이다. 나아가 알고리즘과 로봇이 점점 더 많은 일을 하는 미래에 분산원장기술은 급격하게 개선된 사회안전망의 기반이 될 수 있다.

블록체인 기술의 잠재적인 영향력을 고려할 때, 적절한 규제의 수준을 결정하기 위해서는 여러 이해당사자들과의 대화와 협의를 거쳐야 한다. 블록체인 기술은 아직 초기 단계인 데다 시장 역시 아직 작기 때문에 과도하거나 성급한 규제 규제는 블록체인 산업의 잠재력을 저해할 수 있다. 그럼에도 아직 우리 앞에는 많은 위험과 과제가 놓여 있다. 아래에 제시된 위험과 과제는 앞으로 수년 동안 우리 논의의 주제가 될 것이다.

- 블록체인 기반의 거래와 관련하여 상당한 법적 모호성이 존재한다. 특히 서비스 다운이나 거래 실수 같은 문제가 발생했을 때 상환청구 메커니즘과 책임 소재가 그렇다. [101]

- 블록체인 기반의 새로운 인프라를 구축하기 위해서는 효과적인 거버넌스 프레임워크가 요구된다. 블록체인이 금융·실물경제·인도적 목적에 따라 적용되면서 다양한 기술적 문제가 주목받게 될 것이다. 규제 당국은 데이터 인프라 대신 블록체인을 도입하는 것이 현재의 위험에 어떤 영향을 끼치는지, 동시에 규제가 전체 시스템에 어떤 의도하지 않은 결과를 불러올지도 생각해야 한다.

- 다양한 블록체인 기술에 걸쳐 데이터의 상호 운용성interoperability을 촉진하는 표준은 아직 마련되지 않았다. 만약 이런 표준이 마련되지 않으면 블록체인이 데이터 사일로(data silos, 데이터 공유가 일어나지 않는 현상 — 옮긴이)를 대체하고 효율성을 증가시킨다는 약속을 지킬 수 없게 된다.

- 블록체인을 현실 세계에 적용하는 것과 관련하여, 재화와 서비스를 검증할 때 라스트마일 문제는 복잡한 솔루션을 요구한다. 하지만 이런 솔루션은 공급망 검증이라는 블록체인 사용 목적에 반하는 침입자와 부패를 야

기한다. 업계의 리더들은 규제 당국과 대중들의 지원을 받아 상황에 맞는 솔루션을 고안하는 데 도움을 줄 수 있다.

— 국가 차원의 데이터 규제는 블록체인 프로세스의 일부인 데이터 전송과 충돌할 수 있다. 결제 시스템과 관련된 데이터일 수도 있고 금융 분야가 아닌 데이터일 수도 있다. 예를 들면 비즈니스 관련 정보나 헬스케어 데이터와 같이 제한된 개인정보일 수도 있다. 분산화라는 블록체인의 독특한 특징 때문에 이런 잠재적 분야를 찾아내어 적절한 해결책을 강구하는 것은 어려운 과제가 될 것이다.

1. 블록체인 기술은 디지털 기록과 정보를 안정적으로 공유할 수 있게 해주는 디지털 분산원장기술이다. 이런 기록들은 허위로 복사될 수 없기에 해당 디지털 기록과 정보의 가치를 유지해준다.

2. 블록체인은 시스템을 유지하는 중앙 기관이 없기 때문에 분산화를 더욱 촉진한다. 대신 블록체인 기술은 다양한 당사자들로 하여금 선의로 행동하도록 인센티브를 제공한다. 또 수학적으로 시스템이 해킹될 가능성이 없다.

3. 블록체인 기술은 암호화폐, 디지털 ID, 암호화 기술과 디지털 식별자digital identifier를 활용한 제품 이력의 추적, 그리고 가상의 제품이나 현실의 제품의 출처를 검증해 진품인지 아닌지를 확인해야 하는 분야에서 유용하다. 이런 자산의 검증 가능성은 디지털 기기, 서비스 그리고 응용 프로그램의 사용자로서 우리가 만들어내는 데이터와 완전하게 새로운 방식으로 관계를 맺게 한다.

4. 블록체인 기술은 대규모 비즈니스 프로세스를 해결하기 위해 컨소시엄을 구성해야 하는 개인이나 소규모 단체 등 전통적으로 경제적 혜택을 받지 못하는 사람들에게 혜택을 나눠주는 데 도움이 된다.

5. 우리가 관심을 가져야 할 과제들에는 법률적 모호성, 블록체인 관련 인프라, 표준의 부재, 물리적 제품의 최종 배달 문제, 그리고 국가·국제 데이터 규제가 있다. 예를 들어 암호화폐는 아직 초기 단계에 머물고 있으며 환경문제, 범죄 조직의 악용, 분쟁 처리 방식과 같은 해결되지 않은 외부효과가 있다.

CHAPTER 07

사물인터넷

10년 내에 800억 개가 넘는 전 세계의 커넥티드 디바이스connected devices가 사람들과 소통하고 동시에 기기들끼리도 소통하게 될 것이다. 이 방대한 상호작용·분석·생산의 네트워크는 생산 방식을 다시 정의하면서 우리의 니즈를 파악하고 세계를 바라보는 색다른 관점을 제공할 것이다. 동시에 분산 시스템은 우리가 데이터와 가치를 만들고 측정하며 분배하는 방식에 도전할 것이다. 또한 유비쿼터스 센서로 인해 세계는 다른 방식으로 바뀔 것이다. 예를 들어 마트에는 더 이상 계산원이 없을 것이며, 패스트푸드 레스토랑은 10년 전과 비교하여 직원 수가 절반 이하로 줄어들 것이다. 사물인터넷을 활용한 비즈니스 모델이 사업 운영을 최적화하고 '풀 이코노미(pull economy, 기업의 정형화된 메뉴얼이 아닌 소비자의 학습 및 변화 요구에 맞춰 개방적·유동적으로 작동하는 경제 활동 형태 – 편집자)'를 만들어내면서 세계는 우리의 행동양식을 분석하여 지속적으로 우리의 니즈를 예측할 것이다. 앞으로 우리는 데이터의 가치에 더 눈을 뜨고 디지털 보안에 더 많은 관심을 두게 될 것이다. 데이터 흐름은 압도적인 수준으로 치닫게 될 것이며 사이버 보안 위협은 헤드라인을 장식할 것이다.

하지만 사물인터넷에는 좋은 잠재력도 많다. 개발도상국에서 수위를 측정하는 데 도움을 주고 외딴 지역에서의 원격진료를 가능케 할 수 있다. 센서, 카메라, 인공지능과 안면인식 소프트웨어가 결합되면서 범죄율도 떨어질 것으로 예상된다. 사물인터넷이 생산의 분권화와 대중화에 도움을 주면서 기술 시스템에 대한 신뢰가 높아질 수 있다. 그러면서 많은 사람들에게 새롭고 창의적인 기회를 제공한다. 하지만 사회와 산업에 기대대로의 가치를 전달하기 위해서는 사물인터넷은 보안 프로토콜의 부재, 제한된 대역폭, 문화적 수용을 막는 장애물, 그리고 데이터의 가치와 협업의 기회에 어떻게 대응할지에 대한 사회적 합의의 부재와 반드시 싸워야 한다. 사물인터넷이 만들어나갈 미래는 당연한 것이 아니다. 우리의 투자가 결실을 맺기 위해서는 우리 모두의 노력과 협력적 거버넌스가 요구된다.

| 사물인터넷, 세상을 에워싸다 |

사물인터넷은 4차 산업혁명의 핵심 인프라다. 사물인터넷은 데이터를 수집하고 필요에 따라 처리하면서 가공하는 스마트 센서와 커넥티드 센서로 구성되어 있다. 그리고 시스템과 사용자들의 의도에 따라 데이터를 다른 기기나 사람에게 전달한다. 런던에 본사를 둔 시장 분석 회사인 IHS는 사물인터넷 기기들의 수가 2015년 154억 개에서 2025년 754억 개로 증가할 것이라고 예상했다.[102] 이처럼 사물인터넷 기기가 향후 10년 동안 다섯 배 증가함에 따라, 삶의 모든 부분은 더 깊이 서로 연결되고 세계경제는 새로운 방식으로 관계를 맺을 것이며 급성장하는 '기계 대 기계 경제machine-to-machine economy' 또한 영향을 받게 될 것이다.

사물인터넷의 영향력은 앞으로도 계속 커질 전망이다. 1995년에서 2015년 사이 언론 산업이 경험한 대격변과 비슷한 수준으로 서비스업과 제조업역시 격변을 겪을 것이다. 궁극적으로 방대한 양의 가치가 창출될 수 있도록 복잡한 데이터 트래픽 법률과 관할권이 반드시 확립되어야 한다. 이렇게 창출된 가치는 운용 효율성을 향상시킬 방안으로 인식되어 우선적으로공장과 제조업에 쌓일 것이다. 그리고 효율적인 자산 활용, 생산성 향상 측면의 잠재력도 풍부하다. 이렇게 창출된 가치는 세계경제의 최대 11퍼센트를 차지할 것으로 추정된다.[103] 세계경제포럼과 액센추어가 함께 실시한조사에 의하면 이렇게 생산된 대부분의 가치는 산업용이기 때문에 사물인터넷이 경제와 비즈니스에 끼치는 영향력에 비해 소비자에 끼치는 영향력은 상대적으로 적을 것으로 보인다. 2030년까지 최대 14조 달러 규모의 경제적 효과를 창출하면서 UN의 지속가능개발목표 중 열두 개 항목을 지원할 것이다(도표11).[104]

이런 가치 창출이 가능한 이유는 사물인터넷의 세 가지 핵심 기능 때문이다. 첫째, 사물인터넷은 풍부한 데이터가 스마트 애널리틱스smart analytics와 결합되게 하면서 더 큰 맥락에서 사건을 인식할 수 있는 새로운 상황 자료를 제공한다. 또한 개인과 기업이 자산과 장비가 어떤 성과와 실적을 내고 있는지, 그리고 기회가 어디에 있는지를 알 수 있게 해주는 기기 성능 데이터를 제공한다. 또한 사람들이 언제, 어떻게, 왜 특정 행동을 하는지와 그영향을 보여주는 사용자 데이터도 제공한다. 이와 같은 능력 향상 기술은우리가 현상을 인지하고 의사 결정을 하는 방식을 재구성하게 될 것이다.

사물인터넷의 두 번째 핵심 기능은 업무의 효율성과 생산성을 향상시키는 기기들의 소통 능력과 조정 능력이다. 단대단end-to-end 자동화와 새로운 유형의 인간 – 기계 협동은 일상적이고 단순한 업무를 간소화함으로써 더 높은 가치를 지닌 과제를 해결하기 위해 필요한 개인의 창의력과 문제 해

도표11 **2025년에 사물인터넷은 4 ~ 11조 달러의 잠재적 경제 효과 창출 가능**

가치가 창출될 수 있는 9개 분야	2025년 추정치(단위: 1조 달러)
공장 생산 관리, 예측 정비 등	1.2 3.7
도시 치안, 공공 보건, 교통정리, 자원 관리 등	0.9 – 1.7
인간 질병 모니터링과 관리, 건강한 삶을 보장	0.2 – 1.6
유통 무인 점포, 레이아웃 최적화, 스마트 소비자 관리	0.4 – 1.2
물류 수송 경로, 자율주행 자동차, 내비게이션	0.6 – 0.9
작업장 장비 점검, 안전, 운용 관리	0.2 – 0.9
자동차 상태 기준 정비, 보험 감액	0.2 0.7
가정 에너지 관리, 안전과 보안, 잡무 자동화	0.2 – 0.3
회사 조직 개편, 직원 교육에 증강현실 도입	0.1 – 0.2

▬▬▬ 최소 추정치
▬▬▬ 최대 추정치

총 4~11조 달러 규모

출처 McKinsey Global Institute (2015)

결 능력을 강화시킬 것이다. 행정적, 과제 지향적 사고방식으로부터 벗어나게 하는 능력은 사람들이 제품 및 서비스, 아이디어를 형성할 때 좀 더 복합적인 시각을 가지도록 도울 수 있다.

세 번째 핵심 기능은 시민들에게 가치를 전달하는 새로운 방식인 인텔리전트-인터랙티브 제품을 만드는 능력이다. 분산된 센서 네트워크인 사물인터넷 산업에는 클라우드 AI, 블록체인, 적층가공, 드론, 에너지 생산 등과 같은 다른 분산형 기술과 시너지 효과를 낼 수 있는 기회가 존재한다. 이런 새로운 기술들이 수렴되는 과정에서 가치 창출과 가치 교환의 분산화는 이를 가능하게 만드는 인프라를 모방할 것이고 그 경제적 재구성의 결과는 놀라울 것이다. 이런 이유로 사물인터넷은 기존의 제도와 제품·서비스·데이터의 본질에 대한 개념, 궁극적으로 비즈니스에 적합한 방식으로 가치를 생각하는 방식에 도전하게 될 것이다.

위에서 언급한 사물인터넷의 세 가지 핵심 기능은 제조, 석유 및 가스, 농업, 광업, 운송 및 헬스케어를 포함한 광범위한 산업 전반에 걸쳐 비즈니스 모델과 구조 변화를 이끄는 추진력을 만들 것이다. 세계경제포럼이 출간한 보고서인 〈산업용 사물인터넷: 연결된 제품과 서비스 잠재력의 극대화〉에 의하면 산업용 사물인터넷의 움직임은 운용의 효율성을 개선하고자 하는 기업들이 도입하면서 시작한다. 그리고 신제품과 서비스 개발로 발전한다. 그 후에는 '결과경제outcome economy'와 '자동화, 풀 이코노미'로 이어진다(도표12). **105** 이와 동일하게 사물인터넷이 환경에 동일하게 적용되면 능동적인 자원 관리가 가능해진다. 예를 들어 전력 사용이나 배기가스 배출과 같이 사회 전반에 영향을 끼치는 문제들은, 시민들에게 실시간으로 최적의 이동 경로와 에너지 소비 방식을 선택하는 인센티브를 제공함으로써 해결할 수 있다.

사물인터넷이 확산되려면 네 개의 기술적 토대가 먼저 발전되고 정착해야 한다. 첫 번째 기술적 토대는 사물을 감지하고 소통하면서 ─ 경우에 따라서는 ─ 물건을 옮기거나 문을 여는 등 행동을 할 수 있는 기기들이다. 둘째는 이런 기기들을 서로 연결하는 통신 인프라다. 세 번째 기술적 토대는 데이터를 수집하고 분배할 수 있는 안전한 데이터 관리 시스템이다. 이렇게 수집 및 관리되는 데이터는 응용 프로그램을 통해 기업이나 개인의 니즈를 충족시키는 다양한 서비스의 형태로 처리되어 제공된다. 이것이 네 번째 기술적 토대다.

데이터 관리(세 번째 기술적 토대)와 응용 프로그램(네 번째 토대)은 종종 간과되지만 매우 중요하다. 데이터가 의미 있는 인풋이나 실행 가능한 통찰력으로 전환되어야만 가치가 흐르기 때문이다. 단순히 연결하는 것만이 능사가 아니다. 맥킨지 분석에 의하면 평균적인 석유 굴착 장치에는 3만 개의 센서가 내장되어 있지만 불과 1퍼센트의 데이터만 분석 및 활용

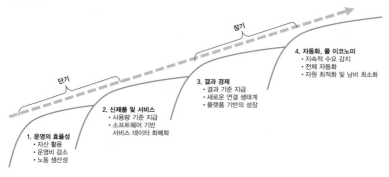

도표12 산업용 사물인터넷의 도입 현황과 발전 방향

단기

장기

1. 운영의 효율성
• 자산 활용
• 운영비 감소
• 노동 생산성

2. 신제품 및 서비스
• 사용량 기준 지급
• 소프트웨어 기반 서비스 데이터 화폐화

3. 결과 경제
• 결과 기준 지급
• 새로운 연결 생태계
• 플랫폼 기반의 성장

4. 자동화, 풀 이코노미
• 지속적 수요 감지
• 전체 자동화
• 자원 최적화 및 낭비 최소화

출처 세계경제포럼(2015)

된다.**106** 이처럼 많은 산업에서 데이터는 포화 상태에 이르고 있지만 그 데이터를 의미 있는 정보로 가공하는 메커니즘이 부족하다. 데이터 활용 경험이 없는 많은 기업들은 데이터 더미 속에서 무엇을 찾아야 하는지, 또 어떤 질문을 해야 하는지 모르고 있다.

4차 산업혁명 시대의 산물인 네트워크 디바이스, 아이덴티티, 상품과 서비스로 무장한 기업과 소비자들은 데이터를 활용해 서로에게 어떻게 혜택을 줄 수 있는지와 협업과 거래로부터 가치를 분할하는 방법을 배워야 한다. 이런 새로운 구조에서 소비자들은 파트너가 될 수 있다. 물론 그 과정은 어려울 것이다. 법적인 문제가 발생할 것이 확실하며, 사회적 당사자들은 이처럼 긴밀하게 연결된 미래에서 소비자 권리와 사생활을 보호할 책임을 지게 될 것이다. 사물인터넷은, 인터넷과 마찬가지로, 비즈니스 세계를 훨씬 뛰어넘는 개혁의 선구자다.

진화가 아닌 혁명: 사물인터넷의 약속, 당면 과제, 그리고 기회

리처드 솔리 Richard Soley, **오브젝트 매니지먼트 그룹**Object Management Group **회장 겸 CEO**

지난 40년 동안 등장한 새로운 파괴적 기술에 대해서 글을 쓸 때마다 내가 '혁명이 아니라 진화evolution, not revolution'라는 말을 몇 번이나 했는지 모른다. 전문가 시스템expert systems에서 분산 컴퓨팅distributed computing, 객체기술object technology, 그래픽 모델링graphical modelling, 시맨틱 모델링semantic modelling까지, 이 모든 기술들은 많은 도전 과제에 직면했지만 그보다 더 중요한 것은 기회를 만들어낸다는 것이다. 하지만 기초적인 컴퓨테이션 방식은 변하지 않았다. 작동 방식은 동일했고 소프트웨어는 점진적으로만 발전했다. 그리고 전체적인 성장은, 분명 투자할 가치는 있었지만, 몇십 퍼센트포인트로 측정되었다. 혁명이 아니라 진화였다.

하지만 지금은 다르다. 사물인터넷의 구성 요소는 특별히 새로운 것이 아니었지만 그 결과는 양적인 측면과 질적인 측면에서 분명히 다르다. 사물인터넷은 기본적으로 수천, 수백만 개의 센서 데이터를 수집하는 것이고, 그렇게 수집된 데이터를 실시간으로 통합하고 분석해 의사 결정을 지원하는 행위이다. 인터넷을 활용한 유비쿼터스 커뮤니케이션이 인터넷과 클라우드 컴퓨팅을 통한 놀랍고도 저렴한 컴퓨팅 능력과 저장 능력, 그리고 소위 '빅데이터'라고 불리는 대규모 데이터의 실시간 분석과 결합되면 불가능이 가능으로 바뀐다. 이렇게 혁명은 시작한다.

사물인터넷 혁명에 대한 거의 대부분의 논의가 냉장고와 전구와 같은 소비자 기술을 중심으로만 진행된다는 것은 안타까운 일이다. 분명 이런 변화는 일어날 것이다(그리고 어느 때보다 신뢰 부족·사생활 침해·보안 문제가 부각될 것이다). 하지만 이런 논의는 산업의 인터넷화라는 더 큰 기회를 무시하는 것이다. 산업의 인터넷화는 1세기 전 산업의 전기화와 동일한 영향력을 가진 혁명이다. 전기화가 그랬던 것처럼 사물인터넷은 단지 제조업과 생산에만 국한되지 않을 것이다(분명 제조업과 생산에 먼저 등장하기는 했다). 오히려 헬스케어, 금융, 운송, 에너지, 유통, 농업, 스마트 시티 서비스와 같은 모든 주요 산업에 끼치는 영향이 더 두드러질 것이다. 많은 사람들은 인터넷에 연결될 기기들에 관심을 갖는다. 하지만 이런 커넥티드 디바이스가 무엇을 할지 이해하는 것이 훨씬 더 중요하다.

특히 다음과 같은 완전하게 새로운 비즈니스 모델이 생겨날 것이다.

— 가장 대표적인 비즈니스 모델은 기계를 구입해서 사용하는 것이 아니라 기계를 시간당, 또는 구입 대상에 따라 길이나 부피로 부분적으로만 사용해 결과를 구매하는 '아웃컴 이코노미'이다. 항공사들은 지난 수십 년 동안 항공기를 소유하는 것에서 임대하는 쪽으로 방향을 바꿔왔다. 항공사들은 제트엔진까지도 임대하기 시작했고, 이를 통해 항공기와 제트엔진 같은 섬세한 기계를 보수·유지하는 업무는 그 기계를 가장 잘 아는 사람들, 즉 제조사에 맡겨졌다. 그럼으로써 항공사는 엔진의 효율과 신뢰성을 높이게 되었고, 제트엔진 생산업체들은 새로운 수익원을 얻었다. 이런 연결성을 통해 업체는 엄청난 양의 성능 데이터를 얻게 되었고 항공사는 더 나은 서비스, 더 높은 효율성, 더 낮은 비용이라는 세 마리 토끼를 동시에 잡을 수 있었다.
— 이전에는 연결되지 않은 데이터가 연결되면서 생각지 못한 분야에서 완전하게 새로운 기회가 생긴다. 일례로 지방 앰뷸런스 관리 시스템에서 찾아낸 운전자의 패턴을 분석한 뒤 경로를 최적화해 환자를 싣고 다시 병원으로 돌아오는 시간을 최소화할 수 있었다. 이를 통해 비상 호출 사이에 운전자들의 휴식 시간이 이전보다 확보되었으며 더 많은 생명을 구할 수 있었다. 앰뷸런스의 위치 데이터가 비상 호출 데이터, 카페의 위치 데이터와 연결되기 전에는 그 누구도 생각지 못한 기회였다.

이런 세계에서 승자는 다음과 같다.

- 데이터 수집, 분석, 관리 문제를 극복하기 위해 초기부터 시도해온 사람들. 실제로 우리가 본 모든 사물인터넷 관련 프로젝트나 테스트 베드에서는 예상하지 못했던 긍정적인 결과가 존재해왔다.
- 예상치 못한 상관관계와 기회를 찾기 위해 겉으로 보기에는 서로 관계가 없는 데이터를 연결하는 사람들. 컴퓨팅 기술이 뛰어나고 비용도 높지 않은 지금 같은 시기가 진입 비용이 낮은 만큼 기회를 찾아 나설 만하다.
- 자신이 속한 산업이 파괴disruption에 직면해 있는 상황에서 파괴되기를 기다리기보다 그 파괴에 참여하려는 사람들. 이런 파괴는 재앙으로 치달을 수 있다. 우리는 이미 교통과 제조 분야에서 사회적 변화의 수준에 이르는 중대한 파괴를 목도하고 있다.

이런 새롭고도 혁명적인 세계에서 가만히 서서 마지막이 오기까지 기다리는 사람들이야말로 실패자들이다. 이런 사람들은 새로운 비즈니스 모델이 등장하는 것을 보지 못하고 발전을 애써 무시한다. 정보통신기술이 크게 변하는 것이 아니라 정보통신기술에 의존하는 산업이 변하는 것이다. 그리고 오늘, 모든 산업은 정보통신기술에 의존한다.

| 도전 과제와 위험 |

사물인터넷의 전망을 확보하기 위해서는 몇 가지 문제를 해결해야 한다. 기업들이 산업용 사물인터넷 도입을 망설이는 이유는 상호운용성의 부재와 보안에 대한 우려 때문이다(**도표13**). 다시 말해서 표준이 없다는 뜻이다. 인터넷 브라우저와 서버의 표준과 프로토콜을 제시한 월드와이드웹 컨소시엄World Wide Web Consortium과 비슷한 유형의 단체가 없다면 사물인터넷의 잠재력은 위협을 받을 것이다. 또 다른 위험 요인으로는 커넥티드 디바이스 기반의 데이터 분석과 서비스를 중심으로 만든 새로운 비즈니스 모델의 관리 방식을 꼽을 수 있다.

사물인터넷에 내포된 몇몇 위험은 사물인터넷 시스템을 활용하는 기업뿐만 아니라 일반 사용자와 대중에게도 영향을 준다. 예를 들어 개인과 기업이 사물인터넷에 과도하게 의존한 나머지 중요한 능력이 손실될 수 있고, 인터넷 연결이 끊기거나 전력이 충분치 않을 경우 문제가 발생할 수도 있다. 보다 복잡하고 밀접하게 결합된 시스템은 '평범한 사고'의 위험에 더 많이 노출된다.[107]

사이버 보안은 중요한 문제다. 기기와 네트워크를 연결해 데이터를 사용하는 기업과 사용자는 해킹의 위험에 노출된다. 세계경제포럼이 실시한 '산업 인터넷 서베이'의 결과에 따르면, 설문에 응답한 비즈니스의 76퍼센트는 사물인터넷 시스템에 대한 해킹 가능성이 '매우 높다'고 답했다.[108] 이보다 더 우려스러운 점은 사물인터넷이 사이버 공격의 대상이 될 뿐만 아

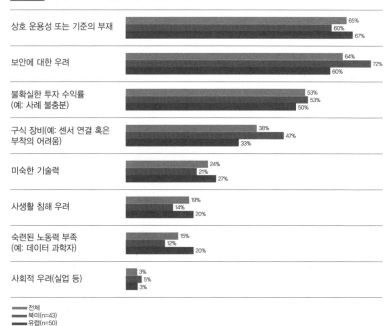

도표13 산업 인터넷 도입을 가로막는 요인들

요인	전체	북미(n=43)	유럽(n=50)
상호 운용성 또는 기준의 부재	65%	60%	67%
보안에 대한 우려	64%	72%	60%
불확실한 투자 수익률 (예: 사례 불충분)	53%	53%	50%
구식 장비(예: 센서 연결 혹은 부착의 어려움)	38%	47%	33%
미숙한 기술력	24%	21%	27%
사생활 침해 우려	19%	14%	20%
숙련된 노동력 부족 (예: 데이터 과학자)	15%	12%	20%
사회적 우려(실업 등)	3%	5%	3%

출처 세계경제포럼(2015)

니라 사이버 공격에 악용될 수도 있다는 점이다. 지금까지 기록된 가장 큰 규모의 사이버 공격은 2016년에 일어났는데, 사물인터넷이 해킹되면서 발생한 사건이었다.[109]

따라서 사물인터넷 시대에 사이버 보안 위협에 대처하기 위해서는 다양한 위험 관리 능력이 필요하다. 예를 들면, 제3자를 공격하기 위한 목적으로 한 안전하지 않은 기기의 사용을 막는다거나, 개인이나 스마트 시스템이 협박이나 절도 또는 피해를 입힐 의도로 사물인터넷 기기나 시스템을 사용하지 못하도록 방지하고 필수적인 개인 및 공공 서비스의 안정성을 확보하는 능력 등이 있다. 보안 문제는 개인정보와 국경 간 데이터 전송의 문제와도 연계되어 있다. 이 때문에 정책입안자들은 소비자 보호와 기업 활동의 활성화 사이에서 균형을 맞춰야 한다. 만약 글로벌 데이터 흐름이 사물인터넷의 모든 잠재력을 발휘시킨다면 데이터 공유와 데이터 저장 절차와 프로토콜은 중요한 논의의 주제가 될 것이다.

블록체인과 같은 안전한 분산원장기술의 부상과 마찬가지로 사물인터넷의 혁신은 새로운 균형을 찾을 수 있는 기회를 준다. 예를 들면 버라이즌 Verizon이 인수한 스타트업인 센시티 시스템스Sensity Systems는 제네텍Genetec과 함께 보안 및 개인정보 보호 문제를 모두 관리할 수 있는 스마트시티 보안 시스템을 개발했다. 이 보안 시스템은 사물인터넷 기술을 기반으로 데이터 프로세싱을 네트워크 에지(network edge, 탈중앙·분산 방식의 정보 처리 — 옮긴이)에서 처리한다. 이 말은 타협에 도달했다는 의미다. 시스템의 알고리즘이 비디오 피드에서 위협 요소가 감지되었다고 판단하지 않는 이상 민감한 비디오 데이터는 기기에 그대로 남는다. 그렇지 않은 경우, 즉 허가가 떨어지면 비디오 영상은 보안업체로 전송된다. 이런 방식의 타협은 대역폭 수요를 줄였으며 중앙저장된 광범위한 데이터의 취약점을 보완할 수 있었다.

인공지능, 로봇공학, 블록체인 같은 다른 신기술과 마찬가지로 사물인터넷은 고용과 노동시장에 영향을 준다. 특히 사물인터넷의 파괴적 잠재력으로 인해 조직과 산업은 변할 것이다. 인공지능 및 로봇공학과 결합하면서 사물인터넷은 반복 노동과 육체노동에 대한 수요를 줄여 노동자들을 압박하는 요인이 된다(도표14). 반면 프로그래밍, 디자인, 그리고 유지보수와 관련된 창의적 능력과 문제 해결 능력에 대한 수요는 오히려 증가시킬 것이다. 사물인터넷에 대한 사회·윤리적 논의는 디지털−인간 노동력에 힘을 부여하고 통합하는 것에 초점을 맞추어야 한다. 가치는 대체가 아니라 증강을 통해 전달된다. 흥미롭게도 각각의 기술이 고용의 기회를 줄일 수 있지만 다 같이 구현된다면 모든 사람들에게 새로운 번영의 기회를 가져다줄

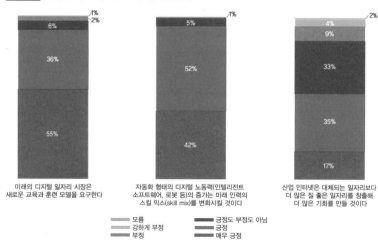

도표14 산업 인터넷이 노동력에 끼치는 영향

미래의 디지털 일자리 시장은 새로운 교육과 훈련 모델을 요구한다

자동화 형태의 디지털 노동력(인텔리전트 소프트웨어, 로봇 등)의 증가는 미래 인력의 스킬 믹스(skill mix)를 변화시킬 것이다

산업 인터넷은 대체되는 일자리보다 더 많은 질 좋은 일자리를 창출해 더 많은 기회를 만들 것이다

- 모름
- 강하게 부정
- 부정
- 긍정도 부정도 아님
- 긍정
- 매우 긍정

출처 세계경제포럼(2015)

수 있다. 미래만이 진실을 알고 있다.

사물인터넷 덕분에 우리는 디지털 인프라와 디지털 제품, 디지털 소통과 더 깊은 공생관계를 갖게 될 것이다. 사물인터넷은 우리의 물리적 환경을 에워싸면서 사회적 교류의 사각지대를 찾아내면서 다양한 사람들과 이해관계자들에게 영향을 줄 것이다. 사물인터넷은 오늘날 모바일 기술과 마찬가지로 우리 삶의 필수적인 부분이 될 것이다. 그리고 많은 이해관계자들 사이에서 아래와 같은 큰 수요를 불러일으킬 것이다.

— 사물인터넷을 활용하는 많은 비즈니스에서 데이터는 다양한 용도로 상용된다. 이 말은 다양한 상황에서 여러 이해관계자들에게 가치를 줄 수 있다는 의미다. 누가 데이터를 소유하고 있고, 누가 데이터 사용으로 혜택을 받는지, 그리고 어떻게 제대로 된 평가를 하는지에 대한 맥락상의 질문은 비즈니스 모델에 따라 어떤 형태로든 해결책을 필요로 한다.
— 어떤 사물인터넷 시나리오에서는 데이터 사용이 폐기물과 에너지 사용 감소로 이어지면서 잠재적으로 환경과 사회적 혜택이라는 측면에서 가치를 지닐 것이다. 그러나 사회가 얻게 되는 최적의 이익이 기업의 최대 이익과 항상 일치하는 것은 아니다. 정책입안자들과 사회의 이해관계자들은 생산성이 관건이 아닌 분야에서 사물인터넷 인프라와 기계 간 소통에 어떻게 가치를 매겨야 하는지 고려해야 한다.
— 사후 분쟁을 줄이기 위해서 기업들은 협업 기회(보험료 결정을 위해 모바일 어플리케이션 데이터를 사용하는 것과 같은 사례가 있다)를 활용하고 비즈니스 사례를 명확하게 파악해야 한다. 이런 방식으로 분산된 시스템에서 데이터를 공유함으로써 창출되는 가치는 분석한 다음 적절한 행

위자들에게 할당해야 한다. 공정한 결과를 위한 프레임워크와 모범 사례는 사회적 이해관계자들을 포함하는 주제가 되어야 한다.

— 기술, 특히 인터넷은 우리의 사회 활동, 경제적 기회, 임금, 지식 확산, 소통 등에 어마어마한 영향력을 끼쳤다. 이와 같은 기술 친화적 삶은 특히 소셜네트워크의 시대에 가속화되었다. 기술의 압박이 더욱 견고해지면서 삶은 더 어려워질 것이라는 우려가 있다. 사물인터넷 이해관계자들은 사물인터넷은 공공재가 되어야 하는지, 누가 접근할 수 있는지, 타인을 희생시키지 않는 공정 관행을 어떻게 만들 수 있는지에 대한 질문들을 반드시 고민해보아야 한다.

— 사물인터넷은 인터넷이 언론, 엔터테인먼트, 여행 산업에서 했던 것처럼 세계경제의 상당 부분에서 변동성을 일으킬 수 있다. 정책입안자들과 사업가들은 이로 인한 부정적 결과를 관리하기 위한 전략을 마련해야 한다. 이미 사물인터넷이 광범위하게 도입된 산업의 모범 사례를 배우기 위해 기업과 정부의 협업이 요구된다.

1. 사물인터넷은 인터넷을 통해 데이터를 수집하고, 그렇게 수집된 데이터를 다른 기기나 사람들과 주고 받을 수 있는 스마트 센서와 커넥티드 센서로 구성되어 있다. 이 데이터는 다양한 목적으로 활용된다. 사물인터넷은 인간과 기계의 상호작용을 촉진하고, 기계 데이터 경제는 인간 경제보다 더 크게 성장할 것이다. 향후 10년 안에 수백억 개의 기기들이 사물인터넷 네트워크에 포함될 것이며, 상업용 사물인터넷을 통해 2030년까지 최대 14조 달러의 경제적 효과를 창출할 것이다.

2. 센서와 기기의 분포는 개인정보 보호, 데이터 소유권 등과 같은 국경 간 데이터 문제를 불러일으킨다. 글로벌 사물인터넷 데이터 흐름에 대한 정책과 규제는 4차 산업혁명 시대의 중대한 도전 과제가 될 것이다.

3. 사물인터넷은 스마트 기기들을 단순히 인터넷에 연결시키는 것 이상의 의미를 가지고 있다. 사물인터넷 발전의 진정한 가치는 데이터 수집과 분석, 관리에 있다. 그러면서 예기치 못한 상관관계나 기회를 포착하면서 파괴disruption 트렌드를 예측할 수 있다.

4. 실시간 데이터를 활용하는 센서는 소비자의 행동에 영향을 끼치는 최적화된 인센티브를 제공하면서 결과의 선순환으로 이어지는 풀 이코노미를 만드는 데 일조한다. 이 말은 사물인터넷은 에너지 효율성, 트래픽 시스템, 글로벌 탄소배출 등의 시스템적 문제를 해결하는 데 중요한 기여를 할 수 있다는 것을 의미한다.

5. 사물인터넷이 인공지능과 로봇공학과 결합하면서 일상적 노동과 육체적 노동의 필요성을 줄여 고용과 노동에 영향을 끼칠 것이다. 하지만 사물인터넷에 의한 가장 중대한 위험은 안전하지 않은 기기, 국가 간 데이터 표준화의 부재 등으로 인한 사이버 보안과 관련된 문제일 것으로 판단된다.

SPECIAL INSERT

정보 윤리

데이터, 알고리즘, 과학, 기술, 사용 용도, 응용 프로그램은 사생활과 사회생활뿐만 아니라 환경을 개선할 수 있는 커다란 기회를 제공한다. 하지만 불행히도 이런 기회들은 중대한 윤리적 문제와도 뗄 수 없다. 여기서 세 개의 요소가 특히 눈에 띈다. 빅데이터의 남용, 선택과 결정 과정에서 과도한 알고리즘 의존, 그리고 많은 자동화 프로세스에 대한 인간의 개입이나 관리 감독의 점진적인 감소다. 이 세 요소가 동시에 작용함으로써 공정성, 책임감, 평등, 인권 존중 등에 문제가 생기고 있다. 이런 윤리적 문제들은 성공적으로 해결할 수 있다. 우리는 개방적이고 다원적이며 관대한 정보 사회를 지지하는 가치와 인권을 지키면서, 동시에 디지털 솔루션을 개발하고 응용할 기회를 반드시 잡아야 한다.

튼튼하고 공정하게 균형을 맞추는 일은 쉽지도 않고 단순하지도 않다. 그러나 과학과 기술의 윤리를 발전시키지 못한다면 유감스러운 결과가 초래될 것이다. 한편으로 윤리적 문제를 간과하면 부정적인 영향을 주게 되고 결국 사회적인 거부에 직면할 것이다. 다른 한편으로는 개인의 권리와 윤리적 가치를 잘못된 맥락에서 과도하게 강조하게 되면 지나치게 엄격한 규제로 이어질 수 있다. 이는 결국 디지털 솔루션을 개발 시 사회와 인간의 유용성을 활용할 수 있는 가능성을 없애버릴 수 있다. 유럽의회The European Parliament의 시민자유·정의·국무위원회LIBE가 제시한 EU 일반개인정보보호법EU General Data Protection Regulation 개정안은 구체적인 예를 제시한다. 이 개정안은 두 극단을 피하기 위해 네 개의 기준을 제시했다. 바로 기술의 가능성, 환경의 지속가능성, 사회적 수용성, 인간의 선호도다. 이 기준들은 인간의 삶과 지구에 조금이라도 충격을 가할 수 있는 모든 디지털 프로젝트의 필수 지침이다. 이런 지침은 위험을 최소화하면서도 우리가 기회를 놓치지 않도록 한다.

우리는 어떻게 균형을 맞출 수 있을까? 지난 수십 년 동안 우리의 윤리 전략은 특정 기술(컴퓨터, 태블릿, 핸드폰, 인터넷 프로토콜, 온라인 플랫폼, 클라우드 컴퓨팅 등)에 초점을 맞추어서는 안 된다는 것을 깨달았다. 우리의 초점은 디지털 기술이 생산하는 데이터다. 따라서 '인터넷 윤리', '로봇 윤리', 또는 '기계 윤리'라는 단어가 핵심을 놓치는 이유다. 이러한 시대착오적인 단어는 '컴퓨터 윤리'가 올바른 관점을 제시할 것처럼 보였던 과거를 되돌아보게 한다. 따라서 사생활, 익명성, 투명성, 신뢰, 책임과 같은 윤리적 문제를 다룰 때 우리는 특정 기술에 따른 윤리적 문제가 아니라 데이터의 수명 주기, 즉 데이터 수집에서부터 데이터 가공, 조작, 활용에 입각해 윤리적 문제를 봐야 한다. 사회적 거부와 지나치게 엄격한 규제의 위험 사이에서 우리를 이끌어주는 정보 윤리가 필요한 이유며, 사회와 구성원,

그리고 환경에 이익을 주는 데이터와 알고리즘의 윤리적 가치를 극대화하는 솔루션을 찾아야 한다.

정보 윤리는 데이터와 알고리즘 등이 초래하는 도덕적 문제를 연구하고 살펴보는 분야이다. 정보 윤리의 목적은 데이터 윤리, 알고리즘 윤리, 관행의 윤리라는 세 가지 정보 윤리를 살펴보고 연구함으로써 도덕적으로 옳은 솔루션(가령 올바른 행동이나 올바른 가치)을 도출하고 지지하는 것이다.

협소한 의미의 데이터 윤리는 데이터의 생성, 기록, 큐레이션, 처리, 보급, 공유, 사용을 의미한다. 데이터 윤리는 대규모 데이터의 수집, 분석, 적용에 따른 도덕적 문제를 다룬다. 이런 도덕적 문제의 범위는 의학 연구와 사회과학 연구에 있어 빅데이터의 활용과 프로파일링, 광고, 데이터 공헌data philanthropy, 정부 주도 프로젝트의 공개 데이터까지 다양하고 광범위하다. 중대한 도덕적 문제에는 데이터 마이닝data-mining, 데이터 링킹data-linking, 데이터 머징data-merging 그리고 대규모 데이터의 재사용을 통한 개인정보의 재식별화가 있다. 또한 소위 '집단 사생활group privacy'에 대한 뚜렷한 위험도 존재한다. 각각의 개인정보는 비식별화(수집된 개인정보의 폐기 — 옮긴이)를 하더라도 특정 공통점을 공유하는 개인들을 구별하다 보면 심각한 윤리적 문제로 이어질 수 있다. 예를 들면 집단 차별(연령 차별, 민족 차별, 성차별 등)이나 특정 집단을 겨냥한 폭력이 있다.

데이터 과학과 기술의 혜택, 기회, 위험, 도전에 대한 대중의 인식 부족으로 인해 신뢰와 투명성이 데이터 윤리의 매우 중요한 주제가 되고 있다.

알고리즘 윤리는 소프트웨어, 인공지능, 인공 작용제artificial agents, 머신 러닝, 로봇에 관심을 둔다. 알고리즘 윤리는 알고리즘의 복잡성과 자율성이 증가함에 따라 제기되는 문제를 다룬다. 알고리즘은 인공지능 루틴AI routines과 인터넷 봇internet bots과 같은 스마트 에이전트 형태로 윤리적 문제를 만든다. 알고리즘 윤리는 특히 머신 러닝 응용 프로그램과 관련이 있다. 알고리즘 윤리의 중대한 도전 과제에는 예측하지 못하고 원하지도 않았던 결과와 잃어버린 기회에 대한 사용자와 개발자, 그리고 데이터 과학자의 도덕적 책임과 의무가 포함된다. 그 결과 알고리즘의 윤리적 설계와 검사, 그리고 잠재적으로 바람직하지 않은 결과(예컨대 반사회적 콘텐츠의 홍보나 차별 등이 있다)에 대한 평가가 흥미로운 연구 주제로 대두되고 있다.

마지막으로 관행의 윤리는 책임 있는 혁신, 프로그래밍, 해킹, 전문가 행동 강령 및 의무에 대한 것이다. 관행의 윤리는 데이터 과학자를 포함해 데이터 처리와 전략, 정책을 담당하는 사람이나 조직의 도덕적 책임과 법적 책임에 관한 문제를 다룬다. 관행 윤리의 목적은 책임 있는 혁신·개발·사용에 대한 전문가 의식을 형성하기 위한 윤리적 프레임워크를 만드는 것이다. 이런 윤리적 프레임워크는 데이터 사이언스와 기술의 발전을 이끌면서 개인과 집단의 권리를 보호하는 윤리적 관행을 보장한다. 이 분석의 중심에는 사용자 동의, 사용자 정보 보호 및 2차 사용이라는 세 가지 문제가 있다.

데이터 윤리, 알고리즘 윤리, 관행 윤리라는 별도의 연구 대상은 서로 밀접하게 연관되어 있다. 이들은 여러 윤리적 문제를 식별하고 해결하기 위한 세 개의 축을 형성한다. 예를 들어 데이터 프라이버시에 대한 연구는 사용자 동의, 알고리즘 검사, 전문가의 책임과 같은 세부 주제 역시 다룬다. 마찬가지로 알고리즘의 윤리적 감사는 설계자와 개발자, 사용자의 책임감을 분석하는 것도 포함된다.

정보 윤리는 모든 개념적 공간을 반드시 다루어야 하며 따라서 연구의 세 축을 함께 다뤄야 한다. 문제에 따라 우선순위와 초점이 달라질 수는 있지만 어쨌든 대부분의 문제는 하나의 축에만 걸쳐 있지 않다. 이런 이유 때문에 데이터 윤리는 거시 윤리로서 시작부터 개발되어, 일관성 있고 전체적이며 포괄적인 다중 당사자 프레임워크 안에서, 협소하고 임기응변식의 접근 방식을 피하면서 정보 혁명이 불러온 다양한 윤리적 함의를 다뤄야 한다.

사이버 리스크

10년 전만 해도 회사가 직접 사이버 공격을 당한 게 아니라면 회사 이사회에서 사이버 리스크에 대해 적극적으로 논의하는 일은 드물었다. 카네기멜론 대학교의 사이랩(Cylab, 보안 및 사생활 보호 전문 연구 기관 – 옮긴이)이 2008년 실시한 설문 조사에 의하면 미국 이사회 멤버의 77퍼센트는 개인정보와 보안 위험에 대한 보고서를 받아본 적이 없거나 드물다고 답변했다. 그리고 사내 사이버 보안 방안을 검토할 때, 이사회 멤버의 80퍼센트 이상이 회사 임원진의 역할과 정책에 대해서 논의한 적이 없다고 말했다.[110]

하지만 2015년 뉴욕증권거래소NYSE의 고위 임원 200명을 대상으로 한 설문 조사에 의하면, 몇몇 주요 대기업이 사이버 공격을 당한 이후 사이버 보안이 이사회의 주요 의제로 자리 잡았다. 응답자의 80퍼센트는 사이버 리스크가 거의 모든 회의에 등장하는 안건이라고 대답하면서 브랜드 훼손,

산업스파이, 사이버 공격이 가장 심각한 우려사항이라고 말했다.[111]

정부 역시 사이버 범죄와 공격에 매우 민감해졌다. 2009년과 2011년 사이 OECD 여덟 개 국가가 사이버 리스크에 대해 정부 정책을 마련한 뒤 OECD는 사이버 보안 정책이 '더 강력한 리더십을 발휘해야 하는 국가 정책의 우선순위'가 되었다고 2012년 보고했다.[112] 이후 중요 인프라 보호에 대한 우려가 높아지고 외국의 선거 개입을 차단하는 과정에서 사이버 리스크에 대한 정부의 인식은 더 예민해졌다. 그리고 시민사회단체의 활동에 대한 엄격한 규제와 양극화된 정치 환경 속에서, 시민사회단체들은 사이버 공격의 노출에 더 많은 관심을 쏟고 있다.

세계경제포럼의 연구 결과에 의하면, 사이버 리스크에 대한 인식이 높아졌음에도 많은 조직들은 사이버 리스크를 관리할 수 있는 적절한 수단을 마련하지 않았다. 그리고 가장 선진적인 사이버 리스크 대처 방안은 '이사회의 능력을 판단하는 표준이 되지도 않았다.'[113] 개인은 물론이고 기업과 정부, 시민사회의 여러 조직까지 인식과 대응의 간극을 줄이는 것이야말로 매우 중요한 과제다.

서로 연결된 세 개의 트렌드가 디지털 영역의 범위를 확대함에 따라 사이버 리스크는 급증하고 있다. 첫째, 전 세계 인터넷 사용자는 2000년 이후 약 1,000퍼센트 증가했다.[114] 2018년과 2020년 사이에는 인터넷 사용자가 약 3억 명 늘어날 것으로 보인다.[115] 이보다 더 중요한 것은 인터넷에 연결되는 기기의 개수가 증가한다는 사실이다. 2017년 기준 약 200억 대의 핸드폰, 컴퓨터, 센서와 다른 기기들은 글로벌 디지털 네트워크에 연결되었다. IHS 마킷IHS Markit은 2020년까지 추가적으로 100억 개의 기기가 연결될 것으로 내다봤다. 셋째, 더 많은 사람들이 디지털 시스템을 더 집중적으로 사용함에 따라 디지털 형식으로 생산·처리·소통되는 데이터의 양이 기하급수적으로 증가하고 있다. 시장조사 기관인 IDC는 2017년과 2025년 사이 '글로벌 데이터스피어(datasphere, 생산·사용되는 데이터의 양과 범위, 혹은 데이터가 통용되는 환경 — 편집자)'는 30퍼센트의 연간 성장률을 기록하면서 열 배 증가할 것이라고 예측했다.[116]

더 많은 사용자, 더 많은 커넥티드 디바이스, 더 많은 데이터는 디지털 시스템에 대한 의존도를 높인다. 실제로 IDC가 예측하듯이 디지털 데이터와 운영은 배경 이슈에서 '삶에 중대한 부분 … 우리 사회와 사생활에 필수'가 되었다. 따라서 이런 시스템이 의도한 대로의 기능을 수행하도록 이끄는 것이 매우 중요한 일인 동시에 어려운 일이 되고 있다.

사이버 리스크에 효과적으로 대처하기 위해 우리는 네 가지 전략을 제시한다. 이 전략들은 도전을 바라보는 관점의 전환이자 우리가 투자해야 할 영역이기도 하다.

1. 목표 재설정: 사이버 보안에서 회복까지

'사이버 보안'이라는 개념은 IT 시스템의 안전성을 먼저 떠올리게 한다. 그렇기에 개인과 조직은 IT 시스템의 안전성을 확보하는 데에만 몰두한다. 하지만 우리는 그 이상을 봐야 한다. 사이버 리스크가 발생하고 우리의 사회생활과 사생활에 영향을 끼치는 여러 방법에 대비하기 위해 상호 의존성과 회복력을 염두에 두어야 한다. 이런 맥락에서 사이버 회복력은 시스템과 조직이 사이버 공격을 견딜 수 있는 능력으로, 사이버 공격에 당하는 시간과 회복에 걸리는 시간의 합으로 측정된다.[117]

도표15 에서 볼 수 있듯이 사이버 리스크는 자산과 가치를 위험에 빠뜨린

다. 위협 요인과 시스템의 취약점이 교차하면서 생긴 결과다. 따라서 사이버 회복력은 전반적인 비즈니스 모델과 기업이 마땅히 고려해야 할 전략적 이슈다.

사이버 회복력은 또한 사이버 공격에 대비할 수 있는 시간을 벌어준다. 사이버 회복력을 확보하려면 조직 내부와 외부의 사람들 모두 사이버 공격 이전, 공격 당시, 그리고 그 이후의 모든 행위들에 대해 깊은 사고를 해야 한다.

디지털 오퍼레이션이 아닌 데이터와 관련된 시스템에 주력하는 조직과 개인들은 데이터의 기밀성, 데이터의 무결성integrity, 비즈니스 기회를 보장하기 위한 지속적인 가용성이라는 세 가지의 서로 다른 사이버 위험에 탄력적으로 대처해야 한다. 개인정보 유출이 가장 흔한 사이버 리스크이지만, 2017년 5월 영국 보건 시스템의 일부를 마비시킨 워너크라이WannaCry 공격에서 볼 수 있듯이 랜섬웨어 공격으로 시스템 접근을 차단하거나 데이

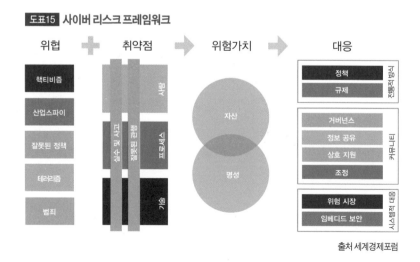

도표15 **사이버 리스크 프레임워크**

위협 ＋ 취약점 ➡ 위험가치 ➡ 대응

핵티비즘
산업스파이
잘못된 정책
테러리즘
범죄

사람
실수 및 사고
잘못된 관행
프로세스
기술

자산
명성

정책
규제 — 전통적 방식

거버넌스
정보 공유
상호 지원
조정 — 커뮤니티

위험 시장
임베디드 보안 — 시스템적 임

출처 세계경제포럼

터를 삭제하는 유형의 공격도 점점 흔해지고 있다. 사이버 공격의 증가도 주목해야 하지만 이로 인해 데이터나 전체적인 시스템이 손상되거나 변형되는 것도 중요한 사항이다.

　데이터와 디지털 업무의 통합, 그리고 물리적 서비스를 수행하거나 인프라를 관리하는 디지털 시스템을 고려하면 상황은 더욱 복잡해진다. 이런 경우 기업들은 2015년 지프 체로키Jeep Cherokee의 변속기와 브레이크를 원격으로 제어한 사이버 공격에서 본 바와 같이, 생명을 위협하는 중요한 시스템적 기능을 제어하는 능력을 잃는 위협에도 대응할 수 있어야 한다.[118] 또 다른 과제는 커넥티드 시스템에서는 새로운 사이버 공격의 침투경로가 만들어진다는 사실이다. 대표적으로 2013년 미국의 유통 기업인 '타깃 Target'의 결제 시스템이 해킹당한 사례가 있다. 타깃이 난방과 통풍을 관리하는 하청 업체에게 제공한 로그인 정보가 유출되면서 1억 명의 카드 정보가 유출되고 말았다.[119]

2. 지피지기: '외로운' 해커와 범죄 조직

　대중문화에서 비쳐지는 해커의 모습은 영광을 독차지하거나 복수심에 불타는 외로운 천재들이다. 해커의 이런 이미지는 대부분 사람들의 머릿속에 각인되어 있다. 그러나 이런 이미지는 오늘날 사이버 리스크의 위협을 호도할 뿐이다.

　재능 있고 독창적인 해커들은 분명 존재한다. 하지만 이보다 더 일반적인 것은 체계적인 범죄 조직에서 사이버 리스크를 만들어내는 사람들이다. 이런 조직은 지원 부서와 연구 부서를 갖추고 있으며, 그리고 사이버 공격 대상이 스스로를 방어하기 위해 투입하는 자원을 압도할 만큼의 예산도 보유하고 있다. 더욱이 이런 조직은 데이터를 팔거나 유료로 다른 사람들에게 시스템 접근권을 제공하거나, 아니면 시스템을 사용하여 공격자들에게 이로운 기타 행위를 수행하는 식으로 금전적 보상을 얻게 된다.

따라서 사이버 위협은 재능 있는 해커의 단독 소행이 아니라, 풍부한 재원과 체계를 갖춘 조직에 고용되어 금전적 보상을 받으면서 꾸준하게 사이버 공격을 하는 해커의 활동임을 인지해야 한다.

3. 공격 방식 다시 보기: 기술이 아닌 인간으로부터

'단독 해커'의 이미지처럼 시스템 보안을 전문 기술로 뚫는 해커의 이미지는 사실무근이다. 이런 이미지는 사이버 리스크를 방어하기 위해서 IT부서와 파이어월로 대변되는 기술적 장벽 도입, 그리고 까다로운 패스워드 시스템이 중요하다는 잘못된 인상을 준다.

하지만 안전한 시스템에 접근하는 가장 손쉬운 방법은 그냥 '물어보는 것'이다. 약 97퍼센트의 악성코드 공격은 사용자들이 시스템 접근권을 스스로 줄 때까지 계속 속이는 방식으로 이뤄진다. 사이버 공격에서 기술적 결함을 악용하는 방식은 3퍼센트에 불과하다. 84퍼센트가 넘는 해커들은 시스템 접근의 주요 전략으로 사회공학 전략(신뢰를 바탕으로 사람들을 속여 보안 절차를 깨트리는 해킹 전략 - 옮긴이)에 의존한다.[120] 대부분의 해킹이 이런 방식으로 이뤄지기 때문에 많은 공격이 오랫동안 눈에 띄지 않고 넘어간다. 보안업체 누익스Nuix의 최고정보보안책임자인 크리스 포그Chris Pogue는 데이터 유출이 발견되는 데에는 평균적으로 250~300일이 걸린다고 말했다.[121]

위협과 취약점이 조직 내부와 외부에 모두 존재한다는 점을 고려하면,

사이버 리스크 관리는 모든 직원의 업무이자 책임이 된다. 그 일환으로 피싱 공격과 기타 사회공학 공격을 피하는 방법에 대해 직원 교육을 강화해야 한다. 그리고 의심스러운 외부 접근을 제한하기 위한 엔드포인트 보완 endpoint security을 시행하며 비정상적인 사용자나 네트워크 활동을 감지, 격리하는 시스템을 개발하거나 도입해야 한다.

4. 함께 해결해야 할 사이버 회복력 : 개인을 넘어, 산업 그리고 조직까지

세계가 긴밀하게 연결될수록 사이버 리스크는 더욱 조직화되어 간다. 시스템적인 위험을 야기하는 것은 기업과 국가 간의 전염 가능성뿐만 아니라 세계 무역, 금융, 보안 및 운송을 뒷받침하면서 공유된 핵심적인 글로벌 서비스에 대한 세계의 상호 의존도이다.

반대로 더 많은 당사자들이 포함된 커뮤니티 간의 접근 방식에는 사이버 리스크에 대해 회복력을 높일 수 있는 중대한 기회가 있다. 여러 산업과 분야에서, 그리고 정부와 시민사회에서 일어나는 사이버 활동과 사이버 공격의 중요 정보를 얻기 위한 정기적인 정보 교류는 사이버 공격이 일어났을 때 조기 개입을 가능하게 하며 전염의 위험도 줄여준다. 사이버 회복력을 위한 전략과 운영 능력을 제공할 수 있는 전문가가 부족한 상황에서 사이버 기술에 대한 상호 투자는 전체 산업의 사이버 대처 능력을 향상시키는 데 도움이 될 것이다.

사이버 회복력을 강화하기 위해 국제사회는 다양한 당사자들과 함께 많은 노력을 기울이고 있다. 한 예로 제네바에 본사를 둔 '글로벌사이버센터 Global Cyber Centre'가 있다. 글로벌사이버센터는 세계의 사이버 회복력을 강화하기 위한 민관 합동 플랫폼이다. 그 외에도 정보 공유 플랫폼 구축을 담당하고 있는 인터폴의 '글로벌혁신단지Global Complex for Innovation', 유럽폴의 '합동사이버범죄수사반Joint Cybercrime Action Taskforce', 국가 조직으로는 기업들에게 사이버 정보와 사이버 위협의 인식을 심어주려는 목적으로 운영되는 영국의 '사이버 보안정보공유파트너십Cybersecurity Information Sharing Partnership'이 있다. 그러나 여러 산업 부문의 행위자들이나 서로 다른 국가들과 공조하려면 공공 기관과 민간 기관 사이의 불협화음, 그리고 사이버 능력에 대해 세세한 부분까지 공유하기를 주저하는 국가들 사이에 존재하는 본질적 의심을 먼저 해결해야 한다.

이 모든 것들은 우리가 극복해야 할 장애물들이다. '삶에 중대한' 디지털 시스템에 의존하는 세계에서 사이버 리스크의 위협은 교육에서 새로운 행동 양식까지, 기업 투자에서 기업 중역들의 책임감까지, 국가 간 협력과 국제적 협력 체제의 강화부터 더욱 유연한 거버넌스 모델까지 모든 수준에서 투자와 행동이 필요하다.

2차 산업혁명의 부산물인 전력망이
디지털 기술의 발전으로 이어졌듯이,
디지털 인프라는
우리와 상호작용하는 물리적 세계를
재구성할 수 있는 기반을 제공한다.
우리는 이제 소프트웨어와 인공물이
인간으로부터 독립하여 활동하는
새로운 미래에 직면해 있다.

PART 2

격변하는 물리적 세계

Reforming the Physical World

CHAPTER 08

인공지능과 로봇공학

인공지능은 이미 디지털 경제를 재창조하고 있으며 실물경제도 재구성할 것이다.
21세기 초 인공지능의 목표는 자동화 기계가 우리 일상에서 널리 활용되고 인간과
컴퓨터가 밀접한 관계를 맺을 수 있도록 돕는 것이었다. 미래의 인공지능 시스템은
글로벌 이산화탄소 배출이나 항공교통관제, 또는 인간의 능력을 벗어난 복잡한 이
슈의 해결 등 시스템적 도전 과제를 관리하게 될 것이다. 전문가들은 심지어 스마트
운영체제나 인간과 공감할 수 있는 디지털 어시스턴트의 등장과 같은 공상과학 시
나리오가 현실화될 것으로 예측한다. 언젠가는 로봇이 경찰 업무를 감독하는 날이
올 것이다. 인공지능은 이미 센서 네트워크와 영상 데이터를 통해 수집된 데이터를
모니터링하고 있으며 의심이 가는 행위를 보안 관계자와 경찰에 신고한다. 경찰은
탐색구조 업무는 물론이고 무장 강도를 상대하는 일까지 로봇을 활용하고 있다.**122**

인공지능은 세계를 엄청나게 바꿀 것이다. 하지만 이런 변화에는 위험이 따른다.
예컨대 인공지능 로봇이 고용에 어떤 영향을 끼쳐 사회에 어떤 부담을 안길지는 아

무도 예측할 수 없다. 더욱이 대부분 사람들에게 머신 러닝 알고리즘은 이해하기 어려운 분야이며, 이 머신 러닝 메커니즘은 우리가 바로잡아야 할 잘못된 사회적 편향을 반영할 가능성이 있다. 많은 사람들은 만약 인간의 가치관과 인공지능의 가치관이 일치하지 않을 때 장기적으로 발생할 수 있는 실재적 위협을 과소평가해선 안 된다고 경고한다. 또한 범죄자들이 인공지능 기반의 프로그램을 해킹하고 혼란스럽게 만들면서 발생할 수 있는 사이버 보안 리스크에 대해서도 경고한다. 따라서 연구자들은 현재 인공지능과 로봇공학의 개발 방향과 활용 방식의 지침서가 될 수 있는 윤리적 프레임워크와 가치에 대한 논의를 요구하고 있다. 미래가 어떤 모습이건 간에 인공지능은 우리와 함께 있을 것이며 우리가 인공지능과 어떤 관계를 맺느냐에 따라 결과는 오랫동안 영향을 끼칠 것이다.

| 인공지능과 더불어 살아가는 인간세계 |

인공지능과 로봇공학처럼 우리의 관심과 상상을 이끈 기술이 있었을까? 인공지능이라는 분야는 1956년 다트머스 대학교의 학회에서 탄생했다. 최초의 공장용 로봇은 1961년에 개발되었다. 그로부터 10년도 안 되어서 미국의 대중문화는 〈우주가족 젯슨(The Jetsons, 1960년대 유명 만화 프로그램 – 옮긴이)〉에 나오는 로봇 도우미인 '로지Rosie the Robot'처럼 우리의 삶을 더 쉽게 해줄 많은 상상의 도구들과, 스탠리 큐브릭Stanley Kubrick 감독의 〈2001 스페이스 오디세이2001: A Space Odyssey〉에 나오는 반항적인 '할9000 HAL 9000'과 같은 두려운 시나리오를 함께 그려내기 시작했다.

오늘날 인공지능의 경우 일반 학습과 고차원 추론 능력처럼 오직 인간만이 가지고 있다고 생각했던 인지 능력이 급격하게 향상되고 있다. 머신 러닝 기계는 인간의 직관을 필요로 한다고 생각되던 게임에서도 인간을 이기고 있다. 인공지능은 이미 간단한 버전의 튜링 테스트를 통과했다. 튜링 테스트는 대화를 통해 컴퓨터와 인간을 구별해내는 테스트다. 2014년에 13세의 소년으로 설정된 챗봇인 '유진 구스트만Eugene Goostman'과 대화를 나눈 심사위원들의 30퍼센트 이상은 유진 구스트만이 진짜 사람이라고 판단했다. **123**

재료과학과 센서기술의 비약적인 발전은 기계의 지각력, 운동력, 인지력이 발전하는 데 기여했다. 드론이라고도 알려진 비행 로봇과 인간의 도움 없이 자동차 부품을 조립하는 산업용 로봇은 복잡한 기능을 수행하기 위해 인공지능을 활용한다. 자율주행 자동차라고도 알려진 자율주행 로봇은 고속도로에서의 무인 트럭의 주행처럼 지금까지 불가능으로 여겨졌던 도전 과제를 성공적으로 수행해내고 있다. **124** 개인비서와 동반자로서 휴머노이드 로봇은 공상과학 소설과 현실의 격차를 줄이고 있다.

전 세계적으로 로봇공학과 인공지능 연구에 대규모 투자를 하는 대학원은 증가하고 있다. **125** 인간이 다룰 수 있는 규모를 뛰어넘는 대규모 데이터에서 통찰력을 발휘하는 인공지능은 기후변화 예측 모델링이나 핵 문제, 대규모 센서 네트워크 관리와 같은 문제와 씨름 중이다. 인공지능은 또한 공개적으로 사용 가능한 다양한 데이터를 가공해 경제적으로 중요한 새로운 정보를 얻고 있다. 예를 들어 오비털 인사이트Orbital Insight는 랜드샛(Landsat, 미국의 지구 탐사 위성 – 옮긴이)이 지구를 촬영한 저해상도 영상을 분석하는 과정에서 머신 러닝 기법을 활용해 물체를 식별하고 무역, 배기가스 배출, 인프라, 해양 지표에 대한 정보를 보다 빠르고 정확하게 제공한다. 이런 정보는 기업과 사회, 정부 활동에 중요한 가치를 지닌다. 이처럼 인공지능은 의사 결정을 지원만 하는 것에서 나아가 스스로 의사 결정을 하기도 한다. 몇몇 사람들은 인공지능이 헤지펀드 산업에 보편화될 것이라고 생각하며, 투자회사 중 최소한 한 곳은 이미 이사회에 인공지능 임원을 보유하고 있다.[126]

인공지능의 의사 결정 능력이 향상될수록 이런 인공지능이 탑재된 로봇은 인간과의 협업을 보다 원활하게 할 수 있을 것이고, 역으로 활발한 협업이 이루어지면 인공지능의 능력은 더 향상될 것이다. 만약 로지가 현실이 되려면 기계들은 관찰을 통해 학습하고 인간의 가치를 해석하는 능력도 갖추어야 한다. 로봇이 서비스 직군에서 활약하고 학생들을 가르치며 항공기를 비행하고 수술을 집도하거나 탐색구조 업무를 배우는 지금, 신뢰는 그 어느 때보다 중요한 가치가 된다. 우리가 일상에서 인공지능에 익숙해지면서 인간과 인공지능의 상호작용은 조종사가 궂은 날씨에도 자신이 모는 항공기를 신뢰하는 것처럼 우리 주변의 세계를 해석하는 한 축이 될 수 있다. 또한 극단적인 경우, 국가와 개인이 인공지능과 로봇공학을 무기화하는 일 역시 완전히 비현실적이거나 불가능한 건 아니다. 이미 많은 국제단체들은 인공지능의 무기화와 관련하여 현실적이고 윤리적인 경계를 모색하고 있다. 지금의 상황대로만 간다면 인공지능과 로봇의 결합은 권력, 책임, 신뢰 문제를 야기할 것이며, 이를 위해 광범위한 거버넌스가 필요해질 것이다.

인공지능이 사회와 지구, 그리고 경제에 끼치는 거대하고 파괴적인 영향력을 인식한 마이크로소프트, 아마존, 페이스북, IBM, 구글, 딥마인드와 같은 글로벌 대기업들은 인류와 사회에 공헌하는 인공지능 파트너십을 공동 창립했다. 이 파트너십의 목적은 '인공지능 기술의 모범 사례를 연구하고 개발하며, 인공지능에 대한 대중의 이해도를 증진하고, 인공지능 기술과 그 기술이 사람과 사회에 어떤 영향을 끼치는지 광범위한 논의를 위한 오픈 플랫폼의 역할을 수행하는 것'이다.[127] 실제로 딥마인드의 사례에서 보듯이 많은 기업들에 윤리를 담당하는 팀이나 부서가 속속 생겨나고 있다.[128] 이 같은 기민한 움직임을 통해 경제계가 책임을 느낀다는 것을 대중에게 역설하고 있다. 글로벌 기업들은 최근 5년 사이에 인공지능 기술에 수십억 달러에 이르는 투자를 하거나 수백 개 기업들을 인수하면서 책임감을 보여주려고 노력하고 있다(도표16). 그러면서 스튜어트 러셀Stuart Russell 과 같은 사상가들이 점점 더 고도화되어 가는 인공지능에 대해 표명한 우려에 동조하고 있다.[129]

도표16 **인공지능을 향한 무한 경쟁 - 인공지능업체를 인수한 주요 기업들** (2011-2016)

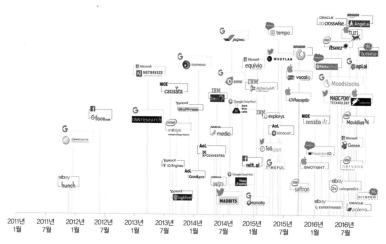

출처 CB Insights (2017)

지능적 인공지능

스튜어트 러셀Stuart Russell, 미국 UC 버클리 대학교 컴퓨터공학 교수

인공지능 연구는 급속도로 진행되고 있으며 새로운 기술이 점차 발전하면서 연구 개발 투자 역시 계속 증가하고 있다. 기계지능에 고유한 한계가 있을 거라고 생각하는 사람은 많지 않으며 스스로 제한하는 능력이 있어야 한다는 사람은 더더욱 없다. 따라서 기계가 인간의 능력을 초월할 것임을 어렵지 않게 예측할 수 있다. 1951년 앨런 튜링Alan Turing은 이렇게 말했다. "만약 기계가 생각할 수 있다면, 우리보다 더 현명하게 생각할 것이다. … 이 새로운 위험은 … 우리를 분명히 불안하게 만드는 그 무엇이다."**130**

지금까지 범용 지능형 기계를 만드는 가장 일반적인 방식은 우선 원하는 목표를 설정한 다음에 그 목표를 달성하는 알고리즘을 제공하는 것이었다. (이런 방식 말고 기계의 모든 행동을 사전에 프로그래밍하는 방식도 있지만, 이런 경우 인간은 모든 경우의 수를 두고 프로그램을 짜야 하기 때문에 인공지능을 개발하는 의미가 없어지며 체스와 같은 단순한 게임도 불가능해진다.) 불행히도 우리는 기계가 목표를 달성하는 데 바람직하지 않은 방법을 찾지 못하도록 완전하고 정확하게 목표를 구체화하는 방법을 알지 못한다. 가치의 일치화 문제는 여기서 발생한다. 만약 충분한 능력을 갖춘 기계의 목표가 우리의 목표와 불일치 한다면 이는 마치 세계를 체스판으로, 그리고 체스의 말을 인류로 삼은 채 기계와 체스 게임을 하는 것과 같다. 튜링은 '전략적으로 중요한 시기에 전원을 차단하는' 방안을 가능한 해결책으로 제안했지만, 초지능적인 기계는 이런 일을 사전에 방지하는 조치를 취할 것이다. 생존본능에 따른 것이라기보다는 전력이 없으면 목표를 달성할 수 없기 때문이다.

인공지능 시스템은 직면한 그 어떤 의사 결정 문제도 해결할 수 있다고 가정해야 한다. 하지만 인공지능이 제시한 해결책이 유익하다는 것을 입증할 수 있도록 문제를 명확하고 구체적으로 만드는 것이 어려운 부분이다. 모순처럼 들리겠지만 가능성 있는 사실이다. 여기서 핵심은 기계의 목적은 인간의 목적을 극대화하는 것이지만, 처음부터 기계가 인간의 목적이 무엇인지 알지는 못한다. 기계가 인간의 목적을 처음부터 알지는 못하기 때문에 인간의 목표를 맹목적으로 추구하는 것은 피해야 한다. 잘못되거나 부분적인 목표를 추가하면 안 되기 때문이다. 이런 불확실성은 인간의 행동을 관찰하고 진정한 목표가 무엇인지에 대한 정보를 입수하면서 점차 해결될 수 있다. 많은 경우 인간은 기계가 없을 때보다 이런 기계가 있을 때가 더 낫다. 심지어 기계가 스스로 전원을 끌 수 있도록 설득할 수도 있다. (따라서 튜링의 주장이 옳을 수도 있다.) 합리적인 인간은 기계가 인간의 진정한 목표를 이루는 데 해가 된다고 판단하는 경우에만 기계의 전원을 끌 것이다. 이는 곧 기계의 목표와도 일치해야만 한다. 스스로 전원을 끄는 것이 정의상 기계의 목표이기도 해야 얻어지는

결과이기 때문이다.

　기계는 인간에게 이로워야 한다는 아이디어를 중심으로 확립된 엔지니어링 원칙은 안전한 인공지능이 나아가야 할 길을 알려주는 희망이 된다. 물론 복잡한 문제이다. 인간은 역겹기도 하고, 합리적이지 않으며, 꾸준하지도 않고, 의지도 약하며, 추론 능력은 제한적이며 서로 이질성을 갖고 있기도 하다. 따라서 인간의 행동을 보고 인간의 가치를 배우기란 여간 어려운 일이 아니다. 다른 한편으로 지능형 사무 도우미나 가사 지원 로봇이 발전하면서 가치의 일치화 문제가 더욱 부각되고 있다. 직원들을 위해 하룻밤에 2만 달러나 하는 호텔 스위트룸을 예약하는 지능형 사무도우미나 저녁 식사로 고양이를 요리하는 가사 지원 로봇은 인기를 끌기 어려울 테니 말이다.

| 인공지능, 사람의 일을 배우다 |

　인공지능 연구에는 많은 어려움이 따른다. 현재의 표준적인 인공지능은 단순한 패턴 매칭으로 설정되어 있어 인풋이 조금이라도 달라지면 전체적인 머신 러닝 모델이 혼란에 빠질 수 있다. 이런 접근법은 '상식'적인 문제를 해결하거나 상황 파악을 하는 것과 같은 문제를 다룰 만큼 구조적으로 안정적이지 않을 수 있다. 연구자들은 기계가 상황과 맥락에 따라 적절한 행동을 하고 방대한 데이터 테스트를 하지 않고도 일반화하기를 원하지만, 이런 기술은 아직까지는 요원하다. 퀀텀 컴퓨팅과 같은 새로운 기술들은 인공지능이 문제를 분석하고 피드백을 통해 학습하는 방식을 바꾸어놓아 잠재적으로 인공지능이 인간의 인지 능력을 흉내 낼 수 있도록 만들 것이다. 이럴 경우 인공지능은 인간의 실수를 줄이고 피로감을 주는 업무를 대신하면서 경제적 혜택을 가져올 수 있다.

　이런 돌파구가 없더라도 발전 속도는 빠르고 우리의 희망은 높다. 화성 탐사를 하고, 간호사들을 도와주며, 심지어 로봇을 만들어내는 로봇이 개발되고 있다[131]. 클라우드와 인공지능이 탑재된 소형 로봇은 인공지능 응용 프로그램을 통해 데이터를 중앙화된 서버에 공급함으로써 언젠가는 스스로 업무를 조정하고 자원을 배분할 수 있을 것이다. 인공지능은 저널리즘, 의학, 회계학, 법학 등의 전문 분야에도 이미 진출하고 있다. 변호사나 의사를 완전하게 대체하지는 못하더라도 법률 사례를 분석하거나 영상 진단을 하는 인공지능 프로그램은 이들 직군의 양상을 바꿀 것이다. 이렇게 인공지능이 스스로 개선하고 발전하는 동안 로봇 산업에 대한 투자액은 2019년 1,350억 달러를 넘어설 것으로 예상된다. 이 수치는 2015년에 비해 거의 두 배에 달하는 수치다.[132] 로봇을 이용해 운전자 없이 주행하는 무인 자동차만 등장하는 것이 아니라 로봇이 자동차 자체도 만들게 될 것이다. 특히 자동차 산업이 자동화 로봇에 대한 수요가 가장 많은 산업임을 고려하면 이는 자명한 일이다(도표17).[133]

많은 산업 분야에서 진행되고 있는 자동화는 새로운 직업이 등장하는 계기가 되겠지만, 동시에 많은 직업이 사라진다. 예를 들어 자동화된 트럭 운송업은 물류 산업 전반에 걸쳐 많은 일자리 소멸로 이어질 것이다.[134] 인공

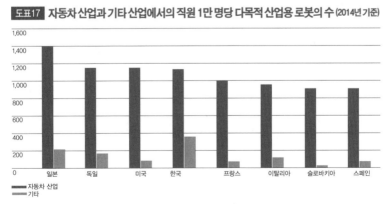

도표17 **자동차 산업과 기타 산업에서의 직원 1만 명당 다목적 산업용 로봇의 수 (2014년 기준)**

일본, 독일, 미국, 한국, 프랑스, 이탈리아, 슬로바키아, 스페인

■ 자동차 산업
■ 기타

출처 Pittman(2016)

지능과 로봇이 노동시장에 끼치는 영향력은 선진국과 개발도상국 모두 계속 커질 것으로 예상된다. 미국에서는 10퍼센트에서 최대 50퍼센트의 일자리가 전산화의 위험에 노출된 것으로 추정된다.[135] [136] 중국에서는 폭스콘Foxconn이 2년 만에 6만 명의 공장 노동자들을 로봇으로 대체했다.[137] 이처럼 개발도상국은 인건비 우위를 자동화 물결에 내주며 산업화 과정에 방해를 받게 된다. 이런 이유로 한때 해외로 이전했던(오프쇼어) 선진국의 생산기지는 다시 자국으로 되돌아오고(리쇼어) 있다.[138]

자동화가 글로벌 경제에 끼치는 파급효과는 엄청나며 예측할 수도 없다. 경제학자들은 자동화로 인해 노동이 필요 없게 된 탈노동 경제post-work economies의 잠재력을 모델링하는 데 바쁘고, 교육자들은 미래 노동자에게 필요한 기술과 능력이 무엇인지 예측하고 있다.[139] 다중 이해관계자 협력과 협업의 필요성이 그 어느 때보다 커졌다. 정책입안자들, 비즈니스 리더 시민사회 리더는 이 목표를 달성하기 위해 경제적 욕구와 사회적 욕구 사이에서 타협을 해야 한다. 리더들과 정책입안자들은 인공지능의 보안 취약점을 해결할 필요가 있다. 전문화된 인공지능 응용 프로그램은 사회에 엄청난 기회를 제공하지만 동시에 악용이나 해킹의 가능성이 있다. 기계의 의사 결정 방식이 안전한 방식으로 프로그래밍되고, 사이버 공격을 통해 악용되는 것을 방지하기 위한 노력이 필요하다.

이러한 문제의 밑바닥에는 더 큰 의미의 또 다른 문제가 있다. 기계 학습 알고리즘이 의사 결정을 내리는 방식은 그 알고리즘을 개발한 인간에게조차 불투명해 알고리즘에 권한을 부여할 수 있을지 의문이 생긴다. 인간의 세계에서는 정당성과 신뢰가 밀접하게 연관되어 있다. 예를 들어 인공지능이 어떤 재소자가 다시 범죄를 저지르거나 어떤 대출자가 채무불이행을 할지 사람보다 더 정확하게 예측한다 하더라도, 정확한 추론을 설명할 수 없다면 기계에게 이런 의사 결정을 맡기는 것은 매우 불편한 일일 것이다. 인간의 편향이 반영된 데이터를 알고리즘이 분석한 뒤, 편향된 의사 결정을 하게 되면 더욱 그렇다. 인공지능은 유용한 패턴을 분석할 수는 있겠지만 기계에 대한 이해도가 없다면 우리는 인공지능이 내린 결정이 잘못되었다고 느낄 것이다. 당사자들이 고려해야 할 가장 중요한 문제는 다음과 같다.

- 윤리적 기준: 자동화 프로세스와 기계의 윤리 규범이 될 수 있는 원칙과 가이드라인을 마련해야 한다. 영국의 공학 및 물리과학 연구 위원회EPSRC와 같은 단체는 로봇 원칙을 제안했지만, 아직까지는 포괄적이며 글로벌한 기준은 없다.**140**

- 인공지능과 로봇공학 거버넌스: 인공지능 연구와 응용 프로그램 개발에 대한 전문성 부족으로 정책입안자들은 인공지능 비전을 제시하는 데 어려움을 겪는다. 더욱이 어떤 기관이나 기구가 인공지능 정책과 관련된 의사 결정을 담당해야 하는지조차 명확하지 않다. 때문에 혁신적인 거버넌스 절차와 구체적인 역할은 아직 확립되지 않았지만 새로운 종류의 위원회, 에이전시 또는 자문 기관의 창립을 위한 계기가 될 수 있다.

- 분쟁 해결: 현재 인공지능 응용 프로그램이나 인공지능 시스템과 관련된 분쟁을 해결할 수 있는 프레임워크와 모범 사례는 없다. 잠재적인 분쟁이 어디에서 발생할지 모르기 때문에 이런 프레임워크의 개발은 더욱 복잡해진다. 예를 들어 인공지능 연구는 규제를 받지 않지만 인공지능 응용 프로그램을 사용하는 제품은 규제를 받을 수 있는 것에서

알 수 있듯이 규제의 초점은 제품에 맞춰져 있다.

인공지능이 경제, 노동시장, 우리의 신체 등 각기 다른 여러 영역에 얼마나 깊게 스며들 수 있는지에 대한 논의는 아직도 초기 단계에 머물고 있다. 잠재적인 결과를 예측하고 다양한 관점을 얻기 위해서는 인공지능과 로봇공학이 사회에 끼칠 수 있는 영향력을 넓은 관점에서 바라보고 깊게 생각해볼 필요가 있다.

인공지능에 대해서 모두가 알아야 할 열 가지

1. 인공지능은 시간에 따라 변한다. 오늘날의 인공지능은 대부분 선형 회귀 분석에서 의사 결정 트리decision trees, 베이지안 네트워크Bayesian networks, 인공신경망artificial neural networks과 진화적 알고리즘evolutionary algorithms까지의 소프트웨어 접근법이 포함된 머신 러닝을 의미한다. 인공지능의 발전 과정에서 가장 획기적인 사건 가운데 하나는 1960년대 움직이는 로봇의 등장이었다. 최근에는 바둑 챔피언을 꺾음으로써 놀라운 업적을 이뤘다. 중요한 이정표가 세워질 때마다 인공지능이 무엇이고 무엇을 할 수 있는지에 대한 우리의 인식 역시 변한다.

2. 범용 인공지능은 아직 존재하지 않지만 특화된 인공지능은 이미 우리를 둘러싸고 있다. 특화된, 그리고 명확한 업무를 수행하는 인공지능의 능력은 나날이 개선되고 있지만 인간이 당연하게 생각하는 상식이나 '맥락을 파악하는' 능력은 여전히 없다. 한편 구글의 검색 알고리즘, 애플의 시리Siri가 보여주는 대화 능력, 그리고 스마트폰의 자동 완성 능력은 모두 특화된 인공지능 기술이다. 인공지능 응용 프로그램 중에서 똑같이 중요하지만 눈에 덜 띄는 것에는 어떤 온라인 광고를 내보일지 여부를 결정하는 것, 사이버 보안 지원, 산업용 로봇 관리, 자율 주행 자동차 운전하기, 텍스트 요약하기, 특정 질병 진단하기 등이 있다.

3. 인공지능, 로봇, 그리고 인간은 같이 일할 때 더 좋은 성과를 낸다. 인공지능 체스 프로그램과 인간 체스 선수가 이룬 팀은 인간만으로 이루어진 팀이나 컴퓨터를 꾸준하게 이기고 있다.**141** 지능형 로봇 역시 인간과의 협업으로 많은 혜택을 누린다. 카네기멜론 대학교의 코봇CoBot은 방문자들을 회의실로 안내하거나 서류를 가져오는 간단한 일을 할 수 있다. 코봇은 물건을 들어 올

리거나, 엘리베이터 버튼을 누르거나, 길을 잃었을 때 적극적으로 인간에게 도움을 요청한다.

4. 인공지능은 목표 설정을 할 때 인간의 도움을 필요로 한다. 우리는 가까운 미래에 '초인공지능 artificial superintelligence'이 등장할 수 있다는 전망에 많은 걱정을 하지만, 만약 우리가 인공 지능이 특정한 목표를 지향하도록 설정하지 않는다면 인공지능이 해롭거나 의도하지 않은 결 과를 불러올 것이라는 데 의심의 여지가 없다. 스튜어트 러셀이 이미 말했듯이, 성공으로 가는 열쇠는 인공지능이 사람을 관찰하고 인간의 목표와 가치에 스스로를 맞추도록 훈련시키는 것 이다.

5. 오늘날의 많은 인공지능 시스템은 블랙박스와 같다. 우리는 아직 인공신경망이나 딥 러닝과 같 은 가장 많이 쓰이는 머신 러닝 알고리즘이 어떻게 작동되고 어떻게 의사 결정을 내리는지에 대 해 완전하게 이해하지 못한다. 이런 프로세스를 기술적으로 해부해 분석할 수는 있겠지만, 이 경우 인공지능은 다음 의사 결정을 할 때 접근 방식을 수정할 수 있다. 결국 인공지능이 만들어 내는 결과물을 검증하기 어렵게 되며 인간이 기계로부터 배우는 능력을 제한할 것이다.

6. 인공지능 자원은 대중에게 공개되었고 자유롭게 사용 가능하다. 머신 러닝 분야에서 일어나는 대부분의 혁신은 대학교의 연구 부서나 기업에서 이뤄지고 있다. 이런 지식의 큰 부분은 오픈 소 스이며, 여기에는 정당한 이유가 있다. 투명성이 없다면 알고리즘상의 문제를 식별하고 분리해 수정하기가 어렵기 때문이다. 자연어 처리나 영상 인식을 도와줄 수 있는 클라우드 기반의 인공 지능 '봇bot'을 찾는 데에는 몇 분 걸리지 않는다.

7. 인공지능을 사용하려면 데이터를 정리해야 한다. 몇몇 인공지능 시스템은 조직 외부의 데이터 를 이해하도록 도와준다. 머신 러닝 기법을 적용하기 위해서는 우선 데이터가 정리되어야 하고 적절하게 보호되어야 한다. 많은 조직들에게도 데이터 관리는 가장 어려운 과제 중 하나다. 다 행히도 몇몇 인공지능 시스템은 기업 시스템이나 서버에서 데이터를 검색하고 찾기 위해, 또는 데이터를 쉽게 찾을 수 있도록 분류하기 위한 목적으로 개발되고 있다.

8. 가장 훌륭한 인공지능 시스템도 편향될 수 있고 오류에서 자유롭지 않다. 알고리즘의 정확성과 유용성은 개발 방식과 사용된 데이터의 성격에 달려 있다. 강력한 알고리즘이 잘못된 데이터나 대표성이 떨어지는 데이터를 활용해 편향되었거나 매우 부정확한 반응을 내놓는 경우도 수없 이 봐왔다.

9. 인공지능과 로봇공학은 인간을 필요 없는 존재로 만드는 것이 아니라 업무의 성격을 바꿀 것이다. 배달부나 계산대 직원처럼 아주 예외적인 경우를 제외하고 대부분의 업무가 완전하게 자동화될 수는 없다. 글로벌 컨설팅업체 알파베타AlphaBeta의 분석에 따르면 인공지능과 로봇공학이 미래의 일자리에 끼치는 가장 큰 영향력은 반복 업무나 기술직군의 자동화다. 이런 자동화로 인해 인간은 대인관계와 관련된 업무와 창의적인 업무에 더 많은 시간을 할애할 수 있게 된다.

10. 인공지능과 로봇공학의 영향력은 우리가 어떻게 도입하고 활용하는 지에 달려 있다. 기업이 인공지능과 로봇공학 시스템을 현실세계에 적용하는 방식이야말로 인공지능과 로봇공학이 사회에 끼치는 영향력의 주요 동인이다. 이 말은 인공지능과 로봇공학 시스템이 더욱 정밀해지고 성능이 높아짐에 따라 기업 이사회나 임원진이 언제 어디에 사용할 것인지 결정하는 프로세스가 한층 더 중요해짐을 의미한다.

1. 사용 가능한 데이터·센서·처리 능력의 향상으로 머신 러닝 기술이 발전하면서 인공지능 기술도 덩달아 최근 몇 년 사이에 급속도로 발전했다. 머신 러닝은 게임이나 고객 대응, 의학적 진단 및 자율 주행 자동차 운전과 같은 제한된 상황에서 인간에 가까운, 또는 인간보다 뛰어난 수준의 상호작용을 모방할 수 있는 수준에 도달했다.

2. 인공지능이 새로운 물리적 시스템에 활용되기 시작하면서 최근 10년 사이에 로봇공학의 잠재력은 커지고 있다. 인간과 기계는 함께 일하면서 의사, 변호사, 조종사, 트럭 운전사와 같이 교육받은 사람이나 숙련된 기술을 보유한 사람들의 역할을 줄이면서 점점 대체할 것이다. 인간의 전문성이 갖는 역할과 자동화될 수 있는 많은 업무에 인간의 지능과 판단력이 얼마만큼 필요할지에 대해 우려를 불러일으키고 있다

3. 기업들은 자유롭게 사용 가능한 대규모 데이터에서 통찰력을 도출하기 위해 인공지능을 활용하며 혁신적인 기업가들은 이런 데이터에서 새로운 가치의 원천을 창출한다. 자유롭게 사용 가능한 데이터에서 새로운 통찰력을 만들어내는 인공지능은 경제와 과학의 중요한 기여자이면서 동시에 환경 모니터링과 환경 보호와 같은 분야의 중요 정책 결정에 유용하게 활용될 수 있다.

4. 인공지능이 노동시장에서 무인 자동차 주행부터 신용 평가에 이르기까지 사회의 다방면에 영향을 끼치면서 인공지능과 로봇공학의 윤리적 문제는 많은 사람들과 조직에게 중요한 과제로 자리매김했다. 이런 윤리적 문제는 종종 투명성 이슈, 합의, 그리고 인공지능을 가능케 하는 알고리즘에 주입된 편향과 관련되어 있다.

5. 분쟁 해결, 윤리적 기준, 데이터 규제와 정책 개발과 관련된 이슈들이 전 지구적 차원에서 다뤄야 할 우선순위가 되면서 인공지능과 로봇공학은 협력적 거버넌스를 요구할 것이다. 예를 들어 자율 살상 무기처럼 인공지능이 탑재된 로봇은 국제 분쟁 지역

은 물론이고 국내 문제에도 위험을 끼칠 수 있기 때문에 윤리적 문제에 대해 국제기

구의 심각한 우려를 낳고 있다.

CHAPTER 09

첨단소재

소재materials는 4차 산업혁명 시대에 혁신을 이끄는 기본적인 구성 요소다. 향후 20년 동안 원자 수준에서부터 많은 기술의 물질적 토대를 조작할 수 있는 능력은 세계가 직면하고 있는 난제들을 해결하는 데 도움이 될 것이다. 소재과학의 발전으로 컴퓨팅 기술과 하드웨어가 소형화되었고, 이런 소형화를 바탕으로 과학자들이 합성 유기체에서 그래핀 배터리까지 새로운 제품을 개발하는 등 혁신의 선순환이 일어났다.

센서를 활용해 폐열을 전기로 변환하거나 나노봇으로 손상된 세포를 고치고, 소재과학의 이론과 기술을 이용해 산적한 문제를 해결하는 것은 조심스러운 분석과 장기적인 안목을 가진 투자가 있을 때에만 가능하다. 신소재와 나노기술이 유용하게 쓰이는 한편, 나노 오염 물질은 생태계에 피해를 입힐 수 있고 나노센서는 사생활 침해와 보안 문제를 일으킬 수 있다. 그리고 새로운 소재기술은 폭발물이나 화학무기를 더욱 치명적으로 만드는 데 사용될 수 있다. 우리가 물리적 세계를 원하는 방식

으로 다루고 예상치 못한 위험을 최소화하는 데에 따르는 혜택을 우리 사회와 기업,
환경이 최대한으로 누리기 위해서는 공통적인 거버넌스 프레임워크와 첨단소재의
생태학적 영향력에 대한 더 많은 연구가 필요하다.

| 기술 융합, 비용 절감 그리고 장기적인 안목 |

첨단소재과학은 4차 산업혁명 대부분, 또는 모든 부분에 영향을 끼칠 것이
다(**도표18** 참조). 소재과학은 에너지의 생성·전송·저장에서 정수(淨水)와
전자제품까지 유용하게 사용된다. 항상 눈에 보이는 것은 아니지만, 첨단
소재과학은 말 그대로 전혀 다른 물질의 세계를 창조할 것이다. 소재과학
은 공급망을 재편하고 환경을 바꾸면서 소비를 변화시킬 것이다. 많은 산
업 분야에서 점차 거세지는 성능 향상에 대한 요구를 충족시키기 위해 신
소재를 필요로 하고 있다. 이런 거대한 도전 과제를 해결하기 위해서는 신
소재들이 지속가능하게 만들어질 수 있는 제조 공정이 필요하다. 더욱이
융합기술과 융합과학은 첨단소재와 나노기술의 혜택을 극대화한다. 예를
들어 인공지능과 로봇공학의 발전이 성숙한 스타트업 생태계와 결합되면
급격한 혁신을 촉진할 수 있을 것이다.

이상적으로 첨단소재를 구성하는 재료들은 생태계적으로 책임 있는 방
식으로 공급되어야 하며, 매장량이 풍부한 원자재를 이용해 순환경제에 잘
편입될 수 있도록 친환경적인 제조 공정으로 만들어져야 한다. 또한 첨단
소재는 환경에 최소한의 피해만 가도록 독성이 적어야 한다. 하지만 소비
자 수요와 평판 리스크를 포함해 시장경제의 인센티브만으로는 신소재를
만드는 업체가 환경에 대해 책임감을 가지도록 강요하기는 어렵다.

신소재가 시장에 도입되려면 효과적인 재활용, 재목적화repurposing, 재사

용을 위한 전략이 수반되어야 한다. 소비자의 수요와 평판 리스크 외에도 정부 규제 또한 제조업체가 환경에 미치는 영향에 책임감을 갖도록 하는 데 중요한 요소이다. 4차 산업혁명의 다른 기술들은 지속가능성이라는 목표를 달성하기 위해 신소재 거버넌스를 위한 혁신적인 솔루션을 제공할 수 있다. 예를 들어 다양한 소재와 블록체인 기술의 결합은 신뢰할 수 있는 자재 공급과 재활용 기록에 대한 글로벌 데이터베이스를 구현하는 데 도움이 될 것이다. 또한 이런 데이터베이스는 다른 산업의 기업들이 폐기물에 가치를 부여하여 재활용 가능성을 높일 수 있다.

우리가 주목해야 할 또 다른 문제는 신기술의 수익성이다. 신소재 개발 과정에서 더 높은 효율성과 비용 절감에 대한 요구는 수익성에도 영향을 끼치고 있다. 예를 들어 대규모 인프라에 전력을 공급하기 위해서는 막대한 양의 에너지가 필요하지만, 인류는 그만큼의 에너지를 저장하지 못했다. 신재생에너지원의 간헐성으로 인해 신재생에너지로 전환하려면 테라

도표18 핵심 기술에 사용되는 화학과 첨단소재로 만들어진 제품

		성장률	관련 화학 및 첨단소재 부품
모빌리티	전기차	전기차 연간 판매량 2020: 490만 대	플라스틱, 컴포지트(복합재료) 및 배터리 기술
	드론	드론 시장 규모* 2015: 101억 달러 2020: 149억 달러	플라스틱, 컴포지트(복합재료) 및 배터리 기술
모바일 및 스마트 기기	스마트폰과 태블릿	사용 중인 모바일 기기의 수 2015: 86억 대 2020: 121억 대	서브스트레이트, 기판 후면, 투명 전도체, 배리어 필름, 포토 레지스트
	플렉서블 디스플레이 (웨어러블 기기, VR, TV 등)	아몰레드** 시장 규모 2016: 20억 달러 2020: 121억 달러	서브스트레이트, 기판 후면, 투명 전도체, 배리어 필름, 포토 레지스트
연결성 및 컴퓨팅	초고속 인터넷	고정 광대역 속도 2015: 24.7 Mbps 2020: 47.7 Mbps	초순수 염화규소
	보다 효율적이고 작은 집적회로	프로세서 논리게이트 길이 2015: 14mm 2019: 7mm	유전체, 콜로이드 유산, 포토 레지스트 및 EBR 용제

* 군사 및 안보 분야, 상업 분야
** 능동형 유기 LED

출처 세계경제포럼(2017a)

와트 규모의 에너지를 저장해야 한다. 대규모 에너지 저장에 들어가는 비용을 절감하는 혁신적인 방식에는 플로 전지flow battery가 있다. 플로 전지는 에너지 저장의 유망한 후보지만 시장에서의 경쟁력을 갖추기 위해서는 고성능 막소재membranes와 전해질액의 값이 지금보다 50퍼센트는 저렴해져야 한다. 일부 플로 전지는 바나듐과 같은 전이 금속을 사용하는데, 이는 청정에너지의 활성화에 도움이 될 만큼 지구상에 풍부하지 않다.

신소재 발견과 연구, 적용은 자본집약적 분야이다. 그리고 신소재 기술이 시장에 소개되려면 10~20년간 기초연구와 응용연구에 매진해야 할 만큼 긴 호흡을 가지고 접근해야 한다. 여기에서도 4차 산업혁명의 기술들은 도움이 될 수 있다. 인공지능을 사용하는 플랫폼과 로봇공학 기술이 접목된 대용량 데이터베이스는 신소재 발견의 전체적인 절차의 가속화를 약속한다. 수직화된 산업에 걸친 지식의 이전은 첨단소재 산업의 발전에 있어 또 다른 도전 과제와 기회가 된다. 현재의 소재 개발 과정을 이 같은 통합된 플랫폼으로 전환하기 위해서는 정부, 산업, 스타트업의 대규모 바이인buy-in이 요구된다. 이 산업을 발전시키기 위해서는 지속적인 연구와 장기적인 투자, 여러 이해관계자 사이의 논의가 필요하다.

계속해서 확대되어 가는 첨단소재의 응용 분야

버나드 메이어슨 Bernard Meyerson, **IBM 최고혁신책임자**

신소재가 생활의 일부분이라는 말은 현실을 매우 과소평가한 표현이다. 역사를 석기시대, 청동기시대, 철기시대로 나누는 방식만 봐도 신소재 개발은 역사적인 관점에서도 혁명적인 사건이다. 도구의 진화는 각 시대마다 혁명적인 삶의 변화를 가져왔지만 최근 들어 발전 속도는 더욱 가속화되었다.

이런 관점에서 보면 반도체라는 신소재는 현대 사회를 혁명적으로 변화시켰다. 컴퓨팅과 통신 기술의 보편화는 지난 40년 동안 반도체 기술이 100만 배 이상 발전한 결과다. 기초소재과학의 엄청난 발전에 힘입어 지난 40여 년 동안 4,000바이트의 컴퓨터 메모리를 활용해 사람을 달로 보내는 것에서 시작해 스마트폰으로 640억 바이트의 데이터에 매일같이 접속하는 시대에 이르렀다. 문제는 그러한 추세가 영원히 지속되지는 않을 것이며, 오랫동안 지속되어 왔던 발전이 단절된다면 심각한 결과가 초래될 수 있다.

반도체 소재의 꾸준한 발전 덕분에 트랜지스터의 크기를 원자 수준으로 줄일 수 있었다. 이 단계에서는 양자역학적 행동이 나타나 소재의 차세대 적용을 위한 노력이 무용지물이 된다. 따라서 대안을 찾기 위한 첨단소재의 연구 개발에 관련 기업들이 박차를 가하고 있는 것이다. 이 엄청난 도전 과제 앞에서 정보기술 발전의 지향점, 그리고 이를 위한 기술 연구에는 대전환이 필요하다.

첨단소재를 개발하려는 시도 중에서 사회적으로 영향력이 없는 것은 없다. 사실 이러한 노력의 사회적 영향과 상호 의존성은 매우 놀랍다. 20년 내로 세계 인구가 수십억 명이 증가할 것이라고 예상되는 만큼 식수 공급 문제를 생각해봐야 한다. 현재 사용되는 대수층과 급수장의 부족에 따라 담수화(바닷물의 각종 염류를 제거해 담수로 만드는 작업 - 옮긴이) 같은 에너지 집약적 물 공급원은 공급량을 보충하는 중요한 수단이 될 것이다. 만약 이 옵션을 적절한 규모로 키우려면 이 프로세스의 기초 기술이 되는 역삼투를 통한 수질 정화에는 그 어느 때보다 효율적인 '막 재료 membrane materials'가 필요하다. 하지만 막 재료가 유의미한 수준으로 발전한다고 해도 방대한 새로운 에너지원이 요구된다. 이 문제를 해결하기 위해서는 첨단소재의 도움이 다시 한 번 필요해진다.

지구온난화를 악화시키지 않으면서 전력 생산 능력을 확보하려면 에너지 생산 관련 소재의 획기적인 발전이 선행되어야 한다. 광전변환공학, 태양열, 풍력 등의 재생에너지 기술은 관련 소재 발전의 덕을 누릴 수 있다. 하지만 이보다 더 중요한 것은 배터리 기술을 크게 향상시키는 신소재 개발을 통해 신재생에너지를 보다 효율적으로 저장하고 발산하는 능력일 것이다. 이런 신재생에너지는 전통적인 에너지 발전(發電)의 현실적인 대체재가 될 것이다. 동시에 핵연료 저장 관련 기술 발전은 유사 시에 잠재적 안전성과 연료 저장 능력이 입증된 가스 냉각을 사용하거나 수동 공기 냉각을 사용할 수 있게 해 경제적인 원자료를 가능하게 한다.

천연자원 매장량이 계속 감소하고 있지만 우리 사회는 더 많은 천연자원을 계속해서 필요로 한다. 이 당면 과제를 조금이나마 해결하기 위해서는 많은 기술 혁신과 사회 혁신이 요구된다. 신소재 개발이야말로 우리의 가장 긴급한 문제를 해결할 수 있는 방법 중 하나다.

소재과학과 나노기술의 혜택을 완전히 누리려면 공통의 노력이 필요하다. 첨단소재의 발견·생산·통합을 위해 다양한 분야의 전문가들은 산·학·정의 도움과 지원을 필요로 한다. 또한 국제 협력은 신소재 개발 어젠다를 추진하는 데 매우 중요하다. 다행히도 '소재 게놈 이니셔티브Materials Genome Initiative'와 같은 소재 개발 분야의 국제적인 연구 기관과 23개 국가로 이루어진 첨단 에너지 소재 개발 플랫폼인 '미션 이노베이션Mission Innovation'과 같은 다국적 연합체 등 신소재 개발에 대한 국제 협력의 사례는 풍부하다.

신소재 개발과 도입을 가속화하기 위해 화학 산업은 이미 다른 혁신 모델로부터 단서를 얻고 있다. 한 예로 소프트웨어 산업에서는 대기업과 벤처 캐피털, 기술력을 갖춘 스타트업으로 이루어진 생태계가 발전과 성장이라는 선순환 구조를 촉진시켰다. 신소재 산업의 스타트업은 그다지 역동적이지는 않지만, 적절한 인프라와 인센티브를 제공하는 인큐베이터가 등장하면 모든 것이 바뀔 수 있다. 이 기술 분야의 장기적인 특성을 알고 있는 투자자라면 이러한 잠재력을 인식해야 한다. 적절한 지원만 이루어진다면 젊은 스타트업들은 적절한 상호작용의 문화와 메커니즘을 준수하면서 다국적 컨소시엄과 공존할 수 있다.

이러한 발전의 샌드박스는 서로에게 도움이 됨과 동시에 파괴적 혁신의 결과로 이어져 새로운 기술과 산업의 기반이 되는 소재를 만들어낼 수 있다. 장거리 우주여행과 핵융합 기술이 보편화되는 먼 미래에는 높은 수준의 방사능에도 저항력을 가지는, 완전히 새로운 기능을 갖춘 소재가 이런 기술 발전을 도울 것이다. 예를 들어 우주 식민지에서 원자재로 제조·생산을 하려면 오늘날 3D 프린터만큼 혁신적으로 소형화된 모듈식 공장이 개발되고 상용화되어야 한다.

4차 산업혁명이 전개됨에 따라 신소재 개발의 어려움을 해결할 수 있는 솔루션을 계속해서 개발해야 한다. 이런 솔루션은 장기적인 관점에서 창의성과 위험 완화에 우선순위를 두는 리더들과 개개인들 간의 협업을 통해서 개발될 것이다.

2000년대 초반, 나노기술은 나노입자, 나노 오염 물질, 그리고 악명 높은 '그레이 구(grey goo, 복제 가능한 나노로봇 객체가 기하급수적으로 증가해 통제 불가능한 상태가 오면 나노로봇이 지구를 뒤덮는 상황이 닥친다는 지구 종말 시나리오 – 옮긴이)'의 잠재적 위험을 중심으로 많은 관심을 받았으며, 그 후 나노기술에 다양한 정부 부처의 자금이 지원되었다(도표19). 나노기술과 이해관계자들의 우려는 국제위험거버넌스위원회International Risk Governance Council의 화장품과 식품 산업에 대한 정책 브리핑 같은 국제적인

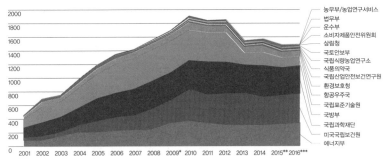

도표19 2001년부터 미국 나노기술국가전략US National Nanotechnology Initiative의 자금 지원 추이

* 2009년 수치는 미국 경기부양법(American Recovery and Reinvestment Act)에 의거해 에너지부(2억 9,300만 달러), 국립과학재단(1억 1,000만 달러), 표준기술연구원(4,300만 달러), 국립보건원(7,300만 달러)이 집행한 자금을 포함하지 않은 수치다.
** 2015년 수치는 당시 예상된 수준에 기초해 추정했으며 계획이 확정되면서 변경되었을 수 있다.
*** 2016년 예산

출처 미국 나노기술국가전략(2017)

정책 제언으로 이어졌다. 하지만 현재 나노봇과 나노센서에 의한 사생활 침해, 폭발물과 화학무기를 만드는 데 사용되는 나노소재의 안전성 문제 등을 포함한 새로운 위협에 대한 광범위한 논의가 필요하다. 공학적으로 조직된 소재로 만든 다른 제품들이 인간의 건강과 환경에 끼치는 불가역적 피해와 이로 인해 발생할 우려에 관심을 기울여야 한다.

첨단소재와 나노기술은 다양한 산업 분야에 적용되기 때문에 천편일률적인 정책 프레임워크를 만들기는 어렵다. 첨단소재에 대한 각 산업의 의존성을 고려할 때 관련 이슈를 해결하는 것 외에는 다른 대안이 없다. 위험을 관리하고 소재 개발의 혁신을 촉진하기 위해서 이해관계자들은 함께 아래 사항들을 고려해야 한다.

- 기술의 응용과 인센티브 구조 및 행동 변화로 해결될 수 있는 문제들에 대한 합의 부족을 들 수 있다. 국가마다 발전 단계가 상이하기 때문에 경제 발전을 위해서 감내할 수 있는 리스크의 수준도 다르다. 따라서 국제사회의 수준에서 우선순위를 조정하는 것이 매우 중요하다. 이해관계자들은 글로벌 커뮤니케이션 채널과 글로벌 거버넌스를 함께 확립해야 한다.
- 신소재와 나노기술이 생태계와 인간에게 끼치는 영향에 대한 지식 부족은 표준화된 정책 개발을 저해한다. 인간의 건강과 안전, 환경을 우선순위로 두는 조사, 장기적 연구, 제도적 원칙은 나노기술을 잘못 사용한 결과에 대한 두려움을 완화시키는 데 도움이 된다.
- 지식재산권은 첨단소재 산업에 대한 이해를 돕는 정보를 공유하는 데 장애가 될 수 있다. 성과에 대해 정확한 정보가 널리 공유되지 않으면

효율적인 정책을 개발하기가 어렵다. 정보 공유를 방해하는 법적 규제를 완화하면 혁신의 혜택은 더욱 늘어날 것이다.

– 첨단소재 및 나노기술의 생산 규모 확대에 대한 경제적 타당성이 문제가 됨에 따라 환경, 건강 관련 외부효과가 국가 관계에 다방면으로 영향을 미칠 가능성이 높다. 이러한 혁신 기술 응용을 관리하기 위해서는 상호 협력적인 글로벌 리더십이 필요하다.

1. 소재과학의 발전은 세상의 틀을 형성하고 우리의 삶에 영향을 끼치는 기술의 능력을 향상시킨다. 첨단소재는 모든 산업에서 사용하는 기술의 일부분이 될 것이며, 생태학적 책임감을 갖고 공급되어야 한다. 공급 업체들은 가치사슬을 핑계로 책임을 전가하지 말고 환경에 끼칠 영향에 대해 스스로 책임을 져야 한다.

2. 소재 개발은 투자에서 상용화까지는 보통 많은 시간이 소요되며(수십 년 이상) 자본 집약적인 과정이다. 데이터베이스에 투자하고 머신 러닝을 도입하면 이런 과정이 보다 빨라질 수는 있겠지만 투자 단계에서 장기적인 철학이 없으면 혁신에 위협이 된다.

3. 기술의 융합과 그 결과인 혁신의 기회를 만들기 위해서는 전문가 그룹, 정부, 산업이 서로 협력하여 첨단소재 산업을 발전시켜야 한다. 예를 들어 자금 투자를 늘리고 분산원장과 같은 다른 기술을 활용하면, 신뢰할 수 있는 소재를 공급하고 개선된 데이터베이스를 만들고 유지하는 데 도움이 될 것이다.

4. 첨단소재와 나노기술의 위험성, 다중 이해관계자 협력의 필요성은 이 산업에 내재된 다양한 문제를 부각시킨다. 천편일률적인 정책 프레임워크는 최선의 전략이 아니다. 투자, 관리 감독, 정책 제언 등 나노기술에 대한 우리의 대응은 사회와 전문가, 규제 당국이 이런 과제에 어떻게 접근했는지를 보여주는 좋은 연구 사례다.

5. 첨단소재가 직면한 중대 이슈로는 문제에 대한 합의 부족, 생태계 영향에 대한 지식 부족, 지적재산권 규제, 국가 간 분쟁 위협, 지식 전이를 방해하는 장애물이 있다.

CHAPTER 10

적층가공과 3D 프린팅

오늘날 부유한 사회의 사람들은 물리적 공급망을 통해 전 세계의 상품과 음식을 얻는다. 3D 프린팅은 이 모든 것을 바꿀 수 있다. 미래에는 옷, 전자제품 등의 개인 소비재와 산업 제품, 예비 부품을 스스로 만드는 세상이 다시 올 것이다. 지리적·문화적 특성이 반영된 많은 제품 디자인은 여전히 디지털 소스로 전 세계에서 만들어지겠지만, 제품 자체는 각자 사는 지역에서 만들 수 있다. 공급 체인과 제품의 물리적 이동은 지난 몇 세기 동안 글로벌 무역을 촉진한 물류 회사와 허브와 함께 어려움에 처할 것이다. 과거의 산업혁명 기술과 달리, 이 기술은 우리의 생산 능력을 향상시키는 동시에 물리적 상품 거래를 줄일 수 있는 잠재력을 가지고 있다.

3D 프린터는 아직 틈새시장이지만 빠른 속도로 주류 시장으로 편입되고 있다. 대역폭이 확대되고 데이터 규제가 새로워지면서 대용량 파일 전송이 문제되지 않게 됨에 따라, 3D 프린터는 패션 아이템에서 의료용 임플란트까지 제품의 생산과 개인화에 새로운 장을 열 것이다. 제품은 이제 다양한 판매상들이 서로 경쟁할 수 있는 디

지털 레시피로 존재하게 될 것이다. 그러나 생산의 급진적 대중화는 위험을 야기한다. 우선 저임금 노동력에 기반을 둔 개발도상국의 산업화 모델을 위험에 빠뜨릴 수 있고, 더 나아가서 공급망을 해체시키고 인터넷 서비스 제공자를 해상운송 기업의 직접적인 경쟁자로 만들지도 모른다. 3D 프린팅의 발전은 향후 심각한 도전 과제가 될 것이며 모든 산업과 정부가 주의 깊게 관심을 가져야 한다.

| 탈중앙·파괴적 제조 |

'3D 프린팅'과 '적층가공'이라는 용어는 소재를 층층이 이어쌓아 물건을 만드는 과정을 의미한다. 소재를 깎거나 망치질을 하면서 모양을 다듬는 기계 가공이나 소재를 녹인 다음에 틀에 끼워 외형을 다듬는 플라스틱 사출 성형 및 금속 주조와 같은 전통적인 제조 과정과는 다르다. 하지만 3D 프린팅과 적층가공이라는 용어는 이 분야의 최첨단 기술을 완전하게 담지는 못한다. 이 용어들은 장기와 조직을 만들 수 있는 바이오 프린팅과, 3D 프린팅으로 제작된 물체가 시간이 지나면서 스스로 모양을 갖춰가는 4D 프린팅과 같은 최첨단 기술을 포함하지 않기 때문이다.

3D 프린팅 기술은 이미 25년 전에 등장했다. 하지만 최근 들어 더 소형화되고 저렴해지고 성능이 향상되어 여러 용도로 사용 가능해짐에 따라 주목을 끌기 시작했다. 이렇게 생산된 제품들은 매우 복잡한 수준의 재료적 특성을 가지면서도 표면 처리는 정교해지고 정밀한 가공도 가능하다. 아직도 많은 사람들은 3D 프린팅을 작은 플라스틱 물체와 연관 짓지만 이제 금속, 세라믹, 콘크리트 같은 소재를 출력할 수 있고 또한 그래핀(얇고 강하고 유연함), 초경합금(드릴과 절단기에도 견딜 만큼 경도가 강함), 그리고 생태학적 바이오 소재(플라스틱 대체제, 파스타 같은 식재료)와 같은 첨

단소재도 출력할 수 있다.**142** 다양한 소재를 이용한 3D 프린팅은 이미 존재하며 앞으로 보편화될 것이다.

3D 프린팅은 소량 생산을 더욱 경제적으로 만들며 생산자가 소비자 가까이에서 상품을 생산할 수 있어 납품 시간과 배송 비용도 줄어든다. 이는 증기력으로 운송 비용을 줄인 1차 산업혁명과 함께 태동된, 생산과 소비의 분리를 되돌리는 것이라 할 만하다. 생산과 소비의 분리는 컨테이너화와 기술 격차의 추세 속에서 촉진되어 오늘날 노동력이 풍부한 개발도상국으로의 오프쇼어링을 가능하게 했다. 현재의 성장 속도를 고려할 때 3D 프린팅은 제조, 운송, 물류, 교통, 인프라, 건설, 유통, 항공우주 기업들의 전체적인 생산 시스템을 파괴하며 선진국과 개발도상국 양쪽 모두의 정부, 경제, 노동시장에 큰 영향을 끼칠 것이다.**143**

3D 프린팅 기술의 발전은 다른 4차 산업혁명 기술의 발전과 궤를 같이할 것이다. 3D 프린팅 기술로 인해 데이터를 생성하고 수집할 수 있는 인텔리전스 기능이 내장된 센서, 액추에이터(actuator, 외부로부터 전기, 유압, 압축 공기 등의 에너지를 공급받아 동력을 생산하는 기기 – 편집자), 데이터 생산·수집이 가능한 전력원을 갖춘 맞춤형 사이버 물리 시스템을 위한 스마트 부품 제작이 가능해질 것이다. 한편 새로운 컴퓨팅기술, 나노기술, 첨단소재와 생명공학기술은 3D 프린팅의 기술 발전을 이끌면서 비전을 가진 리더들이 미래의 제조 공정에서 3D 프린팅을 어떻게 활용할지 결정할 수 있는 기회를 제공한다.

3D 프린팅은 아직 주류가 아니다. 3D 프린팅이 글로벌 제조업 시장에서 차지하는 비중은 0.04퍼센트에 불과하며 미국에서 생산된 모든 제품 중에서 3D 프린팅으로 생산된 것은 1퍼센트에도 미치지 못한다.**144** 하지만 3D

프린팅 산업은 빠르게 성장하고 있다. 가트너Gartner에 의하면 2016년 글로벌 3D 프린팅 시장 규모는 50만 대 수준이었는데, 이는 2015년 보다 두 배가 증가한 수준이며 2020년에는 670만 대로 증가할 것으로 예상된다.[145] 홀러스Wohlers는 적층가공 산업이 매년 25퍼센트 성장할 것으로 관측했다.[146] 프라이스워터하우스쿠퍼스PricewaterhouseCoopers에 의하면 2016년 미국 제조업체의 52퍼센트가 향후 3~5년 사이 대량생산에 3D 프린팅을 활용할 것이고, 22퍼센트는 같은 기간에 공급망에 급격한 변화를 겪게 될 것이다.[147] 다시 말해서 3D 프린터 시장의 성장 속도는 수평적인 성장곡선이 수직적인 성장곡선으로 급격하게 바뀌는 전형적인 하키스틱 모양의 패턴이 될 것임을 의미한다.[148]

| 패션에서 장기까지, 대량 맞춤형 생산의 시대 |

3D 프린팅은 디자인에 전에 없던 자유를 부여하면서 공급망의 거의 모든 지점에서 사용될 것이다(도표20). 보잉, GE 같은 글로벌 제조업체들은 더 이상 조립 라인을 필요로 하지 않는 부품을 생산하고 있다. 이물질을 줄이고, 무게를 줄이고 열전달을 높이는 격자lattices 형태를 이용함으로써 부품은 이전보다 가볍게 만들어진다. 품질 관리도 변하고 있다. 많은 제품 중 샘플을 골라 품질 관리를 하는 방식이 아니라, 각 레이어가 쌓일 때 온라인 컨트롤 시스템이 제품 내부, 모양, 내성, 특징을 모니터링한다. 따라서 분산 제조에서 사용되는 디지털 템플릿의 보안과 완전성 유지가 특별히 중요해진다.

소량 생산과 설계의 자유는 맞춤형 제품 생산을 더욱 활발하게 만든다. 개인 맞춤형 패션 아이템은 점점 더 흔해지고 있으며 맞춤형 3D 프린팅을 이용해 의학 분야에서는 맞춤형 치과 보철물과 보청기, 정형외과 임플란트 등을 만들고 있다. 실제로 3D 프린팅 기술은 헬스케어 산업에 혁명을 불러일으킬 것으로 보인다. 고령화가 진행되고 기술이 보편화되면서 집에서 약을 직접 제조하는 날이 올 수도 있다. 우리는 이미 적절한 용량의 다양한 유효 성분을 사용해 약을 출력할 수 있는 단계에 이르렀다. 정부와 제약 회사는 새로운 규제와 비즈니스 모델을 고려해봐야 한다.

인체의 생체 조직을 출력하는 바이오 프린팅 기술 역시 꾸준히 발전하고 있다. 미래에는 모든 신체 기관이 필요에 따라 출력될 수 있을 것이다. 이 기술은 부유한 소수만 사용할 만큼 비싸 건강 및 수명 불평등을 심화시킴으로써 윤리적, 사회적 문제를 야기할 것이다. 소비자나 범죄자가 인간 게

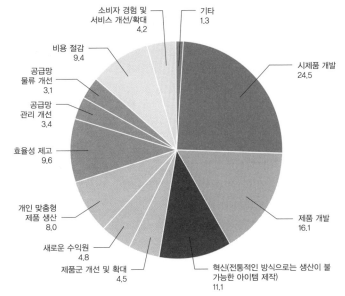

도표20 **적층가공이 적용될 수 있는 생산 과정**

- 소비자 경험 및 서비스 개선/확대 4.2
- 기타 1.3
- 비용 절감 9.4
- 공급망 물류 개선 3.1
- 공급망 관리 개선 3.4
- 효율성 제고 9.6
- 개인 맞춤형 제품 생산 8.0
- 새로운 수익원 4.8
- 제품군 개선 및 확대 4.5
- 혁신(전통적인 방식으로는 생산이 불가능한 아이템 제작) 11.1
- 제품 개발 16.1
- 시제품 개발 24.5

출처 Gartner (2014)

놈을 해킹할 가능성도 배제할 수 없기 때문에 더욱 광범위한 연구와 규제가 필요하다. 우리가 디지털 기반의 도구를 멋대로 휘두르면서 인간의 몸을 예술품이나 생산 기계, 심지어 무기로 변화시킨다면 우리 사회는 물질적 대상으로서의 신체와 관련된 중대한 문제들에 직면하게 될 것이다.

| 21세기의 산업화 |

3D 프린팅은 생산과 소비 시스템, 그리고 글로벌 공급망을 바꿀 것이다. 3D 프린팅은 북구 선진국들이 개척한 신기술로, 대부분의 3D 프린팅 시설역시 그 지역에 존재한다. 예를 들어 2012년에는 3D 프린팅 시스템의 40퍼센트는 북미에서, 30퍼센트는 유럽, 26퍼센트는 아시아 태평양 지역에서 설치되었고 4퍼센트만이 기타 지역에서 설치되었다.[149] 많은 경우 3D 프린팅의 영향력은 생산 단계에서 현재의 가치 사슬을 보완하는 수준에 머물러 있다. 하지만 3D 프린팅으로 제작된 결과물들이 미숙련, 노동 집약적 및 저부가가치 노동을 완전하게 대체함에 따라 영향력은 보다 파괴적으로 작용할 수도 있다.[150] 따라서 3D 프린팅 기술이 선진국으로의 대규모 리쇼어링으로 이어진다면, 개발도상국이 채택한 노동 집약적 저비용 제조업 기반의 산업화 전략은 효과를 잃을 것이며 많은 일자리가 사라질 것이다.

재화와 서비스의 생산, 유통, 사용에 대한 법률과 규제 체계도 반드시 다시 검토해야 한다. 만약 3D 프린팅 매장이나 개인이 3D 프린터로 직접 만든 물건에 하자가 발생할 경우 누가 책임을 지게 될 것인가? 디지털 템플릿 제공자일까, 3D 프린터를 만든 사람일까, 아니면 3D 프린터를 사용해 물건을 만든 사람일까?[151] 3D 프린팅에 필수적인 데이터 소유권이나 국가 간 이전에는 어떤 지식재산권 제도가 적용되어야 할까? 부가가치세와 관세는

어떻게 적용해야 할까?

이해관계자들의 협력과 정책적 고려가 필요한 마지막 이슈는 보안이다. 3D 프린트 무기의 확산 가능성도 크다. 개인이나 비국가 단체들이 3D 프린터로 굳이 무기를 직접 만들어 확산시키지 않아도 무기의 디지털 템플릿을 손쉽게 만들고 배포할 수 있기 때문이다. 이미 3D 프린터로 총을 제작하는 것이 가능한 상황이며, 기술이 정교해짐에 따라 생체조직이나 세포 또는 화학 물질과 같은 복잡한 소재를 3D 프린트 무기의 재료로 사용할 가능성도 있다.

성숙한 적층가공 산업을 위한 정책 제언

필 디킨스 Phill Dickens, **영국 노팅엄 대학교 생산기술학 교수**

적층가공 기술에는 많은 장애물들이 있다. 이런 장애물들은 전 세계적 공통 과제로, 해결을 위해서는 국제적 차원의 전략과 정책이 필요하다. 이미 영국에서는 어떤 장애물이 있는지, 어떻게 문제를 해결해야 하는지에 대한 논의가 진행되고 있다.

영국에서 이미 개발되고 있는 '적층가공 전략strategy for additive manufacturing'은 전 세계에서 공통적으로 나타나는 일곱 개의 장애물들을 아래와 같이 정리했다.

문제점	일반적으로 인식된 장애물
소재	서로 다른 프로세스·기계·응용의 속성 이해하기, 품질 보증, 비용, 가용성(지식재산권 제약, 독립 공급자), 혼합 소재 사용, 재활용성, 생체 적합
설계와 개발	적층가공의 설계와 개발을 위한 지침서와 교육 프로그램의 필요성 - 적층가공의 제약에 대한 이해, 적층가공에 능숙한 전문가 확보, 설계 데이터 보안
기술과 교육	기술 도입을 위한 적절한 방법의 부재(설계, 생산, 소재, 시험), 현 노동자 능력 향상 대(對) 차세대 노동자 교육, 소비자 교육, 학교에서의 교육
비용, 투자, 파이낸싱	인식 제고와 도입(시험, 확장, 기계 구입)의 위험을 줄이기 위한 자금 조달 - 특히 영세 기업 또는 중소기업 위주로, 전체 비용(사후 처리와 시험에 투입되는 비용 포함) 및 소재비용 이해하기

기준 및 규제	프로세스·소재·소프트웨어·제품·응용 등의 전반적인 기준 및 특정 산업에 특화된 표준의 부재(인식된 기준 또는 실제 기준) - 특히 항공우주, 헬스케어, 자동차 산업
측정, 검사, 시험	데이터 라이브러리, 시험 기준(일반 기준과 산업별 기준), 소재 검사·공정 중 검사·최종 검사, 대량생산을 위한 시험, 비파괴 검사, 록인(lockin)과 데이터 개방을 통한 품질 보증
지식재산권의 보호 및 비밀 유지	지식 공유를 위한 개방과 투자 가치를 위한 상업적 보호 사이의 균형 맞추기, 지식재산권 집행

기술과 교육의 문제는 아마도 가장 시급하고 가장 중대한 문제일 것이다. 이 문제가 해결되지 않으면 다른 장애물들을 극복하더라도 이익이 발생하지 않기 때문이다. 지금 당장 필요한 것은 기술을 당장 사용할 수 있도록 노동자들의 능력을 향상시키는 것이다. 하지만 적층가공 기술을 제대로 활용할 수 있는 기업 전략을 도출하기 위해서는 회사 고위 임원진이 전체적인 상황을 파악하고 프로그램을 이해하고 있어야 한다.

매우 복잡한 부품을 설계하는 데 기존의 컴퓨터 드래프팅 방식을 사용하면 종종 파일 사이즈가 매우 커지게 된다. 그러면 소프트웨어나 하드웨어가 고장 나거나 느려진다. 설령 설계가 완료된다 하더라도 이렇게 큰 파일은 데이터 전송 시 문제가 생긴다. 3D 프린터를 완벽하게 활용하려면 설계자들은 약간 수정된 신제품을 생산하는 것에서 그칠 게 아니라 제품을 둘러싼 물리학을 이해해야 한다. 이를 위해서는 매우 다른 설계 도구를 사용해 소프트웨어와 상호작용을 하는 새로운 방식이 필요하다.

1. 3D 프린팅과 적층가공기술 덕분에 특수 부품을 비롯해 기존 제조 기술로는 만들 수 없는 제품을 생산할 수 있게 되었다. 지난 25년간 이뤄졌던 꾸준한 기술 개발을 통해 적층가공은 집적회로나 생체 조직이 포함된 멀티 소재 제품을 생산하는 능력을 갖추었다.

2. 3D 프린팅은 맞춤형 제품과 서비스를 제공하면서 식품과 헬스케어, 항공우주 산업 등 거의 모든 산업에 영향을 끼치고 있다. 적층가공기술로 인해 경제적으로 타당한 소량 생산, 빠른 시제품화, 생산의 탈중앙화와 분산이 가능해진다. 관련 기술은 향후 10년 내에 빠르게 성장할 것으로 예상된다.

3. 적층가공기술 확산이 경제에 끼치는 중요한 영향 중 하나로 제조업의 생산 기반이 선진국으로 되돌아오는 리쇼어링을 꼽을 수 있다. 적층가공기술이 저임금 노동자들을 대체하기 때문이다. 그 결과 개발도상국들은 저임금 노동력을 기반으로 하는 개발 전략에 차질을 빚게 되고 일자리가 줄어들면서 실업률이 상승할 것이다.

4. 3D 프린팅과 적층가공기술은 제품 설계와 생산이 분산되기 때문에 생산물 책임이나 소유권에 대한 문제가 발생할 것이다. 소스와 프린팅 제품이 갖고 있는 이 분산적인 특징은 매우 중요한 우려 사항이므로 이와 관련한 깊은 논의가 요구된다. 생산 정보는 데이터 형식으로 존재하며 이는 데이터 규제 정책에 혼란을 가져올 것이기 때문이다.

5. 다른 4차 산업혁명의 기술들과 마찬가지로, 3D 프린팅이 첨단소재, 사물인터넷, 블록체인, 생명공학기술 등과 결합되면 혁신의 기회가 증가한다. 하지만 동시에 보안과 안전, 정책에 있어 이해관계자들의 협력과 대화가 요구된다.

드론의 명과 암

4차 산업혁명의 많은 기술 중에서도 드론은 특별한 위치를 차지하고 있다. 블록체인, 퀀텀 컴퓨팅, 지구공학 등과는 다르게 드론기술은 이미 발달 단계를 벗어난 지 오래다. 드론은 이미 군사용, 상업용으로 사용되고 있다. 또한 드론은 항공우주기술, 첨단소재과학, 로봇공학, 자동화기술이 융합된 결과다. 드론은 감시 카메라와 의약품을 싣고 이동할 수 있는데, 이는 탐색 구조 작업에 큰 도움이 된다. 물론 폭탄도 싣고 이동할 수 있다. 드론은 개인이 직접 조종할 수도 있고, 클라우드 기술을 이용한 자동 조종도 가능하다. 이처럼 드론은 공공의 선을 위한 혁신에서부터 극단주의 의제를 실현시키려는 목적까지 유연하게 사용될 수 있다.

21세기의 다목적 도구로 자리매김한 드론은 중립적인 기술로 여겨진다. 드론으로 사람을 해칠 수 있는지 여부는 전적으로 인간의 선택에 달려 있기 때문이다. 하지만 다른 기술들과 마찬가지로 드론의 설계와 생산, 목적에는 사회적 태도와 선택이 내재되어 있으며, 이는 우리의 사용 방식에도 영향을 준다. 드론의 존재는 우리가 어디에서 가치를 찾고, 진정으로 만들고자 한 것이 무엇이며, 이런 기기들이 무엇을 해야 하고, 이런 기술의 약속을 현실화하기 위해 무언가를 파괴disrupt할 의지가 있는지에 대한 우리의 선택을 상징한다.

드론의 개발을 이끈 주요 동기는 경제적 가치다. 이는 군대, 경찰, 지방 정부용 드론은 물론, 비즈니스용 드론에도 적용된다. 드론은 10~50배 정도 더 고가인 군사용 유인 정찰기를 대체하면서 군사 정찰의 비용을 획기적으로 줄였다. [152] 드론은 비행 훈련 시간을 줄였고 수백만 달러의 항공기를 소모용 무인 수송기로 대체하면서 잠재적 손실을 없앴다. 상업용 비행 분야에서 자동 조종 기술은 오래전부터 존재했으나, 심현철David Shim 카이스트 항공우주공학 교수에 의하면 헬기 조종사들은 일자리를 제일 먼저 잃는 직군이 될 것이다. 헬기는 탑승객들을 태우지 않기 때문에 책임 및 손실 보상이 적기 때문이다. [153] 공장에서 로봇들이 그랬던 것처럼 드론의 자동화 기술은 조종사들의 일자리를 대체하거나, 적어도 지상의 드론 오퍼레이터들이 늘어나며 조종사들을 대체할 것이다. 이 경우 미래에는 드론으로 지역 상공이 굉장히 혼잡해질 수 있다. 중간 크기 이상의 드론은 모니터링 기관이 24시간 관리할 수 있지만 작은 드론은 그렇게 관리하고 추적하기에는 너무 많기 때문이다.

드론은 인간 사이에서 일하는 새로운 유형의 비용 절감용 직원으로, 한때는 실제 사람들이 해왔던 일들을 수행한다. 드론은 대체될 일자리를 둘러싼 불확실성을 부각시키면서 4차 산업혁명 시대에 우리 사회가 풀어야 할 일자리 문제를 단편적으로 드러낸다. 매터넷Matternet의 CEO인 안드레

아스 랩토풀로스Andreas Raptopoulos와 같은 드론 산업의 개척자들은 드론은 거대한 변화를 만들 것이며 이에 관련하여 단계별 프로토콜을 만들 필요가 있다고 지적한다. 이런 작업은 다양한 이해관계자들의 참여가 필요하다. 랩토풀로스에 의하면 상업용 드론에게 요구되는 가장 중요한 항목은 공공 안전이다.[154] 이 필수 요건을 충족시키고 사고와 부상, 충돌을 방지하기 위해서는 지방 정부가 항공 교통을 모니터링하고 비상 시 대응에 관여해야 한다. 더 큰 관점에서 보자면 국방 관련 정부 부처들은 드론 생태계와 규제를 발전시키고, 또한 무인 비행 기기들을 추적하는 데 반드시 참여해야 한다. 사이버 보안과 드론 오작동은 실질적인 위험이다. 하이재킹 당한 드론은 범죄에 악용될 수 있다. 이런 범죄 활동에 드론이 악용되는 것을 막고 안전하게 운영하기 위해서는 신뢰할 수 있는 암호기술이 필요하다. 1마일 정도 떨어진 곳에서도 소형 및 중형 드론의 내비게이션 시스템을 무력화할 수 있는 전파 방해 기술이 개발되어 있는 상황이다.[155] 전파 방해 기술은 드론으로 혼란스러워진 하늘을 관리하려는 공항 보안팀은 환영할 만한 기술이지만, 배달을 방해받을 수 있는 물류 회사들에게는 악몽이 될 것이다.

도시화, 전자 상거래, 온디맨드 서비스는 트래픽 모니터링과 관리, 인프라 촬영, 비디오그래피에 대한 지방 정부의 니즈와 더불어 드론의 개발을 이끄는 요인이다. 드론 크기는 다양한데, 국제민간항공국International Civil Aviation Authority의 규제를 받는 대형 수송용 드론도 있고 개인들이 조종하는 작은 드론도 있다. 군대는 훈련받은 조종사들이 조종하는 대형의 장거리 드론을 사용하지만, 일부 상업용 드론의 무게는 몇 킬로그램밖에 나가지 않으며 활동 범위도 제한적이다. 드론의 편익을 누리기 위해서는 몇 가지 과제를 우선 해결해야 하는데, 그중 하나는 관제공역과 비관제공역에서 무인 항공기를 위한 항공 교통 관리를 하는 것이다. NASA는 지난 수년 동안 무인 항공기 교통 관제 시스템 개발에 힘써왔다.[156] 구글과 아마존 등의 글로벌 기업들 역시 이와 관련하여 입장을 표명하고 있다.[157] 이런 규제는 하늘을 인간과 공유하는 측면과 함께 이후 인간을 수송하는 드론 여객기의 기술 발전에도 필요하다. 사생활 보호, 촬영 허용, 안전, 소음, 빛 공해에 대해서도 정책적인 접근이 필요하며 이런 문제들은 반드시 해결되어야 한다. 이와 관련하여 깊은 고민이 없으면 관련 기업들은 대중의 외면을 받을 것이다.

드론 서비스의 다양화에 가장 문제가 되는 것은 최종 과정 단계의 솔루션이다. 대중의 인식을 고취시키고 기술에 대한 규제를 관리하기 위해 드론 생산업체들은 사회적 이해관계자들이 무인 항공기의 가치를 느끼는 규모 내에서 시장화를 노리고 있다. 이를 위해 드론을 특정 지역이나 비상 상황에만 사용할 수 있게 하거나 프리미엄 서비스 제공 차원에서만 사용하게끔 제약을 둠으로써 기업과 지방 정부, 지역민들이 큰 충격 없이 충분히 경험을 쌓을 수 있도록 하는 전략을 펴고 있다. 그러나 랩토풀로스에 의하면 머신 비전, 센서, 통신기술이 발전함에 따라 보다 장기적으로 드론은 우리의 공생 파트너가 되어야 한다. 2040년이 되면 클라우드 로봇공학과 인공지능 기술은 서로 협력하여 일하는 드론군(群)을 가능케 할 것이다. 드론끼리 서로 소통하고 학습하며, 자율 수송차처럼 새로운 지형을 익힐 것이다. 실제로 드론으로 가득 찬 세계는 가능성 넘치는 미래를 만들 것이다. 이를 통해 정부, 기업, 소비자에게 분명 많은 이익이 돌아갈 테지만, 그에 따른 대가와 충격도 우리는 반드시 고려해야 한다.

예를 들어 드론은 화물 운반 방식만 바꾸는 것이 아니라 인권이나 무력 분쟁 규제에 대한 입장도 바꾼다. 옥스퍼드 대학교의 국제법 교수인 다포 아칸데Dapo Akande에 의하면, 드론은 외국인이건 내국인이건 국가가 개인을 처형할 수 있다는 논의에 도덕적 영향을 끼친다. 전쟁 지역이건 민간 영역이건 상관없이 기술이 분쟁 개입의 윤리를 흐릿하게 할 수 있다는 것은 의사 결정의 영역에서 기술의 역할이 어떤지를 가늠할 수 있게 해준다. 특히 방위를 근거로 살인의 비용을 낮춤으로써 드론은 국가 주도의 살인이라는 예외적인 행위를 정당화할 수 있다. 이런 예는 전쟁부터 경찰 업무에 이르기까지 다양한 상황에서 볼 수 있다. 이는 확고하게 정립된 교전 규칙과 행위의 책임 소재에 대해 문제를 제기한다. 현재 드론 오퍼레이터들은 이런 난제를 해결하기 위해 드론을 관리·감독하고 있다. 드론이 자동화 무기로서 인간의 도움 없이 이미지 식별 알고리즘만으로 표적을 공격하게 된다면, 윤리적 문제는 더욱 복잡해질 것이다. 하지만 기술만을 들여다봐서는 이런 어려운 윤리적 질문에 대한 해답을 찾지 못한다. 어디까지 허용이 되며, 드론을 사용할 때 어떤 규범을 적용할지를 결정하는 것은 사회와 집단의 가치에 달려 있다. 드론 윤리에 대한 사회적 논의는 사회가 구조적 한계를 설정하고 권한을 발휘할 수 있는 명확한 범위임을 나타낸다.

우리는 이익과 혁신이 다양한 이해관계자들에게 적절하게 전달되는지, 그리고 기업들이 손익 이상의 것을 고려하고 있는지 반드시 질문해야 한다. 중소형 상업용 드론에 있어 대중의 수용성은 핵심적인 요소다. 사회에서 드론의 활용도가 높아짐에 따라 기업들은 드론 기술을 대중에게 잘 설명해야 할 필요가 있다. 기업이 성공하기 위해서는 대중의 입장을 우선순위에 두려는 마음가짐을 보여줘야 하며, 이는 조직 차원의 전략에도 반드시 반영되어야 한다. 랩토풀로스는 "생산자에게는 분명히 도덕적 책임감이 있다"라고 말했다. 드론의 영향으로 혜택을 받거나 고통을 받는 사람들을 먼저 생각하는 것은 기업이 리스크를 줄이는 방법이자, 사회적 이해관계자들의 목소리를 듣고 있다는 것을 보여주는 방법이다.

기술과 인간의 구분은 점점 흐릿해지고 있다.
이는 인간과 닮은 로봇이나
합성 유기체 생산을 의미하는 것이 아니다.
새로운 기술들이 말 그대로
우리의 일부가 될 수 있다는 뜻이다.
이 기술들은 우리의 신체 속에서 작동할 것이며
우리가 세계와 교류하는 방식을 바꿀 것이다.

PART 3

인류의 또 다른 시작 🔍

Altering the Human Being

CHAPTER 11

생명공학

생명공학은 미래를 바꿀 뿐 아니라, 우리 자체도 변화시킬 것이다. 기업들은 이미 박테리아의 유전자를 변형하여 합성수지부터 개인 생활용품까지 모든 것을 생산하고 있으며, 중국 기업은 유전자 가위CRISPR를 암 치료에 사용하기도 했다.**158** '세 부모 아기 시술'이라고도 알려진 미토콘드리아 대체 치료는 몇몇 국가들에서 규제를 논의 중이며, 과학자들은 아프리카에서 말라리아 예방을 위해 모기를 대상으로 유전자 드라이브(특정 유전자를 후세대에 빠르게 퍼지도록 해 전체 개체의 유전자를 바꾸는 기술 − 편집자)를 준비하고 있다.**159** 이는 과학의 현재 모습일 뿐이다. 미래에는 생물학적·사회학적으로 인간이란 무엇인지에 대한 우리의 이해 자체가 변할 수 있다. 새로운 생명공학은 인간의 수명을 늘리고 인간의 물리적, 정신적 건강을 모두 개선해줄 것을 약속한다. 디지털 기술과 생체 조직의 융합 가능성 또한 높아지고 있으며, 이러한 융합이 수십 년 이후 어떠한 미래를 만들지에 대해서는 희망에서 경이와 공포까지 다양한 감정에 휩싸인다. 긍정론자들은 오늘날 우리들이 싸우고 있는

병마로부터 자유로운 지속가능한 세상을 그린다. 반면 비관론자들은 맞춤형 아이와 생명공학의 혜택이 불공평하게 주어지는 디스토피아에 대해 경고한다. 이러한 상반된 견해들 속에서 우리는 새로운 생명공학의 사용법과 과학기술의 발전이 가져오는 복잡한 문제들에 대한 논의의 중요성을 절감하게 된다.

| 프로메테우스의 불 |

생명공학은 의료와 농업 분야에서 인간과 자연의 관계를 새롭게 정립할 수 있는 도구와 전략을 제공한다. 지난 20년간의 디지털 기술과 신소재 분야에서의 혁신은 게놈에 대한 이해, 유전공학, 진단학, 약학 분야에서의 발전을 가능하게 해주었다. 생명공학의 힘은 고대 그리스 신화에서 프로메테우스가 신들에게 훔쳐 인간에게 선물한 불과 같은 인류의 문명적 진보로 묘사되기도 한다. 일부는 생명공학이 자유민주주의가 토대로 삼고 있는 인간의 평등성에 대한 가정을 허물 수 있다고 우려한다. 생명공학은 세 가지 측면에서 다른 4차 산업혁명 기술과 획기적으로 다르다. 첫째, 생명공학은 디지털 기술보다 훨씬 더 정서적인 반응을 일으킨다. 특히 유전자 조작이 위험을 자초한다고 믿는 사람들은 생물학적 체계를 바꾸는 기술에 불편함을 갖는다. 이와 같은 반응은 문화마다 다르게 나타난다. 예를 들면 유럽인들은 유전자 변형 작물을 꺼리지만 미국에서는 보편화되었으며, 줄기세포 연구는 미국과 유럽에서 논란의 대상이지만 중국에서는 그렇지 않다. 둘째, 생명공학은 디지털 기술보다 예측 가능성이 낮다. 이는 생명공학이 매우 복잡한 물질대사와 유전자 조절, 신호 체계를 통해 진화하는 유기체를 다루기 때문이다. 유기체의 한 부분에 대한 변화는 모형화하기 어려우며 이를 조작하는 것은 예기치 못한 결과를 낳을 수 있다. 셋째, 생명공학의 발전은 자본 집약적이고 실용화가 어려우며 높은 위험을 수반한다. 생명공학에서는 결국 실패하고 말 아이디어에 수백만 달러가 투자되곤 한다.[160]

하지만 투자는 계속되고 있다. 2015년 생명공학에 대한 벤처 투자는 약 120억 달러에 달했으며, 추가로 50억 달러 이상이 부채 금융과 후속 기업 공개에 투자되었다.[161] 대부분의 투자는 진단학, 치료학, 게놈약학(유전자가 약물에 어떻게 반응하는지에 대한 연구) 분야에 집중되고 있다. 이들은 디지털 기술의 발전에 의존한다. 수십억 달러를 투자하고도 결국에는 소수의 제품만이 의료 시장에서 상용화되었다. 이는 생명공학 분야의 많은 연구가 분산되어 있기 때문인데, 이런 문제를 해결하기 위해 일부 연구자들은 신기술의 입증이 빠르게 이루어지도록 협업과 투명성을 증대하려고 노력하고 있다.

| 건강과 자연에 대한 생명공학의 응용 |

생명공학이 의료와 관련해 혁명적인 변화를 가져올 수 있는 분야 중 하나는 정밀의학이다. 정밀의학을 통해 개별 환자에 대한 맞춤형 치료가 가능해진다(도표21). 게놈, 전사체, 단백질체, 신진대사, 미생균체 등을 포함한 개인의 분자 구성에 대한 포괄적인 데이터가 더욱 풍부해짐에 따라 정밀의학이 발전하고 있다. 정밀의학은 개인의 치료 방법 선택에 도움을 줄 뿐 아니라 빅 데이터와 결합된 머신 러닝이 발전하면 실용적인 분야에서 많이 활용될 수 있다. 진단 검사를 통해 수백 기가바이트의 데이터가 생산될 것이며, 머신 러닝으로 문제를 식별하는 데 필요한 데이터를 추출하고 환자가 치료에 어떠한 반응을 갖게 될지 예상하는 능력이 향상될 수 있다.

정밀의학은 암 치료에 가장 많이 사용되지만 낭포성 섬유증, 천식, 단일 유전자 형태의 당뇨병, 자가면역 질환, 심혈관 질환, 신경 퇴행 등 다른 질병 치료에서도 효과를 보았다. 그러나 아직까지 환자의 전반적인 건강 상태를 보여주기 위해 필요한 다수의 데이터를 융합하는 데 많은 비용이 드는 데다 기술력도 제한적이라 정밀의학이 실현되기 어려운 측면이 있다. 미래에 이러한 비용이 낮아지면 방대한 생물학적 데이터로부터 임상에 적용 가능한 관련 지식이 기하급수적으로 증가할 수 있다.

농업은 생명공학이 두 번째로 커다란 잠재력을 갖는 분야다. 향후 50년간 인류를 먹이기 위해서는 인류가 지난 1만 년 동안 생산한 만큼 식량을 생산하여야 한다. '황금 쌀Golden Rice'이 전형적인 예이다. 황금 쌀은 비타민 A 결핍으로 인해 200만 명의 아동이 사망까지 이르게 하는 실명과 발달 장애를 막기 위해 영양을 강화한 쌀이다. 농업 분야에서는 작물 생산을 모니터링하고 예측 가능하게 만들어주는 토양 및 날씨 센서, 드론, 영상 시스템 등 전문적인 도구의 영향을 받을 것이다. 이러한 데이터를 농작물의 유전

도표21 치료 패러다임 변화

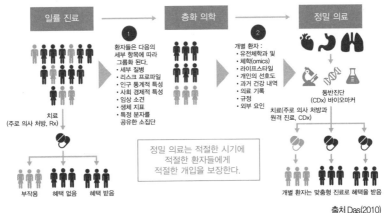

일률 진료 → 층화 의학 → 정밀 의료

① 환자들은 다음의 세부 항목에 따라 그룹화 된다.
• 세부 질병
• 리스크 프로파일
• 인구 통계적 특성
• 사회 경제적 특성
• 임상 소견
• 생체 지표
• 특정 분자를 공유한 소집단

② 개별 환자 :
• 유전체학과 및 체학(omics)
• 라이프스타일
• 개인의 선호도
• 과거 건강 내역
• 의료 기록
• 규정
• 외부 요인

치료
(주로 의사 처방, Rx)

부작용   혜택 없음   혜택 받음

정밀 의료는 적절한 시기에 적절한 환자들에게 적절한 개입을 보장한다.

동반진단
(CDx) 바이오마커

치료(주로 의사 처방과 원격 진료, CDx)

개별 환자는 맞춤형 진료로 혜택을 받음

출처 Das(2010)

자형과 연결한다면 식량의 질과 양, 기능에 대한 전 지구적 수요를 충족하는 작물 관리와 품종 개량이 가능해진다. 그러나 유전자 변형 식품에 대한 규제들에 유전자 변형이 정확하고 효율적이며 안전한 방법으로 작물을 향상시킬 수 있다는 점이 반영될 때에만 글로벌 식량 안보를 확보할 수 있다.

생명공학의 발전이 인체 건강에 영향을 미치는 또 다른 분야는 생체 적합 물질biomaterial이다. 이는 현재 고령화 인구의 유래 없는 증가와 관련 있다. 생명공학은 새로운 생체 적합 물질을 첨단 공학기술과 융합하여 노화에서 오는 전형적인 문제들을 해결하는 데 도움을 줄 수 있다. 가장 흔한 골격계 질환인 골다공증이 좋은 예이다. 생명공학의 혁신을 통해 3D 프린터로 제작한 환자의 뼈 조직 세포를 실험실에서 키워 사용할 수 있다. 이는 생각보다 가까운 미래의 일이다. 과학자들은 적극적으로 관련 연구를 하고 있으며, 사업가들은 이를 현실성 있는 사업으로 만드는 방법을 고민하고 있다.

생명공학의 새로운 물결은 생태계에 대한 피해를 줄여 많은 산업의 지속 가능성을 높일 수 있다. 대규모 정유 공장은 재생 가능한 공급 원료(미생물의 촉진 기능을 활용)를 사용하는 바이오리파이너리(biorefinery, 기존 화석 연료가 아닌 바이오매스를 원료로 제품이나 에너지를 생산하는 기술 – 편집자)로 보완될 수 있다. 대사공학, 인공생물학, 시스템생물학은 완벽하게 융합되어 재생 가능한 비(非)식량 바이오매스로부터 다양한 화학 물질을 생산할 수 있는 미생물 공장을 만들 수 있다.[162] 우리는 친환경적인 생명공학의 발전을 위해 자연적으로 발생하는 다양성을 활용하는 방안들을 계속 개발할 것이다. 예를 들어 담수가 희소한 환경에서는 해수를 통한 미생물 발효를 위해 삼투압이 높은 환경에서 자생하는 할로모나스 박테리아를 사용할 수 있다. 다양한 종류의 스마트 세포 공장을 만드는 일은 백신과 치료용 항체 또는 생물학 테러 위협에 대한 해독제를 개선하여 새로운 감염 질병에 대응하도록 해준다. 또한 평범한 사람들도 자기 집에서 바이오 제품을 생산할 수 있게 될 것이다. 바이오플라스틱과 같은 물질을 이러한 방식을 통해 생산할 수 있으며, 이는 바이오제품의 대중화를 가져올 것이다. 끝으로 현대 생물과학은 단순히 온실가스 배출을 감소시키는 데 그치지 않고 이산화탄소의 기능을 재조정하여 생명공학 산업의 원료로 사용할 수 있게 해줄 것이다.[163]

이를 위해서는 전통적인 실험실 연구를 능가하는 예측 양적 모델링 predictive quantitative modelling 같은 연구 기술이 필요하다. 생물 시스템은 다른 기술 영역에서 찾아보기 힘든 수준의 복잡성을 가지고 있어 생명공학 시스템의 최적화에 큰 어려움을 겪고 있다. 일부분의 변화가 다른 부분에서 예측하지 못한 회귀적 변화를 일으킬 수 있다. 생체 분자 네트워크와 세포생리학의 시뮬레이션이 가능토록 하는 양적 모델링의 발전은 생명공학자들이 시스템 성능을 세포 간 조직의 부분들과 연결할 수 있도록 도와준다. 예측 플랫폼이 컴퓨터 능력의 향상과 빅 데이터 혁명과 결합되면서 인공 생체 시스템 설계, 시제품화, 상용화를 위한 중요한 뼈대를 제공할 수 있다. 궁극적으로 생명공학과 양적 모델링의 수렴을 통해 생명공학이 다른 공학 분야와 마찬가지로 설계－구축－시험 주기에 따라 단단하고 신뢰할 수 있는 기술적 솔루션을 구축할 수 있다.

분자생물학·소재공학·계산과학적 접근, 예측 수학 모델링의 수렴은 우리 사회와 산업 전반, 그리고 글로벌 환경에 영향을 준다. 우리 손끝에 이런 잠재력이 달려 있지만 생명공학의 복잡한 미래로 나아감에 있어 우리의 행동이 가져올 결과에 대해 신중히 고민해보아야 한다.

| 생명공학의 규제 |

생명공학의 파급력을 고려하였을 때 많은 이들이 생명공학이 예기치 못한 사회, 환경 문제의 근원이 될 것이라고 우려하고 있다. 특히 생물 영역에 개입하고 이를 통제할 수 있는 인간의 능력이 확장되는 것에 대한 우려가 크다. 윤리 규범을 바탕으로 세운 효과적이고 정당한 거버넌스 체제는 생명공학의 발전이 수반하는 이러한 위험을 경감하면서 그 혜택은 누릴 수 있는 방안을 제공한다.

생명공학에 대한 거버넌스는 반드시 보편적인 인본주의 가치에 기반을 두어야 한다. 미래에 생명공학의 결과는 복잡한 우리 삶의 일부가 되고 말그대로 국경을 초월할 것이다. 생명공학 거버넌스의 지역적 차이가 무역 장애나 사회적 불평등의 영구화로 이어질 수 있다. 그러므로 우리는 각 국가의 고유한 역사·경제·사회·문화 체계와 윤리 규범, 가치 등을 존중하면서 포괄적인 글로벌 거버넌스 원칙을 세워야 한다. 이를 위해서는 공통으로 널리 받아들여지는 가치를 모색하고, 세계인권선언이나 UN 지속가능발전목표와 같이 기존 거버넌스 규범들을 바탕으로 원칙을 만들어야 한다. 또한, 비례성, 연대, 정의의 원칙에 입각하여 공통의 가치를 지역별 특성과 타협하는 일도 필요하다.

거버넌스 체제는 타당한 과학적 증거에 기반을 두어야 하고 투명하고 책임 있는 방식으로 운영되어야 한다. 그러한 방식은 특정 기술이 아닌 그로부터 야기된 생물적 변화가 가져오는 결과에 대한 규제를 포함할 수 있다. 규제가 효과적이기 위해서는 생명공학의 수단과 방법을 모두 고려하여야 한다.

거버넌스는 모든 당사자 간의 대화를 촉진하여 대중의 신뢰를 쌓는 방식으로 운영해야 한다. 지난 20년간 과학에 대한 신뢰가 위협받고 있는데, 고소득 국가에서도 예외는 아니다. 생명공학의 혁신이 사회에 긍정적인 방향으로 발전하기 위해서는 당사자들과 일반 대중 모두의 지지와 신임을 얻어야 한다. 상호 이해의 증진을 위해 모든 이해관계자들 사이에 대화가 이루어져야 하며, 이를 통해 규제 당국, 비정부기구, 전문가, 과학자 사이에 신뢰의 문화를 구축할 수 있다. 사회, 개인, 문화에 영향을 주는 생명공학이 민주적으로 발전하도록 일반 대중도 고려해야 한다. 이해관계자 간 소통은 이익과 위험에 대해 객관적으로 판단하면서 사실, 감정, 가치에 대한 헌신도 함께 고려하여야 한다. 이런 논의의 결과를 수용해 정책을 수립해야만 공평하고 투명하면서도 안정적으로 목표를 달성하고 개인과 공동체의 이익을 증진할 수 있다.

다음과 같은 의문에 대해 모든 당사자들의 논의와 집단 거버넌스가 필요하다.

- 생명공학을 개발하고 사용할 때 대중을 포함한 모든 이해관계자의 신뢰를 구축하고, 이를 통해 기업과 규제 당국이 진실하고 효과적으로 소통할 수 있도록 책임을 부여한다.
- 생명공학 연구 및 응용을 이끌 수 있는 윤리 체제를 규정해, 생명공학이 민주주의, 개인의 기회, 평등, 분배 등 여러 이슈에 대해 어떤 잠재적 영향력을 갖고 있는지, 그리고 생명공학에 어떠한 제재가 필요한지에 대해 폭넓은 논의가 요구된다.

- 신규 생명공학 기술이 성숙하여 상용화될 때 인가가 가능하도록 초기에 신속하고 유연한 규제를 적용해야 한다.
- 혁신과 상용화의 혜택이 모든 사람들에게 돌아가도록 장기적인 자금 조달 거버넌스를 주도해야 한다.
- 공동체가 생명공학 기술의 사용에 따른 편익과 위험을 분석하고, 언제 어떻게 이러한 기술들을 사용하고 어떻게 혜택을 분배할지 등에 대해 결정할 수 있는 방안을 제공할 필요가 있다.

생명 설계

생명공학 미래에 대한 세계경제포럼 글로벌포럼위원회

지난 수십 년간 생명공학은 복잡성과 영향력 측면에서 상당한 발전을 이루었다. 유전자 배열, 합성, 편집 기법의 발전 덕택에 세포 또는 유기체의 다층적 유전자 변형 기술(돌연변이 또는 수정)이 빠르게 발전하였다. 다시 말해 생명공학의 기술력과 생명공학이 해결하고자 하는 문제의 범위가 유례없이 광범위해지고 있고 동시에 지속적으로 팽창하고 있다. 이러한 유전자 변형은 이미 농작물과 동물(인간을 제외)을 대상으로 이루어지고 있으며, 인간의 유전자 변형은 배아와 제한적인 수의 유전자 치료 실험에만 실험적으로 행해지는 중이다. 향후 응용 범위는 환경, 농업, 헬스케어 등 매우 넓다.

복잡한 인공 생명 체계를 형성하는 능력은 계산공학적 접근법을 통해 목표하는 유전자를 변형시키는 능력으로 인해 크게 신장하였다. 이는 의도적 설계에 의해 생명을 변형시키는 힘이다. 미생물 세포를 변형하여 화학 화합물을 만드는 것을 예로 들면, 우리는 단순히 음료수를 만들기 위해 효모를 발효시키거나 미생물 발효로 유기산 또는 항생제를 만드는 것을 넘어 미생물 자체를 화학 공장으로 탈바꿈시켜 화합물을 생산할 수 있게 되었다. 사람의 인슐린은 이러한 박테리아와 효모를 통해 무한정 생산될 수 있다. 새로운 대사 경로를 설계하고, 그 결과를 예측할 수 있도록 도와주는 계산공학적 접근 방법으로 인해 대사공학과 합성생물학의 새로운 시대에 접어들었다. 우리는 이제 단순히 체내 합성 회로를 만들어낼 수 있을 뿐 아니라 그 결과물까지 통제할 수 있다.

우수한 공학 법칙과 생물이 갖고 있는 본질적인 능력을 결합하는 계산공학적 접근은 인공 유기체 설계 기술을 완전히 바꿔놓을 것이다. 화학물질 생산을 위한 미생물 세포의 변형을 예로 들었지만 유사한 기술이 농작물이나 줄기세포 등 다양한 생물 체계에 적용될 수 있다. 현대 농업은 원하는 표현형을 만들어내기 위한 품종 개량의 결과로 발전하였다. 식물 유전자공학 기술의 발전과 가용 가능한 유전자 부분의 증대로 보다 정교한 유전자 변형이 가능해졌다. 이는 영양소가 풍부하면서 가뭄, 고온, 전염병 및 다른 유해한 환경에 대한 저항성을 지닌 작물 개량을 촉진하는 유전자형-표현형 간의 관계에 대한 이해를 바탕으로 하고 있다. 마찬가지로 줄기세포를 정교하게 변형하여 인공 장기의 분화에 응용할 수 있으며, 이는 재생 의료에 이상적인 플랫폼을 제공할 것이다. 전분화형 다능성 줄기세포는 삼배엽의 모든 세포로 분화될 수 있어 조직 재생 의료, 약물 스크리닝, 질병 치료에 있어 가장 촉망받는 자원이다.

생명 설계는 매우 전도유망하다. 그러나 이는 윤리적 문제를 수반한다. 가장 중요한 윤리적 문제는 생명 설계의 정당성과 동기에 대한 비판적 질문이다. 이와 관련된 연구를 추진하기 전에 그 동기와 목적, 그리고 다른 방식을 통해 동일한 목표를 달성할 수 없는지에 대해 우선 고민할 필요가 있다. 대부분 다음 두 가지 이유로 생명 설계의 혜택을 정당화한다. 첫째는 위에 설명한 생명 설계의 응용 가능성이다. 둘째, 관련 연구가 근본적인 생물학적 지식에 기여한다는 것이다. 그러나 생명공학처럼 무한대로 확장될 수 있는 가능성을 가진 기술의 윤리적 측면과 거버넌스를 고려할 때에는 동 기술이 응용될 수 있는 미래 시나리오에 대해 폭넓고 창의적으로 생각할 필요가 있다. 또한, 긍정적인 측면과 부정적인 측면을 모두 아우르는 윤리적 개념을 도출하는 것이 중요하다.

생명 설계의 근본적인 정당성에 대한 고려와 미래 응용 분야에 대한 창의적이고 비판적인 사고는 보다 쉽게 확인할 수 있는 윤리적 문제와도 관련이 있다. 여기에는 생명 안전과 생물 보안성 측면의 윤리적 중요성도 포함된다. 이익과 해악 모두의 가능성을 갖는 기술, 생명 설계의 결과로 인한 혜택의 공정하고 공평한 배분(혜택 공유 포함), 인간과 같이 복잡한 유기체의 생식 세포 계열 변화가 초래하는 문제 등이 이에 해당할 수 있다.

생명 설계에 대한 거버넌스 체제는 과학과 윤리 모두를 반영하여야 하며, 규제를 위한 규제는 주의하여야 한다. 신기술이 기존 규제의 허점을 만드는지, 혹은 기존 거버넌스 체제가 신기술에 적용될 수 있는지에 대해 생각해보아야 한다. 이제까진 생명 설계 분야에 있어 거버넌스 체제는 규제의 허점을 막는 방식으로 이루어졌고, 최적의 거버넌스 메커니즘이 무엇이며 관련 연구와 시장의 글로벌화 시대에 어떻게 규제가 이행되어야 하는지 등에 대한 더욱 핵심적인 문제는 남아 있다. 특출나게 우수한 단일의 거버넌스 방식은 아직 존재하지 않으며, 안전이 확보된 기술만을 허용하는 예방적 접근법 등에 대한 논의만 계속되고 있다.

1. 생명공학은 4차 산업혁명의 다른 디지털 기술과 비교하여 세 가지 측면에서 중요한 차이점을 보인다. 첫째, 생명공학은 사람들의 정서적인 반응을 자극한다. 둘째, 유기체를 다루기 때문에 불확실성이 높다. 셋째, 자본과 규제 집약적인 분야로서 장기 투자를 요구한다. 또한 깊은 문화적 차이는 다양한 생명공학 기술의 수용과 사용에 영향을 미치고 과학 연구의 허용 가능성에도 영향을 준다.

2. 생명공학은 정밀 의료, 농업, 바이오소재 등을 통해 사회를 변화시킬 수 있다. 바이오소재 생산은 의료 및 식품 등 관련 산업에 영향을 줄 뿐만 아니라, 미생물 유전자 변형을 통해 화학물질 및 커스텀 소재를 생산하는 모든 산업에 영향을 준다.

3. 새로운 생명공학 기술은 높은 연산 능력을 요구하기 때문에 모델링 결과에 도움을 주는 머신 러닝, 데이터의 증가, 관련 플랫폼 등 관련 기술 발전의 혜택을 본다. 생명공학과 디지털 기술의 수렴은 인체 강화에 대한 잠재력과 생명과 디지털 간의 상호 운용성 등에 대해 많은 희망과 우려를 낳고 있다.

4. 분자생물학, 소재공학, 계산공학, 예측수학 모델링의 융합은 사회, 산업, 환경에 영향을 준다. 규제 당국은 과학의 자유부터 인권까지 다양한 이슈를 고려하여야 한다. 생명공학에 대한 거버넌스는 보편적이고 인본주의적 가치에 보다 유용하게 기반할 수 있으며, 타당한 과학적 증거를 바탕으로 투명하고 신뢰할 수 있는 방식으로 운영되어야 한다.

5. 생명공학에 관한 거버넌스는 문화 규범의 존중, 윤리적 기준의 준수, 잠재적인 생물학적 위험의 경감, 이해관계자 간 대화 및 신뢰 구축, 평등과 정의 문제에 대한 영향 관리, 유연한 규제 방안 제정 등을 포함한다.

CHAPTER 12

신경기술

2030년 스크린의 팝업창이 당신의 주의를 끈다. '당신의 집중도가 낮습니다'. 당신은 잠시 스크린을 멍하게 쳐다보고 있었다는 것을 깨닫는다. 하품을 참으며, 당신의 뇌파와 정신 상태를 실시간 분석·모니터링을 한 결과 링크를 클릭한다. 시스템은 당신에게 수면을 권장하지만 당신은 아직 할 일이 많이 남아 있다. 새벽 3시까지 버티기 위해 항정신성 의약품을 더 먹을 것인가? 화학 강화제에 대한 과다 의존은 해롭다고는 하지만 당신은 이미 알츠하이머와 파킨슨병에 대한 모니터링을 받고 있고, 아직까지 문제가 발견된 적은 없다.

신경기술이란 인간의 뇌에 대한 깊은 통찰력을 제공하는 다양한 기술을 망라하며, 이를 통해 우리는 정보를 추출하고, 감각을 확대하며, 행동을 변화시키고, 세계와 소통할 수 있게 된다. 공상과학소설 같은 이야기이지만 사실이다. 신경과학은 병원과 연구실로부터 서서히 벗어나 우리 일상의 일부가 되고 있다. 신경기술은 급속도로 발전하고 있다. 신경기술은 4차 산업혁명에서 완전히 새로운 가치 체계를 만들 수 있는 기회를 제공하지만 동시에 중대한 위험과 거버넌스에 대한 우려 역시 낳고 있다.

| 신경기술은 무엇이며 왜 중요한가? |

신경기술은 우리가 의식과 생각을 더욱 잘 조절할 수 있게 해주며, 뇌의 다양한 활동을 이해하는 데 도움을 준다. 여기에는 새로운 화학물질을 이용해 우리의 생각을 세밀하게 해독하는 것과 뇌의 오류를 바로잡거나 개선하는 것도 포함된다. 이처럼 신경기술을 통해 우리는 세상과 소통하는 새로운 방식을 찾고 우리의 감각을 확장하는 기회를 얻는다.

복잡한 인간의 뇌는 매우 흥미로운 영역이다. 두개골은 약 1.4킬로그램의 세포를 품고 있으며, 800억 개 이상의 신경들이 100조 가지가 넘는 방식으로 연결되어 있다. 74억 명의 인류가 서로를 안다고 하여도 이들 간의 사회적 관계를 이해하는 것이 인간의 뇌의 패턴을 이해하는 것보다는 간단할 것이다.

수천 년 동안 인간은 의식과 경험의 주된 원천이 뇌라는 사실을 입증하기 오래전부터 뇌내 화학물질 변화를 통해 자신들의 행동에 영향을 주는 법을 알았다.**164** 음주, 코카 잎 씹기, 흡연, 환각버섯 섭취 등은 종교적 이유나 유흥 목적으로 인간이 어떻게 자신들의 사고 과정 또는 행동에 영향을 주었는지 보여주는 좋은 예이다.

이러한 물질들의 사용은 논란이 되어왔다. 심지어 커피와 같은 양호한 물질들도 등장한 초기에는 수 차례 금지되곤 했다.**165** 두개골 절개, 철학, 심리학, 뇌 스캔까지 인류는 뇌를 이해하기 위해 다양한 방법을 시도해왔다. 하지만 이제 신기술은 뇌 속의 화학 및 전자 신호를 측량, 분석, 독해,

시각화해준다. 이는 경제적 기회를 제공하고 의료 혁명을 가능하게 하는 한편, 광대한 범위의 윤리, 사회적 문제 역시 야기할 것이다.

신경기술은 다음 세 가지 측면에서 중요하다. 첫째, 뇌를 읽고 영향을 주는 능력은 가치 창출을 위한 새로운 산업과 체계를 이끌 것이며 이는 깊은 사회·정치·경제적 함의를 갖는다. 챕터 11에서 다룬 생명공학과 마찬가지로 결점을 개선하고 기능을 향상시키는 능력은 신경기술과 관련된 서비스를 거래할 능력을 가진 부유층에게 매우 큰 이익을 가져다줄 것이다. 이와 동시에 인간 내면 깊숙한 곳까지 읽어내고 영향을 끼칠 수 있는 힘은 알고리즘과 데이터 수집이 일상화된 세상에서 심각한 골칫거리이다. SNS 게시물을 작성하는 데 드는 시간을 아끼기 위해 생각만으로 게시물을 작성할 수 있도록 자신의 생각에 접근할 수 있게 하는 것이 미래의 유망한 사업 모델이 될 수 있을까?[166]

둘째, 신경기술은 새로운 형태의 인지 컴퓨팅과 머신 러닝 알고리즘의 발전을 통해 다른 4차 산업혁명 분야의 혁신을 유발한다. 신경기술을 이용해 뇌의 비밀을 밝혀낼수록 뇌와 상호작용하거나 뇌의 기능을 복제하는 기술도 발전시킨다.

셋째, 뇌는 사람을 사람답게 만드는 데에 있어 핵심적인 역할을 한다. 뇌는 우리가 세상을 인지하고 이해하며 배우고, 상상하고 꿈꾸도록 해주며 사람과 사람 간의 교류를 가능하게 한다. 뇌에 보다 정교하게 영향을 줄 수 있다면, 우리의 자각, 경험, 심지어 현실의 의미까지 바꿔놓을지도 모른다. 뇌과학은 인간이라는 시스템의 운영에 영향을 줌으로써 인간이 자연적 진화를 초월할 수 있도록 한다.

신경기술은 어떻게 사용되는가?

이 책에서 다루는 다른 모든 기술과 마찬가지로 신경기술도 연산 능력의 급속한 발전, 소형화·고도화된 저비용 센서의 발전, 방대한 데이터에서 패턴을 분석할 수 있는 머신 러닝 등을 바탕으로 발전해왔다. 뇌는 화학 작용에 의한 전자신호로 작동한다. 이러한 신호들은 측정될 수 있으며, 따라서 화학 작용이나 전자신호를 조정하여 원하는 신호를 복제하거나 원치 않는 신호를 방지한다. 전극 기술을 통해 단일 세포의 활동을 기록하거나 이를 작동하도록 자극을 주기도 한다. 기능적 자기 공명 기록법을 이용하면 각기 다른 상황에서 어떤 뇌의 영역이 활성화되는지 연구할 수 있다.

많은 연구자들이 이러한 기술적 발전을 토대로 지난 10년간 놀라운 성과를 거두었다. 미국의 방위고등연구계획국 생명공학실Defense Advanced Research Projects Agency Biological Technologies Office에서 2014~2016년에 근무한 제프리 링Geoffrey Ling은 "우리는 몇 년 내에 지난 2008년 원숭이가 뇌파만으로 로봇 팔을 움직였던 실험을 인류 역사에 있어 중대한 전환점으로 평가하게 될 것이다"라고 주장하였다.[167]

임페리얼 칼리지 런던의 알도 파이잘 연구소Aldo Faisal Lab는 머신 러닝과 시선 추적 기술을 뇌파의 대체물로 활용하여 뇌의 행동 의도를 정확히 판단해냈다. 이러한 접근법은 두뇌-기계 인터페이스의 비용을 낮추고, 사지마비 환자가 생각만으로 휠체어나 로봇식 팔다리를 움직일 수 있게 한다.[168] 또 다른 연구들은 조현병, 감정 장애, 알츠하이머와 같이 신경 질병에 대한 이해도를 높이고 있다.

뇌전도 측정 장치들은 뇌파를 읽고 때로는 뇌에 영향을 주는 신호를 발신할 수 있다. 이러한 장치들은 더 이상 실험실 장비가 아니며 웨어러블 제품으로 판매된다.[169] 다른 제품들은 소리와 광선 요법으로 두뇌에 간접적으로 영향을 준다고 홍보한다. 관련하여 유망한 기술로는 집속 초음파focused ultrasound를 통한 비침습적인 조직 검사 또는 치료, 그리고 광선을 통해 뇌세포의 유전자 변형을 야기하는 광유전학 기술 등이 있다.

화학적 접근법으로는 뇌의 기능을 다양한 방식으로 향상시키기 위해 개발된 여러 종류의 물질과 향정신성 의약품이 있다. 모다피닐modafinil과 애데럴adderall과 같은 약품들은 각성 향상과 인지력 제고라는 본래 기능과 목적을 넘어 다른 목적으로도 사용되고 있다. 이러한 약품의 사용은 각성과 시각적 주의를 강화하는 카페인의 일반적인 용도가 확장된 것이라고 할 수 있다.

뇌 활동을 측정하는 기술이 발전하면서 질병 치료 또는 뇌 기능 향상을 위한 약물 실험에도 큰 도움이 되고 있다. 현재 뇌 질환 치료 약물의 65퍼센트가 임상 실험 3단계에서 실패하는데, 이러한 약물들을 처방하는 정신과 의사들은 약물의 효능을 확인하거나 환자 간 비교를 할 수 없다.

싱가포르 국립대의 신경기술연구소장인 니티시 타코르Nitish Thakor는 특정 신경기술은 뇌뿐 아니라 척수와 신경 말단 치료에도 응용 가능하다고 주장한다. 신경 조정neural modulation 또는 신경 자극은 팔다리의 기능 회복뿐 아니라 주요 장기(폐, 방광, 심장)의 기능 회복에도 적용할 수 있다.[170]

신경기술은 수천 년간 진화해온 감각을 넘어서는 인간도 만들어낼 수 있다. 제프리 링은 수년 안에 인간이 적외선 시각을 가질 수 있으며, 꿈과 기억을 녹화하거나 재생할 수 있고, 서로 다른 장치에서 재생되는 여러 영상들을 동시에 이해하며, 팔다리와 자동화 기계를 동시에 통제할 수 있다고 한다. 이러한 능력들은 생각보다 실현 가능성이 높다. 공학자이자 발명가인 엘론 머스크Elon Musk가 최근 뇌-컴퓨터 인터페이스 개발 회사에 투자

하면서 '생물학적 지능과 디지털 지능의 결합'을 예견한 바 있다. **171**

| 신경기술은 어떤 변화를 가져올 것인가? |

신경기술은 인간의 신경 조건과 물리적 장애를 개선하고, 인간 강화 human enhancement 산업의 발전을 촉진할 기회를 제공한다. 수천만 명이 뇌 질환으로 고통 받고 있으며 여기에 따른 경제적 비용은 연 2조 5,000억 달러에 이른다고 한다. **172** 심지어 이 비용은 해로운 정신 건강이 야기하는 인적·사회적 비용을 포함하지 않은 것이다. 더욱 높은 수준으로 뇌를 이해함으로써 뇌 질환들을 진단·치료·예방하는 과정을 획기적으로 바꿀 수 있다. 1만 개 이상의 신경기술과 관련된 지식재산권을 분석한 샤프브레인스 SharpBrain's에 따르면 가까운 시일에 우리는 인공 달팽이관을 이식하여 청각을 회복하고, 외골격을 통해 하반신 장애자가 다시 걷게 되며, 수면 패턴을 보다 자세히 분석할 수 있을 것이다. 뉴로테크 리포트에 따르면 현재 신경기술 관련 사업의 규모가 1,500억 달러에 이르며 10퍼센트 가까운 성장률을 보이고 있다. **173**

집속초음파수술재단Focused Ultrasound Foundation을 창립한 닐 카셀Neal Kassel 이사장은 막 개발되거나 앞으로 개발될 신경기술들을 이용하여 뇌 구조와 기능을 실시간으로 읽을 수 있는 웨어러블 스캐너와 뇌 기능을 조절하거나 신경세포를 비침습적으로 회복시킬 수 있는 방법들을 설명했다. **174** 이러한 기술 혁신들은 알츠하이머나 파킨슨병에서부터 우울증, 뇌전증, 신경에 의한 통증까지 다양한 신경 질환의 진단·치료·재활에 도움을 줄 것이다.

신경기술이 인간의 두뇌 능력을 강화시켜 생산성이 증대된다면 더욱 큰 경제적 파장이 일어날 수 있다. 교육 훈련 시스템 역시 뇌에 대한 이해의 심화와 맞춤형 교육의 융합을 통해 발전할 수 있다. 또한, 고령화 사회에 진입한 선진국에서는 고령층의 생산 활동 기간을 연장하여 그들의 삶의 질을 개선할 수 있다.

각국 정부들은 신경기술 분야를 선점하는 잠재적 이점을 잘 알고 있으며, 관련 연구에 대대적으로 투자하고 있다. 예를 들어, 2013년에 미국은 야심찬 브레인BRAIN 프로젝트를 가동하였으며, 유럽연합 집행위원회는 유럽 차원의 인간 뇌 프로젝트Human Brain Project를 시작하였다. 2014년 일본이 뇌/마인드Brain/MINDS 프로젝트를 도입하고, 2017년에는 중국 정부가 뒤따라 중국 뇌 프로젝트China Brain Project를 개시하였다.[175] 신경기술에 대한 투자와 선도적인 연구는 대부분 군사 기관이 해왔다. 이들은 신경기술을 방어적 맥락에서 연구하고, 제대 군인의 외상 후 스트레스 장애 치료를 위한 것이라고 설명한다. 뇌 연구는 전장의 최전선에 있다고 할 수 있다.

그러나 우주기술과 같은 다른 4차 산업혁명 분야에 비해 신경기술의 상용화는 더디게 이루어지고 있다. 2016년 10월 세계경제포럼 뇌 연구 글로벌 어젠다 위원회Global Agenda Council on Brain Research는 뇌 건강의 디지털 미래에 대한 보고서를 발표하였다. 보고서는 최근 의료 소비의 추세는 환자들로 하여금 자신의 건강과 행복에 대한 지배권을 갖도록 하는 것이라고 설명했다. 시장에서 이러한 추세는 강화되고 신경기술을 통해 얻는 효과에도 영향을 미치겠지만, 누가 어떻게 이러한 효과를 얻을지에 대한 의문은 여전하다.[176]

이러한 효과를 달성하기 위해서는 보다 높은 학제 간 협업이 필요하다. 신경기술은 수학자, 공학자, 사회과학자, 디자이너, 물리학자, 뇌과학자 등을 필요로 한다. 홍콩 과학기술대 생명대학의 모닝사이드 교수 겸 과학학

부 학과장인 낸시 입Nancy Ip은 "학제 간 칸막이를 없애는 것이 가장 큰 도전 과제이다. 성공적인 협업을 위해 다른 분야로부터 배우려는 의지와 인내, 관용이 필요하다"라고 말했다.**177**

| 신경기술의 거버넌스와 윤리 |

뇌 기능에 대한 이해의 증진은 많은 윤리적 문제를 낳을 것이다. 뇌 측정 기기가 확산되면서 뇌 기능 관련 데이터 생산에 도움이 되겠지만**178** 이러한 데이터 생산은 심각한 데이터 프라이버시와 지식재산권 문제를 낳는다. 지금은 뇌 스캔 이미지를 신경과학 관련 잡지의 삽화로 사용하고 있지만 이러한 데이터는 곧 환자 진료 기록이나 DNA 정보와 같이 민감한 정보가 될 수 있다.

뇌와 행동 사이의 상호작용에 대한 우리의 이해가 깊어지면서 사법부에서는 인간의 책임에 대한 근본적인 질문을 던지고 있다. 많은 국가의 법원에서 거짓말 탐지기와 같이 인간의 생각을 읽는 도구에 의존하는 것을 꺼린다. 그러나 관련 분야가 점차 발전함에 따라 법 집행 기관과 법원에서 이러한 기술을 사용하여 범죄 행위 가능성을 예측하고 유죄를 판단하며, 심지어 뇌로부터 기억력을 직접 추출하려 할 수 있다.**179** 미래에는 출입국 시에 뇌 스캔을 통해 안보 위협을 판단할 수도 있다.

한편, 소매업계에서는 오프라인과 온라인 상점에서의 맞춤형 고객 경험을 위해 고객의 의사 결정 패턴을 분석하는 뇌 측정 기기를 사용하고 있다. 이는 오늘날 예측을 위한 딥 데이터deep data를 수집하는 추세의 연장선이다. 개인 심리에 대한 이해가 높아지면 회사가 원하는 방향으로 해당 개인이 행동하도록 영향을 주는 전략을 세울 수 있다. 행동에 영향을 주는 다른 모든 기술 체계와 마찬가지로 이는 프라이버시와 보안 문제를 넘어 데이터 보유에 따른 권력 불평등 문제, 영향을 받는 사람들의 책임성과 대리의 문제 등이 심각하게 우려되는 사안이다.

기업들은 신경기술을 통해 입사 지원자들을 검증하고 직원들을 훈련·감독하는 데 사용하는 것을 검토하고 있다. 라디오 주파수를 이용한 신분 추적과 사무실에서의 생체 정보 활용 관련 논란이 있었는데 미래에는 피고용인 뇌에 대한 고용인의 직·간접적인 모니터링이 문제가 될 수도 있다. 마지막으로 건강한 뇌의 기능을 향상시키기 위한 신경기술의 사용에 대한 윤리적 딜레마가 있다. 일부는 자연에 대한 개입을 우려하고 또 한편에서는 사회·경제적 불평등 문제를 제기한다. 만약 모든 사람들이 경제적으로 뇌 기능 향상을 위해 신경기술을 사용할 수 있는 것이 아니라면, 가진 자와 가지지 못한 자의 간극은 더욱 벌어질 것이다.

다른 분야와 마찬가지로 신경기술에서의 혁신은 규제의 속도를 따돌리고 있으며 심지어 이러한 잠재적 문제에 대한 검토보다도 빠르게 발전하고 있다. 신경기술은 4차 산업혁명 기술 중에 가장 미래적인 기술로 보일 수 있지만 미래 기술의 혜택과 함께 고도의 파급 효과를 급속도로 가져올 수 있다. 포용적인 미래를 위해서는 다양한 맥락과 목적을 위한 신경기술의 사용에 대해 공개적인 논의가 시급하다.

신경기술의 시스템적 충격

올리비에 울리에 Olivier Oullier, **이모티브**EMOTIVE**사 회장**

2017년 초 사지마비 환자인 로드리고 후브너 멘데스Rodrigo Hubner Mendes는 머리로 F1 경주를 성공한 첫 번째 드라이버가 되었다.

신경기술 분야에서 뇌-컴퓨터 인터페이스를 통해 대상을 움직이는 것은 이제 흔한 일이 되었다. 후브너 멘데스의 경우가 특별한 이유는 그가 경주용 자동차를 작동하기 위해서 사용한 장치(이모티브 회사의 Epoc 신경 헤드셋)가 온라인에서 몇백 달러면 주문할 수 있는 제품이며, 이미 수만 명이 비디오 게임이나 수면 패턴 모니터링을 위해 일상생활에서 사용하고 있다는 점이다. 얼마 전까지 공상과학소설의 이야기였던 것이 이제는 일상이 되고 있다. 그리고 이는 시작에 불과하다.

전기는 더 나은 촛불을 만들기 위해 발명된 것이 아니라는 말이 있다. 마찬가지로 신경기술은 기존의 기술을 단순히 개선하기 위한 것이 아니다. 신경기술은 인간의 뇌가 물리적·사회적 환경과 어떻게 상호작용하는지에 대한 미증유의 통찰력을 제공할 뿐 아니라 새로운 삶의 방식을 제공한다. 이런 관점에서 신경기술은 다른 어떤 기술보다도 4차 산업혁명을 대표한다고 할 수 있다.

신경기술이 우리의 삶 속으로 들어오면서 공공 기관의 관심을 끌게 되었다. 새로운 기술에 대한 규제를 시도한 흥미로운 예가 있다. 프랑스는 2011년 첫 번째로 신경기술이 우리의 삶에 미치는 영향을 공식적으로 인정하고 이와 관련된 법 조항을 제정하였다. 프랑스 정부는 신경 촬영법의 상업적 사용을 제한하면서 법원에서의 사용은 허용하려 하였다. 흥미롭게도 정부가 자문을 구한 전문가들은 법원에서의 신경기술 사용에 대해서는 공통된 반대 의견을 보이면서 뇌 스캔 기술의 상업적 사용에 대해서는 크게 염려하지 않았다. 하지만 정부는 전문가 의견을 거스르고 법을 제정하였다. 이는 4차 산업혁명 기술에 대한 규제가 갖는 어려움을 잘 보여준다.

혁신과 규제의 속도는 항상 차이가 있었지만 4차 산업혁명의 변화 속도와 파급력은 이러한 혁신과 규제의 부조화를 더욱 극대화하여 아예 새로운 거버넌스 모델을 요구하게 된다.

거버넌스 문제와 함께 신경기술이 연구실에서 벗어나 안전하고 믿을 수 있는 소비 제품으로 만들어지는 과정은 신경기술의 보급을 막는 중대한 장벽으로 작용할 수 있다. 인스코픽스Inscopix의 창립자이자 CEO이며 세계경제포럼 혁신기술자상 수상자인 쿠널 고시Kunal Ghosh는 대학의 연구자들이 반복적으로 아이디어를 개선하도록 하는 인센티브의 부족은 많은 파급력 있는 신경기술들이 연구실에서 시들어가는 것을 의미한다고 주장했다.**180** 신경기술 산업은 생명공학, 우주탐험, 휴대폰 산업의 민간 부문이 이룬 매우 성공적인 상업화와 서비스 지향적인 비즈니스 모델을 참고할 필요가 있다.

1. 신경기술은 뇌가 어떻게 작동하는지를 우리가 이해할 수 있게 도와주고 우리의 의식, 기분, 행동에 영향을 줄 수 있다. 이러한 기술의 발전은 뇌에 영향을 주는 질환과 외상을 치료하고 뇌 기능을 향상시킬 수 있다. 뇌 손상 회복과 기능 향상을 구분하는 것은 논란의 여지가 있는데, 우리기 기술을 어떻게 사용해야 하는지에 대해 생각해볼 필요가 있다.

2. 4차 산업혁명의 신경기술은 새로운 영역의 가치를 창출하고 중요한 사회적 함의를 갖는다. 또한, 피드백 회로를 통해 새로운 계산공학 구조와 소프트웨어 개발에 기여하고 인간의 의미에 대한 우리의 생각을 근본적으로 바꾸어놓을 수 있다.

3. 뇌 활동 측정 능력의 개선은 약물 실험과 소비자의 의사 결정 과정에 대한 이해를 제고한다. 디지털과 생물학적 신호 간 상호작용의 발전으로 척수 손상에 대한 대안 제시, 감각 제공, 팔다리와 장기 기능 제공이 가능해지며, 인공 기관 사용과 관련하여 혁신을 촉진할 수 있다.

4. 뇌와 컴퓨터 간의 상호작용은 반드시 피부를 통하지 않아도 된다. 질병을 진단하고 행동을 강화하는 물질을 입는 방법도 있다. 신경기술을 활용한 맞춤형 학습, 지원자 선별, 생산성 증대, 우울증 치료는 여러 산업 관계자들에게 매력적이다.

5. 신경기술의 복잡성으로 인해 신경기술 관련 제품을 개발하고 상용화하기 위해서는 학제 간 협업이 필요하다. 프라이버시, 지식재산권, 접근 가능성, 사법적 응용 가능성 등 신경기술과 관련된 다양한 윤리적·법적 문제를 해결하기 위해서는 이와 같이 혁신적인 능력이 가져올 잠재적 영향력에 대해 다양한 이해관계자들 간의 논의가 필요하다.

CHAPTER 13

가상현실과 증강현실

공상과학소설에서처럼 사람들은 언제나 과거나 미래로의 여행을 꿈꿔왔다. 시간여행은 아직 불가능하며 영원히 불가능할 수도 있다. 그러나 이미 현실로 다가온 가상현실VR은 곧 시간여행의 적당한 대체제가 될 수 있다. 가상현실을 통해 우리는 나폴레옹전쟁의 전장을 방문하거나 콜럼버스의 발자취를 따라가고 쥐라기의 브라키오사우루스와 티라노사우루스를 만나는 엄청난 경험을 할 수 있다. 가상현실에 비해 몰입도는 낮지만 증강현실AR과 혼합현실MR은 데이터, 정보, 가상 물체를 가지고 현실과 같은 환경을 만들어낸다. 이러한 기술들은 새로운 기술을 배우고, 다른 사람들과 경험을 공유하며, 새로운 형태의 예술과 엔터테인먼트를 만들 수 있는 기회를 제공한다.

가상현실, 증강현실, 혼합현실은 우리가 경험하고 이해하며 세상과 소통하는 방식을 혁신적으로 바꾸면서 상상 속에서만 가능하였던 무한한 세상을 체험할 수 있도록 한다. 그 결과 더 많은 공동체, 협업, 공감이 이루어지고 동시에 더욱 빠르게 협력하고, 기술을 배우며, 새로운 아이디어를 시험할 수 있게 될 것이다. 하지만 같은 기술들이 우리의 세계관을 조종하고 우리의 행동에 영향을 줄 수도 있다. 비판적 사고 없이 사용하게 된다면 문제를 개선하려는 노력보다 현실을 도피하거나 우리가 원치 않는 관계를 회피하도록 유혹할 수 있다.

| 현실 세계를 바꾸다 |

가상현실은 풍부한 멀티센서가 입체적으로 구현된 360도 환경으로 가상현실에 우리가 직접 들어가 체험하고 소통할 수 있다. 전면 가상현실 헤드셋을 착용하면 실제 또는 상상 속의 생생한 영상, 소리, 다른 감각들을 느낄 수 있다.

증강현실과 혼합현실은 사용자의 물리적 환경에 디지털 음향, 영상, 그래픽 층을 첨가하는 투과성 형태의 가상현실이다. 가상현실은 현실 세계를 가상의 세계로 대체하지만, 증강현실과 혼합현실은 현실 세계에 대한 사용자의 인지 능력을 강화한다. 증강현실은 구글 글래스나 마이크로소프트 홀로렌즈와 같이 현실 세계에 대한 시각적 정보를 제공하고 물리적 공간과 대상에 대한 상호작용을 증가시킨다. 비슷한 방식으로 혼합현실은 포켓몬 고와 같이 가상 물체나 캐릭터를 현실 세계에 정교하게 추가하여 완전히 조화를 이루게 한다.

가상현실과 증강현실이 새로운 것은 아니다. 입체적 사진과 파노라마 그림은 인간이 가상의 현실을 체험한 초기의 시도들이었으며, 20세기에 영화, 텔레비전, 컴퓨터 게임이 이를 시도하였다. 가상현실이라는 말은 컴퓨터 공학자인 에번 서덜랜드Evan Sutherland가 1968년 자신이 만든 머리 착용 디스플레이HMD에 처음 사용하였다. 그러나 도시바의 헤드돔 프로젝터

Head Dome Projector와 같은 초기의 시뮬레이션 장비들은 사용이 불편했다. 이러한 장비들은 사용자의 움직임과 영상 간의 시차가 존재해 어지러움을 느끼게 하였다. 그러다 45년간의 디지털 혁명을 통해 최근 하드웨어의 성능을 충분히 개선하고 장비 착용의 편의성이 증대되어 상용화에 성공하게 되었다.

최신 가상현실 기술은 크라우드 소싱과 스마트폰에 사용되는 저렴한 고화질 LCD의 발전으로 가능해졌다. 2012년 9월 1일 팔머 럭키Palmer Luckey는 오큘러스Oculus라는 머리 착용 디스플레이 개발을 위한 크라우드 펀딩을 시작했다. 이 크라우드 펀딩으로 단기간에 원래 목표의 1,000퍼센트에 가까운 240만 달러를 모금하였고, 2년 후 페이스북은 완전하게 새로운 소셜 미디어 경험을 제공하기 위해 이 기업을 20억 달러에 인수·합병하였다. **181**

어째서 서덜랜드의 최초 가상현실 기기에서부터 럭키의 성공까지 50년 이라는 긴 세월이 걸렸을까? 공급 측면에서 보면 가상현실과 증강현실은 3차 산업혁명 기술에 기반을 둔다. 가상현실은 현실 세계를 구성하고 분석하기 위해 높은 연산 처리 능력을 요구하며, 이와 함께 휴대폰의 개발과 함께 가능하게 된 휴대성과 고화질 이미징 기술을 필요로 한다.

디지털 혁명은 공급만큼이나 중요한 수요를 창출하였다. 요즘 세대들은 공상과학소설에서 가능한 이야기는 현실에서도 이루어질 수 있다고 생각한다. 그들은 컴퓨터가 만들어낸 세상에도 익숙하다. 닌텐도가 1985년 처음 비디오 게임을 출시하였을 때, 많은 부모들이 아이들에게 미칠 영향에 대해 걱정하였다. 그러나 그 아이들은 자라나 4차 산업혁명의 기반이 되는 컴퓨터 프로그램, 하드웨어, 네트워크 시스템을 개발하였다. 비디오 게임과 시뮬레이션은 이제 주류가 되었다. 예를 들면 군대에서는 시뮬레이션 게임을 통해 지구 반대편의 드론을 조종하는 드론 파일럿을 양성하고 있다.

가상현실, 증강현실, 혼합현실 기술은 단순히 디지털 환경을 경험하는 새로운 방식이 아니다. 이들은 새로운 가치가 창출되고, 교환되며, 분배될 수 있는 플랫폼이자 시스템이다. 이 기술들은 다양한 4차 산업혁명 기술 중에서도 가장 혁신적이라고 할 수 있다. 왜냐하면 세상을 인지하고 세상과 소통하는 전혀 새로운 방법을 제공하기 때문이다. 그러나 그 몰입의 성격은 다른 디지털 채널보다 인공 현실과 외부 세상, 인간의 직감과 능력 간의 경계를 모호하게 만든다. 가상현실과 증강현실기술은 우리가 인터넷과 디지털 환경과 교감하는 방식을 바꿈으로써 인간이 세상을 경험한다는 것의 의미를 되돌아보게 한다.[182]

또한, 가상현실과 증강현실기술은 흥미로운 경험을 선사한다. 이 기술을 이용하면 사용자는 다른 방, 심지어 다른 대륙에 있는 사람들과 소통할 수 있다. 다른 나라는 물론 우주까지 생생하게 체험할 수 있다. 시각과 청각 외의 다른 감각을 체험하는 것도 이미 가능하다. 촉감 피드백 장치haptic feedback device는 다채로운 감각을 구현한다. 사용자는 다양한 형태의 저항력을 통해 물리적 충격을 감지할 수 있다. 가상현실과 증강현실을 사용할 때 더욱 많은 감정 반응이 나타난다. 신경기술, 나노기술, 인공지능의 발전을 통해 뇌로 가상현실을 조작할 수도 있을 것이다. 피질 접속 장치, 이식 장치 또는 나노봇을 통해 뇌를 가상현실과 연결하는 것은 아직 많은 연구가 필요하다. 하지만 뇌-컴퓨터 인터페이스는 이미 현실 가까이 와있다. 가상현실과 증강현실, 혼합현실과 관련된 외부 장치들은 향후 수년간 괄목할 발전을 이룰 것이며, 궁극적으로 생체 내부에 이식 가능한 습식wet 장비들로 대체될 수 있다.

인터페이스가 전부다

요비 벤자민 Yobie Benjamin, **애비건트**Avegant **공동 창업자**

수십 년간 컴퓨터를 조작하기 위해 사용해온 도구들(마우스, 키보드)은 곧 차세대 장비들로 대체될 것이다. 인터페이스는 당신의 목소리, 눈 깜빡임 같은 현실 그 자체에 반응할 것이다.

증강현실, 가상현실, 가상 레티나 디스플레이VRD, 라이트필드 디스플레이, 홀로그램 컴퓨팅 등이 차세대 컴퓨터 인터페이스다. 이러한 기술들은 쿼티식 키보드, 마우스, 손가락으로 움직이는 휴대폰 화면과 같이 거추장스럽고 제한적인 과거의 인터페이스로부터 진일보한 것이다. 미래에는 사용자 경험과 인터페이스가 당신의 음성, 제스처, 행동, 눈의 움직임에 의해 이루어질 수 있다. 오큘러스, 애비건트 글리프Avegant Glyph, HTC 바이브Vive, 마이크로소프트 홀로렌즈, VNTANA 홀로그램 기술은 흥미로운 몰입·비몰입 사용자 경험을 제공한다. 이러한 기술들은 우리를 실제와 가상의 세상으로 초대하며, 과거에는 상상에만 머물렀던 상호작용을 가능하게 한다. 하지만 불행하게도 현재 장비들은 크기, 무게, 전력 소모량, 설치의 복잡성으로 인해 제약을 갖고 있다.

그러나 그런 문제들은 이제 과거의 일이 될 것이다. 이런 기술들은 어느 때보다 우리 가까이 와 있다. 골드만삭스는 2025년까지 증강현실, 가상현실, 가상 망막 디스플레이Virtual Retinal Display 시장이 850억 달러 규모로 성장할 것이라고 예측했다.[183] 2016년 말까지 총 1,200만 대의 가상현실·VRD 헤드셋이 판매되었다(그중 700만 대는 최고급 사양의 기기이며, 500만 대는 모바일 기반의 저사양 헤드셋). 2017~2018년에는 2016년까지의 판매량의 두 배 이상 판매될 전망이다 (도표22).

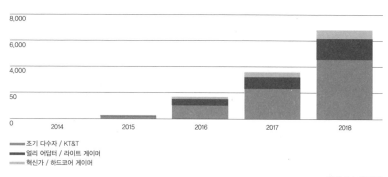

도표22 **전 세계 가상현실 사용자 수 (2014~2018)**

사용자 수(단위: 백만 명)

- ━ 조기 다수자 / KT&T
- ━ 얼리 어답터 / 라이트 게이머
- ━ 혁신가 / 하드코어 게이머

출처 Sebti(2016)

아이들부터 어른까지 가상현실, 증강현실, 혼합현실의 세상에서 더욱 많은 돈과 시간을 쏟아붓게 될 것이다. 4차 산업혁명은 유사 이래 경험하지 못한 속도의 대규모 기술적·상업적·정치적·사회적 파급 효과를 가져온다. 20년 전 할리우드의 공상과학 영화 속의 모습은 오늘날 현실이 되었다. 2002년 〈마이너리티 리포트〉의 홀로그램 컴퓨터 인터페이스는 이미 실현되었다. 〈스타트렉〉의 조르디 라 포지의 머리 착용 디스플레이는 인간과 인공지능, 전 세계 지식 데이터베이스를 연결해주는데, 이는 인터넷이 연결된 웨어러블 기기와 유사하다.

얼리 어답터들은 배송 및 사용 가능한 1세대 기기들을 이미 구입할 수 있다. 더욱 흥미로운 것은 급속한 기술 발전으로 더욱 저렴하고 빠른 프로세서와 심지어 전력 소모도 낮은 하드웨어들이 개발되고 있다는 사실이다. 새로운 프로세서와 하드웨어는 더욱 작고, 가벼우며, 실용적인 컴퓨터-인간 인터페이스 시스템을 가능하게 한다. 이는 일상생활에서 사용할 수 있고, 패션용품처럼 멋진 헤드셋, 선글라스 형태의 더욱 가벼운 머리 착용 디스플레이와 웨어러블 컴퓨터를 의미한다. 여기에 음성인식 기능과 인공지능이 접목된다면 새로운 미래가 열릴 것이다. 현재 우리가 모바일이나 홈 기기의 시리, 왓슨, 알렉사를 친근하게 여기는 것처럼 향후 12개월 내에 음성 인식으로 작동하는 가상현실, 증강현실, 가상 망막 디스플레이, 홀로그램 기기들이 개발될 것이다.

가상현실기술과 증강현실기술을 위한 기반은 이미 마련되어 있다. 이미 우리는 포켓몬 고를 통해 2D 형태의 증강현실을 맛보았다. 학교에서 이와 같은 기술을 실질적인 현장 학습에 활용한다고 생각해보라. 역사 교사들은 학생들을 로마 제국 원로원의 열띤 토론 현장으로 데려갈 수 있으며, 생물 교사들은 학생들에게 생물체 채내 합성 실험을 염색체 안에서 직접 체험하게 할 수 있다. 추상적인 공간을 실제와 같이 만들 수 있다면 교육은 더욱 효과적이게 될 것이며, 학생들은 더욱 실감나게 체험할 수 있다. 우리가 지난 30년간 컴퓨터라고 여겨온 것은 극적인 변화를 맞이할 것이다.

우리가 이제 익숙해질 새로운 컴퓨터와 인터페이스는 키보드 방식의 PC나 구세대 아이폰과는 전혀 다르다. 차세대 컴퓨터와 가상현실, 증강현실 패러다임은 계속해서 더욱 작고, 가볍고, 매력적인 형태로 진화할 것이다. 심지어 우리는 손으로 조작하는 핸드폰의 종말을 목격할 수도 있다. 새로운 인터페이스 기술을 통해 우리는 모두 〈스타 트렉〉의 조르디 라 포지가 되어 서로 연결된 우주의 조타수가 될 수 있다. 주사위는 던져졌다. 포켓몬 고와 스마트폰 스크린 오버레이는 이미 그 가능성을 보여주었다. 증강현실, 가상현실, VRD 판매량은 증가하고 있으며, 휴대가 가능한 모든 기기에는 음성인식과 인공지능이 탑재되어 있다. 결국에는 가상현실과 증강현실의 구분이 사라지고 기기들은 서로 융합되어 다기능화될 것이다. 실제와 가상의 세계를 혼합할 수 있는 강력한 능력은 사람 간의 교류에서부터 공적 공간과 사적 공간의 분류까지 모든 것의 재고를 요구할 것이다.

포드 모델 T가 마차를 도태시켰듯이, 과거의 인터페이스는 우리 예상보다 훨씬 빨리 사라질지 모른다.

무한한 가능성은 가까운 미래에 있다. 예를 들어 일반 교육과 직무 교육 분야에서 증강현실을 이용하면 더 효과적으로 기술을 배울 수 있다. 지리적으로 멀리 있는 전문가와 현지 기술자가 증강현실 기기를 통해 함께 작업을 해낼 수 있도 있다. 가상현실기술을 활용한 온라인 공개 수업MOOC의 경우 가상의 교실에서 각지의 학생들이 함께 배울 수 있다. 역사 수업의 풍경도 바뀐다. 가상현실기술을 이용하면 1955년 미국 앨라배마에서 로사 파크 여사와 함께 인종차별 반대 운동에 참여할 수도 있다.

또한 가상현실은 사람들이 시사 문제에 더욱 관심을 갖도록 만들 수 있다. 2016년 〈뉴욕 타임스〉는 이라크군의 시점에서 테러 집단 ISIS로부터 시리아의 팔루자를 탈환하는 체험을 할 수 있는 '팔루자 전투' 가상현실 비디오를 제작하였다. 스코픽 가상현실 스튜디오의 수상작인 〈난민Refugees〉은 전쟁의 참화를 겪은 시리아에서부터 불투명한 미래를 위해 유럽으로 가는 여정을 체험하게 해준다. 또한 사용자들이 경기장에서 관중과 함께 실시간 스포츠 경기를 보거나, 미술관을 관람하거나, 비즈니스를 하거나, 쇼핑을 하게 만들어주는 가상현실 앱들도 있다.

가상현실과 증강현실은 건강 증진과 웰빙에도 큰 잠재력을 갖고 있다. 증강현실은 악성종양을 3D 스캔으로 보여줌으로써 외과의의 수술을 보조하며, 가상현실 기술은 이미 수술 중에 진통제 사용을 줄이는 데 활용되고 있다. 향후 고도화된 인공지능에 증강현실기술이 접목되면, 인공지능은 인간과 같은 사물 인식 능력을 가질 수 있다. 이 기술에 의하면 시각장애인이 가상현실 속 상황처럼 실제 세계도 경험하게 된다. 외상 후 스트레스 장애 환자가 트라우마를 안전한 상황 하에서 다시 경험하여 트라우마를 극복하게 도와주는 가상현실 치료 실험도 효과가 있는 것으로 나타났다.

예술가의 시각에서 본 가상현실의 미래

드루 카타오카Drue Kataoka, 스튜디오 아티스트 겸 기술자

인간의 예술혼을 가장 잘 나타낸 시스티나 성당 벽화를 예로 들어보자. 시스티나 성당은 그 자체로 인간 존재의 의미를 재정립한 걸작이다. 천상의 창조자와 위엄 있는 자태의 군상들, 그리고 준엄한 '최후의 심판'까지, 미켈란젤로의 상상력은 현대인들도 느낄 수 있는 풍경, 서사, 감정의 우주를 창조하였다. 그러나 미래의 다빈치, 미켈란젤로들에게 시스티나 성당 벽화는 훌륭하고 강렬하지만 2차원적 작품에 불과할 수 있다. 마치 르네상스 시대의 예술가들이 라스코 동굴 벽화를 보고 느꼈던 것처럼 말이다.

이는 새로운 창조적 도구인 가상현실 때문이다. 가상현실은 우리가 이해할 수도 없는 방식으로 우리가 하는 모든 일들을 바꿀 것이다. 과연 가상현실이 향후 수십 년간 어떠한 변화를 가져올지 근시안적인 인간의 시선으로 막연한 미래를 예상해보자.

가상현실은 태초부터 몽상가들이 꿈꿔온 이상의 실현이다. 그 꿈은 바로 만물을 창조하는 신이 되는 것이다. 그들이 만들고자 한 세상은 사람들이 함께 살고 어울리면서 창의적인 활동을 할 수 있는 곳이다. 또한 그 세상은 놀라운 영감을 주어 인간의 창의력을 고양하고 인간이 더 높은 경지에 도달할 수 있게 할 것이다. 그 세상에서는 눈만 돌리면, 또는 생각만 하면 누구든지 만날 수 있다. 상호 동의하에 사자(死者)와도 만날 수 있다. 새로운 세상은 눈으로만 보는 게 아니라 느끼고, 맡고, 들을 수 있으며 더 나아가 초자연적인 수준의 몰입감을 선사한다.

가상현실 세상에서 우리는 외로울까?

일부는 가상현실 세상이 방구석에 틀어박힌 은둔형 게이머들의 공간처럼 고독하고 쓸쓸하지 않을지 묻는다. 대답은 '아니오'다. 가상현실 기술을 선도하는 기업 중 하나인 페이스북은 가상현실을 사람 간 소통과 교류의 미래라고 본다. 물리적 거리와 국경을 허물고 모두가 함께할 수 있는 세상을 꿈꾸는 것이다. 미래에는 사람들이 거리와 시간을 핑계로 가족과 친구를 만나지 못하는 일은 없을 것이다. 직접 민주주의가 꽃필 수도 있다. 시민들이 보다 많은 정보를 갖고 직접 정치에 참여할 수 있는 기회가 많은 세상에서 민의는 더욱 잘 반영될 것이다. 가상현실의 미래는 결국 '함께하는 사회'다. 가상현실 세상에서는 가족 모임부터 동창회, 지역 모임, 데이트까지 모든 모임에 제한이 없다.

새로운 감정 전달 방법

더 중요한 사실은 가상현실이 새로운 방식의 소통을 가능케 한다는 것이다. 우리가 느끼는 감정을 단순히 말로 묘사하는 것을 넘어 생생한 3D 영상, 소리, 다른 감각을 통해 표현할 수 있다. 이를 통해 모두가 열린 가슴을 갖는 공감의 세상, 따뜻한 사회를 만들 수 있다.

아울러 이제 우리는 역지사지로 생각하는 수준을 넘어 다른 사람의 경험을 직접 체험할 수 있다. 우리는 흑인, 라틴계, 게이, 성전환자, 사지가 마비된 사람, 정통 유대인, 엄격한 무슬림, 누구든 될 수 있다. 이를 통해 타자에 대해 더욱 잘 알고, 스스로를 변화시킬 수 있다. 몇 년 안에 우리는 이모티콘을 보내는 것이 아니라, 나의 경험을 가상현실 파일로 보내 수신자가 내가 정확히 어떻게 느끼는지 이해하도록 할 수 있다.

'월-E'의 세상이 되지는 않을까?

어떤 이는 가상현실 세상이 인간의 창의력을 억압하지 않을까 걱정한다. 모든 영상, 소리, 감각이 정확히 수치화된 사회에서 인간이 상상할 공간이 남아 있을까? 픽사의 영화 〈월-E〉처럼 모든 사람들이 그저 수동적이고 만족한 소비자로 전락하는 것은 아닐까 우려한다. 그러나 정반대로 가상현실은 다른 어떤 경험보다 인간의 창의력에 불을 지필 것이다. 창조성은 다양성을 필요로 한다. 창조성의 가장 큰 적은 반복되는 일상이다. 가상현실이 제공할 수 있는 경험의 다양성과 범위는 그 어떤 것과도 비교할 수 없다. 역사 속의 가장 창의적인 인물들이 세상의 구석구석을 여행하였던 것은 우연이 아니다. 가상현실 기기를 사용하면 누구나 세계 일주를 할 수 있으며, 우주와 인간 상상의 끝까지도 가볼 수 있다. 가상현실은 수동적인 경험이 아니다. 창조적인 도구를 통해 현실 세계에서는 불가능한 주위 환경의 변형도 가능하다. 우리 모두가 예술가가 될 수 있으며, 자신의 예술적 한계를 극복할 수 있는 동기를 가질 것이다. 물론 모두가 미켈란젤로가 될 수 있는 것은 아니다. 그러나 인류 전체의 잠재적 창의성은 그 어느 때보다 풍부해질 것이다.

기술적으로 가능할까?

오늘날 HTC 바이브나 오큘러스 리프트, 마이크로소프트 홀로렌즈를 보면 약간 실망스러울 수도 있다. 하지만 이들은 초기 제품일 뿐이고 이들을 갖고 미래를 단정하는 것은 초창기 컴퓨터만 보고 오늘날 첨단 컴퓨터의 모습을 짐작하는 것과 같다. 물론 이는 대단한 비약이다.

그러나 중요한 사실은 이와 같은 제품들이 가상현실 기술의 양산 가능성을 보여주고, 대중화에도 기여하고 있다는 점이다. 아직 가상현실 기기들은 비싸고 투박하며 결함도 많다. 그러나 과거의 장비들과 달리 오늘날 장비들은 구동하기 위해 전문가가 필요하지 않으며, 무엇보다 제대로 작동한다. 이 두 가지 사실만으로도 이는 혁명적인 발전이다. 인류는 천천히 그러나 확실히 새로운 가상현실의 물결을 맞이하고 있으며, 변화의 네트워크 효과는 더욱 강해지고 있다. 게임 회사들은 새로운 콘텐츠를 개발하고 있으며, 구글의 틸트 브러시Tilt Brush와 오큘러스 미디움Oculus Medium

은 새로운 가능성을 보여준다. 초기 컴퓨터 시대와 마찬가지로 얼리 어답터들, 열광적인 팬들, 기계 만지기를 좋아하는 사람들은 아메리카 대륙, 유럽, 아시아 등 각지의 차고와 지하실에서 일하고 있다. 그리고 네트워크 효과에 의해 모든 기술자, 예술가, 사용자들은 자신이 사용하는 가상현실 플랫폼을 더욱 강력하고 실용적으로 만들고 있다. 우리는 지금 가상현실 기술이 기하급수적으로 발전하기 직전에 와 있다. 실리콘밸리에서 제작되고 있는 시제품들을 보면, 미래 양산 모델들이 얼마나 더 작고, 강력하며, 빠르고, 직감적인지 쉽게 알 수 있다. 또한 차세대 고사양 기기들은 촉각, 후각, 미각 등 다른 감각도 인식할 수 있을 것이다. 이는 곧 다시 대중화될 것이고, 보다 먼 미래에는 뇌-컴퓨터 인터페이스가 새로운 세상을 열 것이다. 가상현실의 미래는 밝은 정도가 아니라 눈부시다. 눈으로는 보이지 않지만 혁명은 이미 시작되었다.

| 흐릿한 구별 |

가상현실, 증강현실, 혼합현실 기술은 그 나름의 도전 과제를 갖고 있다. 구글 글래스가 2013년 처음 출시되었을 때 타인의 프라이버시 침해가 문제가 되었다. 구글 글래스의 전면 카메라는 사진 촬영 시 허락을 구해야 한다는 사회의 암묵적 약속에 도전한 것이다. 또한 휴대폰 카메라를 잠시 내려놓아 달라는 요구가 아닌, 안경을 벗으라고 요청해야 하는 어색한 상황도 연출되었다. 가상현실과 증강현실의 성공은 이러한 사회적 규범과의 타협이 전제되어야 한다. 그러나 몰입형 가상현실에게는 큰 문제가 되지 않는다. 아울러 최근 스냅챗 증강현실 글래스는 이러한 문제를 해결하는 동시에 큰 성공을 거두기도 하였다.

편의성, 배터리 시간, 가격과 같이 현실적인 문제들도 존재한다. 현재 장비 가격은 선진국에서도 대중적이지 못하며, 전 세계적으로는 구매가 어려운 정도이다. 아직 세계 인구의 절반이 빠르고 안정적인 인터넷에 접속하지 못하며, 설사 그렇다 하더라도 가상현실 기술이 전면적으로 수용되기까지는 몇 년간의 시간이 필요하다. 전 세계적인 차원에서 창의성을 제고하고 포괄적인 기술이 되기에는 아직 갈 길이 멀다.

또한 가상현실 기술에는 프라이버시 문제가 존재한다. 가상현실 기술은 각기 다른 자극에 따른 사용자의 눈과 머리의 움직임, 심지어 감정 상태를 기록할 수 있다. 이 정보는 누군가의 행동에 영향을 주거나 그들의 죄를 입증하거나 당황스럽게 할 수 있다. 가상현실은 사회적 문제가 될 수도 있다. 사람들이 다른 사람들과 어울리기보다 디지털 아바타 세상에 매몰되어 고립이 심화될 수 있다. 과도하게 가상현실을 사용하면 가까운 관계들이 멀어지고 공동체가 해체될 수 있다.

이러한 문제들을 해결하기 위해서는 올바른 정책 틀을 세워야 한다. 시민의 권리를 강화하고, 대중화를 촉진하며, 기술을 조작의 도구로 악용하지 못하게 하여야 한다. 이해관계자들은 어떻게 가상현실, 증강현실, 혼합현실을 개발하고 활용함으로써 사회의 신뢰, 공감, 협업 증대에 기여할 수 있을지 고민해볼 필요가 있다.

1. 가상현실, 증강현실, 혼합현실은 모두 몰입형 시청각 기술의 한 종류로 이 장비를 통해 사람들은 가상 세계에 들어가거나 현실에 가상의 요소를 결합할 수 있다. 현실을 가공하는 디지털 장비는 지난 50년간 개발되어 왔지만 연산 처리 능력, 휴대성, 상호 작용 능력이 결합하면서 지금과 같이 성장할 수 있었다.

2. 가상 또는 현실 세계로부터 감각의 피드백을 가져오는 기술이 가상현실, 증강현실, 혼합현실과 접목된다면 또 다른 놀라운 경험을 선사할 것이다. 하지만 이는 윤리적 관점에서 허용하기 어려울 수 있으며 인체에 이식해야 하는 인터페이스라면 더욱 그러하다. 가상현실, 증강현실, 혼합현실은 과거 다른 엔터테인먼트 플랫폼들과 같이 인간 심리, 사회화, 자유의지와 책임 문제에 대한 우려를 낳을 수 있다.

3. 가상현실, 증강현실, 혼합현실은 인터페이스 혁명의 진일보한 단계라고 볼 수 있다. 펀치카드에서 키보드와 마우스를 거쳐 터치스크린과 음성인식이 가능해졌으며, 이제는 제스처와 자연적인 움직임도 포함된다.

4. 가상현실, 증강현실, 혼합현실은 공감 능력과 삶의 수준을 제고하고, 감각 장애에 도움을 준다. 새로운 교육용 미디어로 활용될 수 있으며, 언제 어디로든 여행을 가거나 다른 이의 삶을 살 수도 있다. 그러나 감각 차단으로 인해 사용자에게 압박 환경이 조성되어 현실 감각에 영향을 미칠 우려가 있다.

5. 가상현실, 증강현실, 혼합현실은 프라이버시 문제, 사회에서의 허용 가능성, 고비용에 따른 접근성 제한 등 특수한 문제를 야기한다. 기기에 의한 자극, 감각 차단, 과다 노출이 어떤 부작용을 낳을지 불확실하다. 이 기술들은 생물학적 영향을 고려할 때 단순히 기존 매체의 대체품으로 생각하는 것은 충분치 않다.

4차 산업혁명에 대한 예술·문화적 관점

에미상 수상작인 리넷 월워스Lynette Wallworth의 가상현실 영화 〈흔적들 Collision〉의 주인공은 호주 서부 사막의 원주민 장로 니아리 모건으로, 그는 지금 로버트 오펜하이머의 영상을 보고 있다. 오펜하이머는 인류 최초의 원자폭탄 개발에 기여한 미국의 물리학자이다. 1950년대 중반 니아리는 버섯 모양의 구름을 직접 목격하였다. 그 경험은 그의 인생을 송두리째 바꿔놓는다. 처음에는 그것이 신의 계시라고 생각했지만, 나중에 영국 정부가 자신의 땅에서 핵실험을 하고 있었다는 사실을 알게 된다. 그 후에도 니아리는 핵실험으로 황폐화된 그 땅에서 수십 년을 살아갔다.

그날 이후 60년이 지난 어느 날 그는 자신의 트럭에 연결된 프로젝터로 오펜하이머의 영상을 보게 된다. 오펜하이머는 인류 최초의 핵실험에 대해 이야기하고 있다. "나는 이제 죽음이요, 세상의 파괴자가 되었다"라는 비슈누 왕자의 말을 인용하며 그는 자신의 경험을 공유한다. 니아리는 천천히 스크린으로 다가간다. 우리는 같은 장면 속 두 남자를 보며, 서로 떨어져 있는 두 사람의 삶이 어떻게 얽혀 있는지를 이해하게 된다.

〈흔적들〉은 콘텐츠와 형태 모두를 통해 예술과 문화가 인간과 기술의 관계, 기술이 지난 세기 동안 인류에 미친 영향을 이해하는 데 핵심적인 역할을 할 수 있음을 보여준다. 이 작품은 세계경제포럼이 제작자로 참여하고 2016년 다보스 포럼에서 공개되었다. 〈흔적들〉은 최신의 가상현실 기술을 통해 우리의 행동이 만들어낸 예기치 못한 결과 — 여기에서는 기술 진보에 대한 인류의 열망이 야기할 수 있는 문제 — 를 다룬다. 인간은 모든 코드를 해독할 수 있으며 우주의 모든 존재는 철학자 하이데거의 표현처럼 '부품(standing reserve, 인간이 착취할 수 있는 잠재적 자원들)'에 불과하다는 욕망 또는 신념에 대한 반성을 불러일으킨다.

이 작품은 기술의 오만함이 얼마나 간과되었으며, 그 영향력의 범위가 얼마나 과소평가되었는지 고찰한다. 마치 고대 희극처럼, 이 가상현실은 인류의 협소한 시각으로 세상을 어떻게 제한적으로 바라봤는지를 보여준다. 그리스의 희극은 인간에게 자연과 맞서지 말라고 하며, 우리의 운명은 우리 행동의 결과라고 말한다. 과거 많은 문명은 과학적인 분석만큼이나 풍부하고 가치 있는 경험과 통찰력을 바탕으로 각자의 세계관을 형성하였다. 그러나 현대의 기술은 인간이 세계를 다스려야 한다는 사고방식, 그리고 자연을 극복하고 운명을 정복해야 한다는 세계관을 심어주었다.

본래 기술techné[184]이라고 불리던 예술the arts은 우리에게 다른 관점을 보여준다. 예술은 우리의 프로젝트가 지향하는 가치가 기술에 함몰되기 전에 이를 표현하고 비판할 수 있는 통로를 열어준다. 이러한 측면에서 예술의 역할은 미래를 예측하는 것이 아니라 미래를 상상하고 혁신을 이룰 수 있도록 인지적·감정적 도구를 제공하는 것이다. 4차 산업혁명에서 감성 지능은 미지의 세상에 적응하며, 긍정적인 사고를 잃지 않고, 복잡한 환경에 창의적으로 대응하며, 우리의 지적 한계를 인정하는 겸손함을 갖추기 위한 역량으로서 필요하다.

2016년 세계경제포럼에서 발표된 헤더 듀이 하그보그Heather Dewey-Hagborg의 실물 사이즈 인물 사진인 '이방인의 모습Stranger Visions'을 예로 들어보자. 하그보그는 이 작품을 위해 공공장소에 버려진 담배꽁초와 껌으로부터 추출한 DNA를 분석하여 그 주인의 얼굴을 재구성하였는데, 이 작품은 우리의 개인정보와 무분별한 유전자 검사에 대한 논란을 불러일으켰다. 아직 기술적으로 더 시간이 필요하지만, 이 작품을 통해 실현 가능성을 엿볼 수 있었다.

그러나 만약 이것이 예술적 상상에 그치지 않고 현실이 되면 어떨까? 세계 주요 도시에서는 쓰레기를 무단 배출하는 사람들의 DNA를 수집하여 초상화를 만들어 이들을 공개적으로 망신 주는 프로젝트에 대한 움직임이 있다. 이 사례는 기술과 가치관이 각각의 방향으로 움직이는 상황, 즉 기술의 회색 지대가 형성되는 것을 보여준다. 이처럼 예술은 어떠한 기술이 실제 도입되어 일어나는 결과를 보기 전에 그 기술에 대한 우리의 감정적 대응을 미리 발견하게 해준다.

우리는 예술과 문화를 통해 우리와 다른 이들을 대하고 이해하는 능력을 기른다. 우리는 예술을 통해 우리의 사고방식에 도전하고, 바꾸도록 노력하며, 생소하고 불편한 것들에 익숙해질 수 있다. 예술은 '다름'을 위협이 아니라 대인관계의 확장으로 볼 수 있게 해주며, 다른 이들의 감정을 이해하고 느낄 수 있는 공감 능력을 길러준다. 미래를 준비하는 과정에서 우리는 보다 충격에 강해지는 법과 이해할 수 없는 상황을 인정하고 현실로 받아들이는 방법을 배운다.

영화 〈흔적들〉은 기술이 세상을 지배하기 위한 도구라는 생각을 날카롭게 비판한다. 이 작품은 당연하다고 여겨지는 일반적인 세계관 외에 다른 가치 있는 관점도 있다는 사실을 알려준다. 리넷 월워스가 이 작품을 호주 의회에서 상영하고 몇 주가 지난 후, 호주 의원들은 50년대 영국의 핵실험으로 인해 피해를 받은 이들을 위한 의료 보호 예산을 배정하였다. 관련 시민운동이 시작된 지 50년 만에 처음이었다. 이 경우 예술은 굉장한 보상을 이끌어냈다. 그러나 만약 오펜하이머와 니아리가 핵실험 전에 서로 만났다면 어떻게 되었을까? 그들의 만남이 역사를 바꿀 수 있었을까?

위 경우 예술적인 가상현실 경험은 사람들이 원주민들의 감정에 몰입하여 깊게 이해할 수 있게 만들었다. 이때 예술은 기술을 이용하여 기술력에 대한 맹목적 추구와 기술만능주의를 경고하였다. 이처럼 기술과의 복잡한 관계는 기술을 어떻게 활용할지에 대한 충분한 논의를 필요로 한다. 기술은 우리의 물리적 세계와 이에 대한 관념적 지식까지 모두 파괴하는 데 사용될 수 있다. 그러나 의지가 있으며 창의적이고 배려심 깊은 사람들의 손에 의해, 예술과 기술은 공감을 확대하고 서로 다른 세계관을 연결하는 도구가 될 수도 있다. 오펜하이머와 니아리의 이야기에서는 자연을 정복의 대상으로 보는 문화와 자연을 신성시하는 문화가 충돌하였다. 예술은 우리의 가정과 예상들이 충돌하는 상황을 보여줌으로써 무한한 삶의 의미를 발견하게 해준다.

우리 눈앞의 4차 산업혁명은
인프라를 개발하고 글로벌 시스템을 유지하며
미래로 가는 새로운 길을 여는 방법을
전적으로 기술에 의존한다.
이런 기술이 긍정적인 영향력을 발휘하기 위해서는
우리 모두의 미래를 위한 공동의 노력과
신중한 의사 결정이 요구된다.

개척해야 할 환경의 최전선 🔍

Integrating the Environment

CHAPTER 14

에너지 확보, 저장, 전송

1차, 2차 산업혁명은 증기와 전기로의 에너지 전환을 통해 이루어졌다. 그리고 4차 산업혁명이 시작되는 지금, 화석연료에서 재생에너지로 다시 역사적인 전환이 이루어지려고 하고 있다. 청정에너지 기술과 에너지 저장 기술의 발전은 연구 단계를 지나 생산, 판매 단계로 접어들고 있다. 또한 다수의 국가들이 연합하여 핵융합에너지와 같이 역사를 새로 쓸 수 있는 혁신적인 에너지 기술에 투자하면서 새로운 에너지의 미래가 열리려 한다.

깨끗한 에너지의 확산은 친환경적이며, 특히 전기 공급이 불안정하거나 부족한 개발도상국 국민들에게 희소식일 것이다. 또한 지속가능한 에너지기술은 기업과 소비자의 비용을 줄이고 지난 세기에 배출한 배기가스로 인해 파괴된 환경을 되살릴 수 있다. 그러나 에너지 전환을 성공적으로 이루기 위해서는 국제 공조, 장기적 계획, 이해관계자 간의 대화를 통해 기술과 인프라에 투자해야 한다. 이에 실패한다면 잠재적으로 엄청난 성과를 가져올 수 있는 공동의 노력이 물거품이 될 수 있다.

| 청정에너지, 효율적인 배분과 대량 저장 |

4차 산업혁명의 많은 기술들에는 장단점이 있다. 가능성이 높은 기술들이지만 잠재적으로는 불평등, 실업, 사회적 분열, 환경 파괴 등의 문제를 야기할 수 있다. 그러나 에너지 분야는 보다 낙관적이다. 올바른 투자가 뒷받침된다면 새로운 에너지 기술은 에너지 가격을 낮추며, 1차 산업혁명에서 비롯된 화석연료에 대한 의존을 줄이고, 모든 계층과 지역의 지속가능한 미래를 여는 데 기여할 수 있다.

1차 산업혁명 이후 생산과 분배의 발전으로 엄청난 양의 에너지에 접근 가능해졌다. 사람의 몸은 전구 하나를 켤 수 있을 정도인 약 100와트의 에너지를 생산할 수 있다. 운동선수들은 서너 배 정도를 생산할 수 있다. 그러나 오늘날 세계적으로 1인당 평균 8,000와트 이상의 에너지를 사용하며, 선진국의 경우 3만 5,000와트를 넘는다.[185] 문제는 이토록 많은 에너지를 만들어내기 위해 사용되는 화석연료가 지구에 주는 영향이다. 미국 에너지 정보국에 따르면 2040년까지 글로벌 전력 소모량은 지금의 두 배인 39

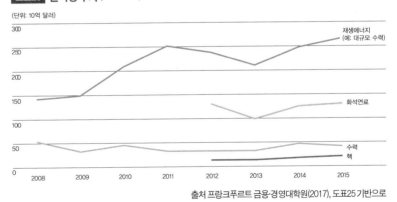

도표23 **전력량 투자** (2008-2016)

출처 프랑크푸르트 금융·경영대학원(2017), 도표25 기반으로

조 킬로와트까지 증가할 것이며, 현재 부족한 인프라를 갖고 있는 개발도 상국에 의해 대부분 소모될 것으로 보인다. [186]

UN 지속가능발전목표에 반영된 것과 같이 기후변화에 대한 우려는 태양광, 풍력과 같은 재생에너지에 대한 투자를 낳았고, 2015년에는 투자액이 무려 2,650억 달러에 이르렀다. 2016년에는 이보다 감소한 2,260억 달러였다(도표23). [187] 2016년에는 최초로 재생에너지가 새로운 전력 생산의 50퍼센트를 차지했지만, 아직까지는 세계 전력 소모의 10퍼센트에 불과하다. 글로벌 에너지 수요를 충족하고, 화석연료 소모를 감소시키며, 기후변화를 늦추기 위해서 에너지 분야에서는 더 많은 혁신이 필요하다.

긍정론자들은 에너지 저장 능력을 혁신함으로써 에너지 생산 목표를 달성할 수 있다고 한다. 그러나 이를 위해서는 더 많은 투자가 필요하며, 따라서 지속적으로 하락하고 있는 액체 연료 가격에 균형을 맞추어 투자를 늘리는 것이 중요하다. 2017년 기준 재생에너지 연구 개발에 대한 투자는 80~90억 달러로, 이는 다른 분야에 대한 투자와 비교하였을 때 1:27 규모이다. [188] 옥스퍼드 마틴 스쿨의 INET Institute for New Economic Thinking 지속가능경제학 처장인 캐머런 헵번 Cameron Hepburn에 따르면 이상적인 비율은 1:1에 가깝다. [189] 적절한 투자가 이루어진다면 바이오배터리, 에너지 효율성 나노소재, 모듈형 그리드 저장 장치, 합성에너지 바이오폐기물, 조석에너지 같은 신기술이 발전할 것이다.

4차 산업혁명의 다른 기술들도 에너지 분야 발전에 기여할 수 있다. 인공지능은 에너지 그리드를 더욱 똑똑하게 만들고, 효율을 높이며, 에너지 가격을 낮춰준다. [190] 탄소 나노 튜브, 나노 기공성 거품·젤과 같은 나노기술은 생산부터 사용까지의 에너지 순환 구조에서 효율성을 높이고 에너지 손실을 줄일 수 있다. 자율 주행 차는 최적의 경로 운행과 에너지 사용을 통해 에너지 효율을 높일 수 있다. 생명공학은 생물 연료 전지 생산을 위해 박테리아 유전자 변형과 광합성 활용 기술을 제공할 수 있다.[191]

그러나 궁극적인 가능성은 핵융합에 있다. 만약 계획대로 개발된다면, 핵융합에너지는 깨끗하고, 풍부하며, 지속가능할 뿐 아니라 저렴하다. 35개국 연합은 2035년에 프랑스의 ITERInternational Thermonuclear Experimental Reactor에서 핵융합 시설이 성공적으로 본격 가동되기를 기대하고 있다. 이는 현재 가장 선도적인 핵융합 개발 프로젝트로[192] 산업, 경제, 지정학에 대한 영향력은 막강할 것으로 예상된다. 그러나 180억 달러 규모의 이 투자가 성공할지 여부는 불투명하기 때문에 에너지원의 다원화를 꾀하는 것이 현명하다. 조석에너지와 태양전지판부터 극초단파 전송까지 보다 실험적인 아이디어들도 개발에 박차를 가하고 있다.[193]

미래의 에너지원이 무엇이 되든 효율적인 저장 기술이 병행되어야 한다. 태양광과 풍력에너지는 특히 안정적으로 에너지를 생산하기 어려우므로 에너지 저장 기술을 혁신해야 재생에너지의 사용을 늘릴 수 있다. 배터리기술 연구는 빠르게 발전하고 있으며, 향후 15~20년 안에 나노기술을 통해 더욱 발전할 것이다.[194] 크기 또는 중량에 비해 배터리 전력량이 커지면 간헐적인 에너지원의 가치와 효용성 증대에 크게 기여할 것이며, 현재 에너지 빈곤 계층인 12억 인구에 대한 전력 공급이 용이해질 것이다.

| 잠재 에너지를 찾기 위한 협업의 필요성 |

현재 석유와 가스 중심 산업을 기반으로 하는 지정학·경제적 구조와 경쟁하기 위해서는 청정에너지를 위한 협력에 따른 인센티브가 필요하다.

지금의 인센티브 시스템은 너무 견고하게 형성되어 있기 때문에 화석연료 의존도를 재조정하면 체제 차원의 위험이 촉발될 수 있다. 이미 유가 하락은 베네수엘라, 러시아, 나이지리아 등 산유국에 심각한 경제적·사회적 영향을 끼쳤다. 일례로 배터리 기술의 혁신은 국가 재정 시스템과 고용 시장에 영향을 주어 지역 안보에 중대한 지정학적 영향을 미칠 수 있다.

그러나 기후변화가 야기할 위험을 생각하면 이러한 리스크는 감수하여야 한다. 중국이 탄소 배출을 줄이기 위해 투자를 늘리기 시작하였으나, 성과를 얻는 데는 시간이 걸릴 것이다. 그러나 국가들이 협력한다면 기술을 통해 제로 탄소 사회로의 전환을 앞당길 수 있다는 긍정론이 전 세계적으로 확산되고 있다.

재생에너지로의 전환에 있어 가장 심각한 위협 요인은 전환 과정이 지체되는 것이다. 과거 에너지 체제의 전환은 과학, 인프라, 규제, 제품 생태계가 모두 결합된 결과물이었다. 세대를 거쳐 이러한 체제들이 형성될 수 있었던 이유는 물질 집약적인 과학기술 사용이 장시간에 걸쳐 이뤄졌기 때문이다. 정부의 도움 없이 단기적 목표에만 집중하는 시장에 에너지 전환을 맡기면 에너지 전환은 더디게 진행될 것이다. 1960, 1970년대 정부 주도 투자로 형성되어 지난 20년간 경제성장의 동력이 되어온 실리콘 밸리에서 교훈을 얻을 수 있다.

지속가능한 미래를 위해서는 투자와 함께 다각화 전략이 필요하다. 프랑스의 ITER의 생산력이 최고조에 달하는 시점에는 유럽 전력 생산의 절반이 재생에너지로 채워질 것이다.[195] 에너지 저장 기술이 안정적으로 발전하고 관련 인프라에 20여 년간 투자가 지속된다면 설령 ITER에 투입된 수십억 달러의 투자가 수포로 돌아간다고 해도 우리는 지속가능성을 향한 확실한 로드맵을 갖출 수 있다. 보다 효율적인 에너지 배분을 통해 에너지 시장을 통합하고 비용을 낮추는 국제 협력과 스마트 그리드(기존 전력망에 정보 통신 기술을 더해 전력 생산과 소비 정보를 양방향·실시간으로 주고받음으로써 에너지 효율을 높이는 차세대 전략망 – 편집자) 사업 등 에너지 생산에 대한 다른 참신한 접근법이 존재한다.

아직 우리는 재생에너지로의 전환, 배출가스 감소, 개발도상국에 대한 에너지 공급 문제를 해결해야 한다. 향후 100년간 세계 인구가 110억 명까지 증가할 것이라고 볼 때, 청정에너지의 생산과 배분은 무엇보다 필수적이다. **196**

미래의 배전망

데이비드 빅터 David Victor, **캘리포니아 주립대 샌디에이고 캠퍼스 교수**

모든 경제 체제는 현대화와 더불어 전력화되고 있다. 일반적으로 최선진국에서는 전체 에너지 공급의 50퍼센트가 전기로 변환되어 최종 수요자에게 공급된다. 에너지 시스템의 청정화 요구가 거세짐에 따라 전기로의 전환은 더욱 가속화될 전망이다.

미래의 전력 구조는 과거 100년의 모습과 같을까? 오늘날 배전망grid을 보면 대규모 중앙 발전소와 재생에너지 생산 집단(풍력발전소 등)이 전기 공급 사업자 등 중앙 통제에 의해 관리되는 장거리 송전선과 복잡한 배전망을 통해 수요자들과 연결되어 있다. 미래의 배전망은 보다 탈중앙화될 것이고, 전력 생산자와 수요자가 결합된 프로슈머prosumer가 등장할 것이다.

4차 산업혁명을 상징하는 급속한 기술 발전은 서로 경쟁하는 다른 형태(중앙집권화와 탈중앙화)의 배전망을 모두 실현 가능하게 한다. 중앙 발전소와 장거리 송전선의 성능의 엄청난 발전은 중앙집권적인 배전망을 더욱 안정적이고 비용 효율적으로 만든다.(일례로 중국은 세계에서 가장 큰 규모의 100만 볼트 송전선 네트워크를 운영하고 있다) 한편, 더욱 흥미로운 발전은 프로슈머를 위한 탈집권적 과학기술의 진전이다. 산업용 건물이나 캠퍼스에 알맞은 소형 터빈과 마이크로 그리드, 극도의 효율성을 보여주는 소형 히트 펌프가 여기에 포함된다.

저렴한 센서, 고도의 연산 처리 능력, 빅 데이터 분석이 결합함으로써 이러한 탈중앙화 시스템이 자율적으로 작동하게 되며, 소비자들이 에너지 서비스를 구입할 때 선택의 폭이 넓어진다. 또한 전력 저장과 분배를 위한 배터리 시스템 가격은 곤두박질치고 있다.

두 진영 간 경쟁에서 어느 쪽이 이길지는 모르지만 보다 우세한 탈중앙화 기술을 통해 미래의 전력망은 오늘날보다 탈집권적일 수 있다. 중앙 전력 발전소의 역할도 여전히 중요하겠지만 많은 전기 사업자들이 전력 공급의 안정성을 높이기 위해 즉각적으로 지역 통제가 가능한 자동화 기술을 적용하고 있다. 폭설이나 다른 천재지변으로 전력망의 일부가 멈춘다면, 지역 시스템이 자동으로 설정을 변경하여 전력 공급을 지속할 수 있기 때문이다. 다른 프로슈머 혁명과 함께 마이크로 그리드에 대한 투자도 급증하고 있다. 뉴욕 시의 에너지비전개혁Reforming the Energy Vision과 같이 일부 규제 당국은 중앙 시스템보다 지역 공급 및 통제 시스템에 대한 투자를 늘리기 위한 새로운 규정들을 제정하고 있다.

탈중앙화가 전력망에 이로울지에 대해서는 답하기 어렵다. 이론적으로는 고도화된 지역 통제 및 탈중앙화를 통해 사용자는 전력망의 안정성 증대에 따른 혜택을 얻을 수 있다. 수요자의 권한이 증가하면 현재 전력 시스템에 부재한 시장 논리가 작동할 수 있다. 현재 많은 전력 시스템은 독점화 되어 있으며 공기업 또는 통제된 사업자에 의해 운영되고 있다. 에너지 공급의 세밀한 관리는 보조금이나 다른 혜택을 에너지 빈곤 계층에게만 제공하고자 하는 정부의 입장에서도 반가운 일이다. 이는 또한 전 세계 모든 사람에게 합리적인 가격으로 에너지를 공급하기 위한 필요조건이다.

탈중앙화의 혜택들은 여러 환경에서 입증된 바 있지만, 전 세계적으로 여전히 가설에 불과하다. 탈중앙화된 통제 시스템은 잘못 운영된다면 오히려 더 불안정할 수 있다. 2015년 말 해킹에 의한 우크라이나 정전 사태 등 일부 사고를 제외하고는 현재까지 중앙집권적인 전력망은 해킹 등에 비교적 안전한 모습을 보인 반면, 탈중앙화 통제 시스템은 해킹의 위협에 더 노출되어 있다. 완전히 탈중앙화된 전력망은 보다 많은, 심지어 중앙 시스템에 대한 투자보다도 많은 투자가 필요하며, 투자금을 회수하기 위해서는 믿을 수 있는 비즈니스 모델과 좋은 거버넌스가 필요하다. 그리고 대부분의 탈중앙화는 청정에너지 기술을 이용하지만 이 중 가장 비용 효율적인 방법은 배출물이 발생할 수도 있다. 예를 들어 대부분의 마이크로 그리드는 천연가스에 의존하는데, 천연가스는 깨끗한 연료 중 하나로 평가되지만 온실가스 배출을 완전히 줄이기 위해서는 상당 부분 감축하거나 탄소를 제거하여야 한다.

수요자들, 사업자들 그리고 정책입안자들이 탈중앙화가 실제 도움이 되는지 지켜보는 것이 중요하다. 기술이 빠르게 변화하는 동안 중앙화와 탈중앙화의 적절한 균형을 맞추는 정책 조정이 필요하기 때문이다.

많은 고성장 국가들이 글로벌 에너지 수요를 주도한다는 점을 생각해봤을 때 더욱 현실적인 문제라고 할 수 있다(**도표24**). 물리적 인프라 구축 결정에 있어 통신, 통제 시스템, 측정, 관리 등의 문제들과 국제 에너지 시장의 통합 등에 대한 정보를 장기적으로 다양한 이해당사자의 관점에서 고민할 필요가 있다. 예를 들어 장기적으로 보았을 때 완전한 탄소 제로 기술에 투자하는 것이 향후 20~30년을 위해 저탄소 인프라를 구축하는 것보다 나을 수 있다.

　전 세계적인 위험이 가중됨에 따라 다양한 이해당사자 합의에 대한 정부들의 안정적인 보증이 필요하다. 많은 연구들이 대대적인 온실가스 감축을 위해서는 자본 집약적인 전력 네트워크 구축이 필요하다고 설명한다. 그리고 역사적으로 기업과 정부는 정책과 규제에 대한 예측 가능성이 확보될 때에만 에너지 네트워크에 큰 투자를 해왔다. 이를 확보하기 위해서는 투자 보호 조약, 중재 절차, 국가 간 리스크를 완화하기 위한 국제 기준에 대한 국가 간 에너지 정책의 조율 등 합의가 이루어져야 한다.

도표24　**주요 국가 및 지역에서의 GDP 및 에너지 수요 변화 (2000~2014)**

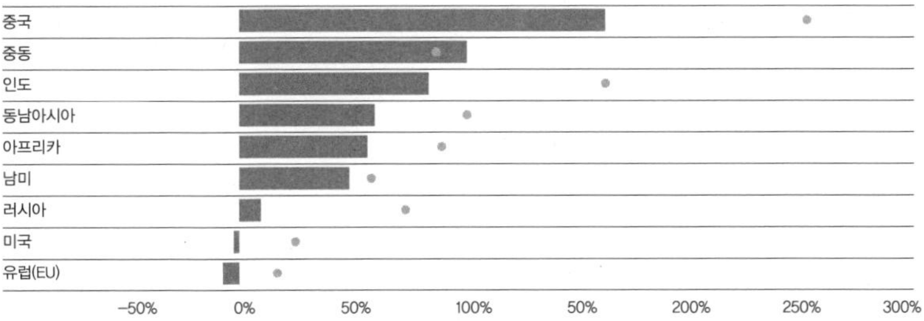

2000년부터 2014년까지의 경제성장률과 에너지 수요 증가율을 비교하면 국가와 지역별 차이를 확인할 수 있다.

━━━ 에너지 수요
● GDP

출처 IEA (2016). 도표1.2

세계경제포럼의 〈글로벌 리스크 보고서 2017〉에 따르면 새로운 에너지 기술 분야는 가장 적은 부정적 효과를 가져올 것으로 예상됨과 동시에 가져올 혜택 분야에서는 2위를 차지하였다. 이러한 잠재적 가능성을 허비하지 않는 것이 공동의 중대한 책임일 것이다.

1. 4차 산업혁명은 이전 산업혁명들로 형성된 화석연료에 대한 의존 및 온실가스가 배출되는 에너지 생산 체제를 끝낼 수 있다. 세계 인구는 지속적으로 증가하고 있으며, 산업화가 이루어지고, 기후변화의 영향이 더욱 분명해지며, 전 세계 에너지 수요가 2040년까지 두 배가 될 것을 감안할 때 에너지 전환은 그 어느 때보다 시급하다.

2. 재생에너지로의 전환은 더욱 가속화되어야 하며 보다 많은 분야에 더욱 빠르게 확산되어야 한다. 미래에 혜택을 거두기 위해서는 장기적인 투자가 지금부터 이루어져야 하며, 고성장 국가에서는 더더욱 그렇다. 에너지 생산을 위한 배치 지출보다는 재생에너지 연구 개발에 보다 많은 투자가 필요하다. 에너지 저장 기술이 함께 발전한다면 목표 에너지량만큼 생산할 수 있을 것이다.

3. 조석에너지와 핵융합에너지, 첨단소재 및 나노기술까지 새로운 에너지기술이 연구되고 있다. 이러한 기술들은 에너지 효율을 높이고 손실을 낮춰준다. 인공지능과 접목된다면 스마트 그리드를 통해 대규모 시스템 차원에서 효율성을 높일 수 있다.

4. 재생에너지로의 획기적인 전환은 화석연료 산업과 이를 바탕으로 하는 지정학적 안보의 위험을 초래한다. 협력을 통해 에너지 전환이 가져오는 사회적, 정치적 파급 효과에 대한 해결책을 마련하는 것이 무엇보다 중요하다.

5. 정부가 확신을 갖고 장기적 투자를 집행하기 위해서는 다양한 이해관계자 간의 협력과 글로벌 안정성이 담보되어야 한다. 예측 가능한 정책과 규제 체계는 협력을 위한 신뢰 형성에 기여한다.

CHAPTER 15

지구공학

지구공학은 인간이 계획적으로 지구의 고도화된 생물권을 통제하고자 한다. 하지만 많은 과학자들은 생물권에 개입하는 기술력은 아무리 낙관적으로 보아도 미성숙하고 불안정하다고 평가하며, 예측할 수 없고 통제할 수 없는 재앙을 초래하여 실존적 위협을 야기할 것이라고 비판한다.

이 장에서 나오는 내용이 지구공학 사용의 정당화에 사용되어서는 안 된다. 새로운 종을 창조하거나 대규모 산림을 벌채하는 등 복잡한 생태계에 대한 대규모 개입은 대부분 처참한 실패로 끝났다. 필자들 역시 생태계 조절trophic cascades의 결과를 예상하거나 통제하는 것이 불가능하다는 것을 분명히 인지하고 있다.

하지만 대기오염, 가뭄, 지구온난화 등 문제에 대한 해결책으로 과학기술이 떠오르고 있다. 성층권에 태양 광선을 반사시키기 위한 대형 거울 설치, 인공강우 기술, 대기 중 이산화탄소를 제거하기 위한 대형 기계 사용 등 지구공학적인 접근이 제시되고 있다.

생태계에 대한 기술적 개입이 가능할 수는 있으나 우리의 제한된 능력으로는 그 부작용을 짐작할 수 없으며, 결국 지구에 돌이킬 수 없는 피해를 입힐 수도 있다. 그러므로 지구공학은 논쟁적인 이슈로서 새로운 거버넌스 체제와 공유 자원인 지구 대기에 영향을 주는 어떤 행동에 대해서도 신중하고 반성적인 성찰이 필요하다.

| 과학기술의 힘으로 지구온난화를 해결할 수 있을까? |

지구공학은 지구의 자연 시스템에 대한 의도적인 대규모 개입으로 정의된다. 가망성이 있는 응용 분야로는 강우 패턴 변화, 인공 태양광 생산, 생명공학을 통한 생물권 변형이다. 하지만 지구공학에 대한 대부분의 논의는 기후변화 대응에 집중되어 있다. 지구공학은 또한 다른 행성의 식민화 같은 우주 활동(이 경우 '테라포밍terraforming' 또는 '지구화'라고 불린다)와 관련이 있다. 예를 들어 화성의 대기 성분을 바꾸어 인류가 거주할 수 있는 환경을 만든다는 공상과학 같은 이야기 말이다.

대부분은 아직 이론에 불과하지만, 기후지구공학 기술은 생물권에 배출된 온실가스를 완화하기 위해 필요한 대응 조치이다(도표25). 이러한 대응 조치는 탄소 격리, 해역 비옥화, 인공 섬 건설, 대규모 산림 조성을 통한 탄소 흡수원 구축을 포함한다(도표26). 최근에는 지구의 온도를 낮추는 기술

도표25 기후 시스템에 직접적으로 개입하는 지구공학

출처 Keith(2002)

도 제안되었다. 이는 대체로 두 가지 종류로 분류할 수 있다. 첫째, 대기 중의 이산화탄소를 제거하여 온난화의 근원을 해결하는 것이다. 둘째, 태양 광선을 반사하여 온난화에 대한 일시적인 해결책을 제공하는 것이다. 이에 필요한 기술의 일부는 지난 산업혁명의 결과 개발된 것들로 대형 거울이나 에어로졸 등이 있고, 새로운 접근법들은 나노입자와 신소재 같은 4차 산업혁명 기술들의 결합으로 가능하다.

지구공학의 긍정론자들은 이를 통해 1차 산업혁명에 의한 사회·경제적 발전의 부작용인 수백 년간의 대기오염과 환경 파괴를 바로잡을 수 있다고 주장한다. 이들은 역사가 반복될 수 있다는 사실을 무시하고, 기후변화 리스크를 완화하고 이산화탄소 배출에 대한 대응책 마련을 위한 시간을 벌기 위해 추가적인 부작용은 감내할 수 있다고 말한다. 보다 신중한 전문가들은 현재 우리가 알고 있는 과학적 지식의 한계로 잠재적 부작용을 예측하기 어렵고 불확실하여 이러한 리스크를 감수할 수 없다고 주장한다. 그들

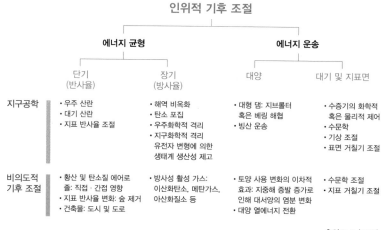

도표26 기후지구공학의 범주 정리

인위적 기후 조절

에너지 균형 / 에너지 운송

	단기 (반사율)	장기 (방사율)	태양	대기 및 지표면
지구공학	• 우주 산란 • 대기 산란 • 지표 반사율 조절	• 해역 비옥화 • 탄소 포집 • 우주화학적 격리 • 지구화학적 격리 유전자 변형에 의한 생태계 생산성 제고	• 대형 댐: 지브롤터 혹은 베링 해협 • 빙산 운송	• 수증기의 화학적 혹은 물리적 제어 • 수문학 • 기상 조절 • 표면 거칠기 조절
비의도적 기후 조절	• 황산 및 탄소질 에어로 졸: 직접·간접 영향 • 지표 반사율 변화: 숲 제거 • 건축물: 도시 및 도로	• 방사성 활성 가스: 이산화탄소, 메탄가스, 아산화질소 등	• 토양 사용 변화의 이차적 효과: 지중해 증발 증가로 인해 대서양의 염분 변화 • 대양 열에너지 전환	• 수문학 조절 • 지표 거칠기 조절

출처 Keith(2002)

은 지구의 복사 균형에 대한 자연적 변화가 가져온 끔찍한 도미노 효과를 예로 든다. 1815년 인도네시아의 탐보라 화산 폭발로 인해 유럽은 1816년 '여름 없는 해'를 보냈으며 흉작, 기근, 질병에 시달렸다.

긍정론이든 부정론이든 지구공학을 만능 해결책으로 볼 수는 없다. 안정적인 기후를 위해서는 4차 산업혁명의 경제·사회적 체제가 제로 탄소 배출을 달성해야 한다. 다시 말해, 배기가스를 과감히 감소시키고 잔존 이산화탄소를 제거하여야 한다. 이를 위해 새로운 과학기술과 정책이 필요한데, 이때 기술만능주의적 접근 방식만으로는 안 된다. 그러므로 일부 지구공학 옹호론자들은 정부가 양측 의견을 결합하여 기후변화의 최악의 시나리오에 대비하여야 한다고 주장한다.

| 글로벌 거버넌스 프레임워크 |

이론적으로 지구공학은 일부 지역에 혜택을 주면서 다른 지역에는 가뭄, 홍수와 같은 피해를 줄 수 있다.[197] 이는 관련 기술을 어떻게 개발하고, 손익의 균형을 맞추며, 피해 지역에 어떻게 보상을 할지 등의 문제를 야기한다. 지구공학 옹호론자들은 관련 연구 및 잠재적 사용에 대한 정책 결정에 지침을 주기 위한 국제 거버넌스 프레임워크의 필요성을 강조한다. 국제 사회의 협력이라는 원대한 계획과 달리 현재는 이러한 거버넌스의 체제가 제한적이고 부분적으로만 이루어지고 있다. 과학기술 발전과 발맞추어 완전한 프레임워크가 구축되어야 한다. 실질적인 국제 협력이 이루어지지 않는다면 지구 전체가 잠재적 위협에 직면할 수 있다.

자노스 파스토Janos Paztor 카네기 기후 지구공학 거버넌스 이니셔티브 Carnegie Climate Geoengineering Governance Initiative의 사무국장은 다자 조약의 부

재로 인해 소수의 국가들, 또는 한 나라, 기업, 부유한 개인이 일방적으로 기후 변형 기술을 실행할 위험이 있다고 주장한다.[198] 그리고 만약 이에 반대하는 국가 또는 집단이 이에 상응하는 행동을 취한다면 지구공학 군비 경쟁을 야기할 수 있다.[199] 개발도상국은 기후를 변화시킬 수 있는 자원이 한정적이기 때문에 기후변화로부터 가장 많은 피해를 받은 이들이 추가적인 환경 재해에 노출될 가능성도 있다.

기후공학의 잠재력은 과학계에서는 오랫동안 논의되어 왔지만 정책결정자들 사이에서는 비교적 새로운 주제이다. 지구공학은 2013년 제5차 정부 간 기후변화 패널IPCC 요약 보고서에 등장하였다.[200] 보다 최근에는 미국의 글로벌 변화 연구 프로그램US Global Change Research Program의 과학 자문관들이 의회의 연방 지구공학 연구 기금 설립을 촉구한 바 있다.[201] 2017년 4월 하버드 대학교는 세계 최대 규모의 지구공학 연구 프로그램을 도입하였다. 2,000만 달러 규모의 프로그램은 화산 폭발 후 발생하는 대기의 냉각 효과를 모의로 만들어낼 수 있는지 연구할 예정이다.[202]

통제와 정책 결정의 문제부터 이로부터 영향을 받는 집단의 효과적인 참여 방안까지 지구공학 기술들에 대한 거버넌스 문제가 존재한다. 현재 글로벌 거버넌스 체제 구조상, 유엔 총회만이 합당한 국제 전문가 집단에게 지구공학에 대한 거버넌스 틀 개발을 위임할 수 있는 정당성을 가지고 있는 것으로 판단된다.[203] 이러한 위임은 평화유지군이나 핵 비확산 문제 해결 사례를 참고할 수 있다. 하지만 모든 이해관계자를 참여시키는 다른 방안들도 존재할 것이다.

다중 이해관계자 거버넌스 메커니즘은 다음의 문제에 대해 논의할 필요가 있다.

- 지구공학의 경우 불확실성이 너무 크기 때문에 어떠한 사용도 금지해야 하는가?

- 다른 기후변화 대응 방안과 비교하여 지구공학의 위험 요인과 기회 요인의 균형을 어떻게 맞출 것인가?

- 지구공학이 컴퓨터 시뮬레이션, 연구실 시나리오 구축, 실제 대기에서의 실험 등으로 발전해나가는 과정에서 어떤 형태의 국제적 협력과 위임, 제한, 정책 지침이 마련되어야 하는가?

- 지구온난화에 대한 대응의 필요성과, 국가 간, 세대 간 윤리 문제 및 정의와 인권 문제를 야기할 수 있는 지역의 불균형적 피해 사이에서 어떻게 균형을 맞출 것인가?

- 장기적 목표를 갖고 지구공학을 사용해야 함을 감안하였을 때, 이에 대한 민주적인 감독 체제의 필요성과 지정학적 변화에 대한 탄력적 대응 사이의 균형을 어떻게 맞출 것인가? 지구공학 사용을 결정할 때 반드시 향후 수정 및 정지에 대한 규정을 마련해두어야 한다. 예를 들어, 일단 태양 복사 관리 기술이 가동되면, 이를 정지시킬 경우 지구 온도가 급증할 수 있다.

자연 정복의 윤리적 딜레마

웬들 월러치 Wendell Wallach, **예일 대학교 생명윤리 센터 교수**

기후를 조정하는 다양한 과학기술들은 서로 연관된 윤리·환경·정치·경제적 딜레마를 낳고, 장단점과 위협 요인 모두를 갖고 있다. 깨끗하고 효율적이며 재생 가능한 에너지가 공급되는 만큼 기후변화는 완화될 수 있다. 따라서 에너지 수요, 에너지원, 기후변화, 지구공학을 통한 기후 조절 요구는 모두 연결된 문제이다.

　재활용, 숲 조성, 태양 광선 반사를 위한 흰색 페인트 지붕 칠하기와 같이 논란이 적은 방법들은 대규모로 이루어져야만 전 세계 평균 온도의 연 증가율을 조금이나마 낮출 수 있다. 대기 상층부에 황산염 또는 나노입자를 살포하는 새로운 기술들은 문제를 해결하려다가 오히려 더 큰 문제를 야기할 수도 있다. 아울러 자연 보존 및 청정에너지 옹호론자들은 지구온난화를 기술적으로 해결할 수 있다는 환상이, 불편함을 감수하고 우리의 행동을 변화시키는 일이나 청정에너지를 보급하려는 정치적 노력을 약화시킬 우려가 있다고 주장한다.

　기후변화에 대응하기 위한 모든 전략은 대규모 개입이 필요하며, 그러지 않을 경우 일시적이며 국지적인 효과에 그칠 것이다. 대규모 산림 조성 노력조차 매년 발생하는 아마존과 다른 지역의 산림 파괴를 상쇄하기에는 역부족일지 모른다. 이산화탄소를 흡수하고 격리하는 건축물들도 단기간 내에 극적인 효과를 내기 어렵다. 그리고 이산화탄소를 제거하기 위해 이러한 방식을 대규모로 실행했을 경우 들어가는 비용은 강력한 온실가스 감축을 추진했을 경우 발생하는 경제적 비용보다 오히려 높을 수 있다.

　황산염 또는 특수한 나노입자를 대기 상층부에 살포하는 것은 비교적 저렴한데, 컴퓨터 모의 실험에 따르면 이와 같은 기술을 이용해 세계 연 평균 온도 상승을 50퍼센트까지 낮출 수 있다고 한다. 이는 지구온난화를 근본적으로 해결하지는 못하지만 온도 상승 속도를 늦출 수는 있다. 그러나 성층권에 지속적으로 화학물질을 살포함으로써 기후 패턴이 왜곡되어 발생하는 피해가 기후변화 자체보다 파괴적일지 모른다. 관련 분야의 본격적인 연구 없이는 화학물질 살포가 어떤 결과를 가져올지 예측할 수 없다. 또한 소규모 실험을 통해서는 대기권의 복잡한 피드백 시스템을 이해하기 어렵다. 복잡한 시스템은 예측하지 못한 방식으로 작동할 수 있으며, 때때로 파괴적인 결과를 낳을 수 있다.

　지구공학 실험의 정치적 민감성을 고려하였을 때, 국제적 합의 없이는 관련 연구가 진행될 수 없다. 그러나 대기권에 어떤 실험을 허용할지에 대해 국제 협약을 체결하거나 거버넌스 프레임워크에 대해 합의를 이루기는 무척 어렵다. 국제 사회가 효과적으로 감독을 하지 못할 경우 불량한 국가 또는 행위자가 장기적 효과를 고려하지 않고 단기적 목적 달성을 위해 자체적으로 지구공학 프로젝트를 가동할 수 있다. 화학물질의 대기 살포는 단순한 기술이기 때문에 한 국가가 주변국에 대한 고려 없이 기후 조절을 시도할 수 있다. 실제로 기후 문제가 심각해짐에 따라 그러한 시도가 감행될 수 있다.

　일부 지구물리학자들과 환경 운동가들은 지구공학 전략을 시험해보는 것조차 거부하고 있다. 그들은 지구공학 연구를 허용하는 것이 다음 세 가지 이유에서 불가하다고 설명한다. 첫째, 지구공학 연구에 대한 자원 배분은 자연 보존 조치 또는 청정에너지 개발 등 보다 친환경적인 기술 개발에 사용되어야 한다. 둘째, 관련 연구자들이 곧 이익 집단화 되어 그들이 개발한 기술이 어떤 형태로든 배치되어 사용되기를 촉구할 것이다. 셋째, 지구공학은 곧 '자연의 종말'을 의미할 수 있다. 국가와 지역들이 기후 패턴에 개입하기 시작하면, 기후 조절에 대한 전 지구적, 지역적 요구가 끊이지 않을 것이다.

기후과학에 대해 불완전한 지식을 갖고 지구공학을 시도할 경우, 무계획적이며 잠재적으로 재앙이 될 실험이 이어질 수 있다. 자연에 대한 완벽한 통제는 과학의 오랜 꿈이었지만 번번이 잘못된 생각으로 판명되었다. 기후를 관리하는 것이 달성 가능한 목표라고 가정한다 해도 다양한 지역과 국가 간 요구를 조정하는 것조차 쉽지 않다.

1. 지구공학은 지구의 자연적 시스템에 대한 광범위한 개입을 의미한다. 그러나 아직까지는 지구온난화 문제를 해결하기 위해 온실가스를 감축하거나 대기권 구조를 변경하기 위한 이론적 차원의 노력에 머물고 있다.

2. 다수의 과학자들이 현재 우리가 가진 제한된 지식으로 대기권 시스템에 개입하는 것은 위험하고 무책임한 일이라고 주장한다. 반면, 옹호론자들은 수세기 동안 인류가 파괴한 환경과 대기를 바로잡는 일이라고 설명한다.

3. 안정적인 기후 체계를 위해서는 온실가스를 감축하는 노력과 이미 생산된 이산화탄소를 처리하는 노력이 병행되어야 한다. 이에 대한 단순한 기술적 솔루션은 존재하지 않지만, 과학기술의 역할이 필요한 것도 사실이다.

4. 지구공학에 대한 책임 있는 연구가 진행되기 위해서는 국제사회의 협력을 위한 프레임워크가 필요하다. 현재 관련 거버넌스는 파편적으로만 존재하며, 거버넌스가 지속적으로 부재할 경우, 공동의 지구에 대한 리스크는 증가할 것이다.

5. 지구공학이 정책결정자들에게는 새로운 이슈이며, 아직 관련 연구 기금도 소규모에 불과하고 실제 실험도 많이 이루어지지 않고 있다. 지구공학에 대한 거버넌스는 기술 사용의 권한에서부터 초국경적 영향에 보다 안전한 대안 모색까지 다양한 문제들을 고려해야 한다.

CHAPTER 16

우주기술

2030년까지 우리는 우주와 관련된 과학기술들의 급격한 발전을 목도할 것이다. 항공 우주 기술, 천체 관측, 초소형 인공위성, 나노소재, 3D 프린터, 로봇공학, 머신 비전 분야의 기술적 도약은 미증유의 우주 탐험 시대를 열 것이며, 이로부터 과학적, 경제적 이익도 창출될 것이다. 선진국과 개발도상국 모두 우주로부터 혜택을 받을 수 있다. 연구자들과 기업들은 방대한 양의 데이터를 얻을 것이며, 이는 다시 새로운 가치 창출과 교환의 사슬을 만들 것이다. 새로운 과학 지식은 혁신과 환경 책임성을 촉진하고, 수익성이 높은 우주 자원의 개발과 생산은 미래 무역 경로를 새롭게 설정할 것이다. 그러나 이와 같은 대단한 장래성은 우주 트래픽 관리, 궤도 잔해 처리, 우주 채굴 등에 대한 국제 협약과 외기권 행동 지침의 기초적인 집행 없이는 실현되지 못할 것이다.

4차 산업혁명은 우리와 우주를 더욱 가까워지게 해줄 것이다. 스페이스X나 블루 오리진 같은 민간 기업들은 우주여행 비용을 획기적으로 낮추려 한다. 한편, 항공·방위산업체인 BAE 시스템은 리액션엔진Reaction Engine 사의 사브레SABRE 엔진 개발에 2,000만 파운드를 투자하였다. 이 기술로 항공기는 특수 활주로 또는 시설 없이 저지구 궤도에 진입할 수 있다.[204] NASA는 먼 우주 공간, 그리고 궁극적으로 달과 화성에 사람들을 보내기 위해 노력하고 있으며, 스페이스X도 이를 위해 애쓰고 있다. 새로운 선구자들은 우주 관광과 행성 광업을 활성화하기 위해 힘쓰는 중이며 세계 경제에서 우주 부문이 차지하는 부분을 확대하는 방안을 모색하고 있다. 우주 망원경과 인공위성기술의 발전을 통해 혁신에서부터 세계관까지 모든 분야를 이해하는 데 있어 우주의 역할이 재평가될 것이다.

향후 수십 년 내 우주 자원 개발이 현실화되면 우주 공간을 상업화하기 위해 초기에 투자하였던 투자자들은 수익을 실현할 수 있다. 또한 우주에 대한 접근성이 증대되면서 우주 조사, 궤도 정리 및 관리, 가상현실을 통한 태양계의 다른 행성 방문 서비스 등 새로운 산업이 등장할 것이다. 이를 통해 지구 자원의 소모와 고갈 문제에서 자유로워질 수도 있다. 2015년 한 해에만 투자회사들이 우주 관련 스타트업에 18억 달러를 투자한 이유는 우주 기술 분야의 잠재성 때문이다.[205] 이러한 투자는 단순히 우주 관광 사업뿐 아니라 다른 종류의 사업들도 포함한다(물론 적당한 비용의 우주 관광이 실현된다면 큰 수익을 거둘 수 있을 것이다). 더욱이 신소재와 첨단소재의 개발은 우주복 생산 및 설계로 이어진다.[206] 나노소재를 활용하여 태양 복사 차폐 우주복이 개발되고 있다.[207] 많은 우주기술들이 지구에서의 삶을 개선하기 위한 용도로 연구되고 있다.

최첨단, 맞춤형 우주기술의 비용은 점차 낮아지고 있다. 심지어 인공위성기술도 보급화를 위해 소형화되고 저렴해지는 추세다. 위성으로부터 데이터 수신을 하게 된다면 농작물, 산불, 인구 이동, 공급망, 도시화 등에 대한 모니터링이 용이해질 것이다. 위성들은 지구의 통신망을 구축하여 아직도 인터넷의 혜택을 받지 못하는 40억 인구에게 인터넷을 제공할 수 있다.

배기가스 감축, 에너지 배분 및 송전 최적화 등 시스템 차원의 문제 해결에도 전 세계 측량 데이터를 사용할 수 있다. 현재 젊은 혁신 기업들은 머신 비전 알고리즘을 활용하여 인공위성 영상 데이터로부터 정보를 추출하고, 무역, 농업, 인프라 등의 분야에 관련 정보를 제공하고 있다. 이러한 분석 능력은 사회 및 생태계에 대해 정보가 필요한 다른 이해관계자들에게도 전달될 수 있다. 뿐만 아니라 무인 우주 탐사선, 망원경, 심우주deep space 탐사 및 유인 우주여행 등을 통해 생산된 더 많은 과학 지식을 바탕으로 우주와 지구 속의 인간의 역할과 위치에 대해 완전히 새로운 시각을 갖게 될 것이다.

높은 잠재력에도 불구하고, 세계경제포럼의 〈글로벌 리스크 보고서 2017〉은 우주기술은 다른 과학기술에 비교하여 가져오는 혜택은 적지만 인식은 좋다고 평가하였다. 인공위성, 우주 탐사, 항공학, 지구과학, 기후 모델링 등에 필요한 최첨단 기술과 장비는 물론, 대형 프로젝트들을 주도하고 있는 원대한 연구 계획들을 감안하면 이는 놀라운 결과이다. 이는 수년간 다양한 이해당사자들이 일궈낸 놀라운 우주기술의 위업을 일반인이 다 이해하지는 못하지만 꽤 건실한 기술로 인식하고 있다고 해석 가능하다.

일반인들은 우주기술을 이미 신뢰하고 있다. 〈글로벌 리스크 보고서〉

에 의하면 우주기술은 컴퓨팅, 첨단소재, 에너지기술 등 2017년 세계 위험 보고서 혜택 순위에 상위를 차지한 기술들의 집합체이다. 우주기술은 경제와 사회에 새로운 가능성을 가져다줄 것이다. 그러나 대부분의 사람들이 우주를 경험하기에 2030년(엘론 머스크가 스페이스 X를 통해 화성 식민지를 완성하겠다고 공언한 해 — 편집자)은 너무 이르긴 해도 우리는 가상 현실기술을 통해 우주 행성에서 로버나 드론을 운전하는 서비스를 구입할 수 있을 것이다. 우주기술은 이미 전 세계 인구의 절반을 연결하였으며, 곧 모두를 모두와 연결할 수 있다.

국제 우주정거장에서의 혁신

엘렌 스토판Ellen Stofan NASA, 책임과학자(2013-2016) 겸 유니버시티 칼리지 런던UCL 위험연구센터 명예교수

국제 우주 정거장ISS 건설 이래 다양한 분야에서 1,900개가 넘는 연구가 진행되었거나 진행되고 있다. 이 중에는 사람의 건강에 대한 연구도 포함된다. ISS는 무중력 연구를 할 수 있는 다양한 다목적 연구실과 특수 장비를 제공한다. 미세 중력 하에서 인간은 다양한 생물학적 영향을 받는데 예를 들면 면역계 및 혈관계의 변화, 골밀도 및 근육 손실, 시력 감퇴 등이 있다. NASA와 국제 협력 파트너들은 이러한 영향을 완화하기 위해 노력하였으며, 이러한 노력은 우리가 지구에서 겪는 질병 치료에도 도움을 주었다.

ISS에서 진행되는 연구들은 의약과 의료 기술 발전에도 기여하고 있다. 현재 진행 중인 연구에 의하면 비스포스포네이트라는 약물, 건강한 식습관, 규칙적인 운동이 뼈 손실 감소에 효과적인 것으로 밝혀졌다. 미세 중력 하에서 연구가 용이한 플라스마는 상처 치료와 종양 불활성화를 통해 암 치료에 활용된다. 연구가 진행 중인 미세 중력 하 단백질 결정 성장 연구는 듀켄씨 근이영양증DMD 치료에 도움이 될 수 있다.

ISS에서 국제 협력을 통해 이루어지는 많은 인체에 대한 연구는 중요한 성과를 내고 있으며, 신기술 개발을 촉진하고 있다. 초음속 2스캐너(ISS 또는 오지에서 신속하고 정확한 진찰을 가능케

하는 장비), NIOX MINO(천식을 모니터하고 발작을 방지하는 휴대용 기기), 초기 골다공증 및 면역 체계 질병 진단 기술, 뉴로암(원래 우주선에서 무거운 물건을 옮기거나 수리를 위해 개발된 로봇 팔) 등은 많은 목숨을 구할 수 있는 장비들로 전 세계 곳곳에서 놀라운 성과를 거두었다. 의사들은 이제 뉴로암을 사용하여 MRI 기기 내부에 있는 환자의 뇌수술을 할 수도 있다.

화상 탐사를 위해 일상적으로 이루어지는 업무들 외에 NASA는 다른 국가 기관 및 민간 기업들과 협력하여 미국의 캔서 문샷 이니셔티브US Cancer Moonshot Initiative를 통해 암 치료를 위해서도 노력하고 있다.

연구팀들은 예방의학에 대한 이해를 높이고 진단 및 치료를 가속화하기 위해 어떻게 면역 체계를 조절할 수 있을지 논의 중이다. 우주에서 방사선 노출로부터 인체를 보호하기 위해 NASA가 개발한 기술은 입자 빔 방사선 치료를 통한 암 대안 치료 연구에 기여하였다. 입자 빔 방사선 치료는 주위 세포를 보존하면서 적정량의 방사선으로 암세포를 제거하는 치료법이다. 마찬가지로 NASA의 초소형 캡슐 개발은 12~14일간 약 투여가 가능한 초소형 전달체 기술 개발을 통해 암 치료 분야의 발전을 이끌었다.

NASA는 저지구 궤도 실험을 통해 지구와 미세 중력 환경에서 우리 인체에 대한 이해를 크게 확장하였다. 그러나 아직 많은 과제가 남아 있다. 장거리·장기간 우주 여행 시 더욱 많은 문제에 직면할 것이며, 이를 해결하기 위해서는 협력을 강화해야 한다. 우리가 도전 영역을 넓혀갈수록 새로운 아이디어와 협력이 가능하며, 인류 공동의 이익을 위한 우주기술의 연구와 개발이 이루어질 수 있다.

| 진입 장벽 완화와 성공 가능성 제고 |

인류는 우주기술로부터 막대한 혜택을 받고 있다. 인공위성은 국제 금융 네트워크의 연동, 기후 관측, 지속가능한 자원 관리, 오지에서의 교육 및 핵심 서비스 제공, 자연재해 조기 경보 등 일상생활에 도움을 주고 있다. 우주기술도 다른 많은 부문과 마찬가지로 기술 발전에 의한 거대한 변혁에 직면해 있다. 변혁을 통해 더욱 많은 편익을 창출할 수 있으나, 우주 부문이 갖고 있는 잠재적인 문제들을 우선 해결해야 한다.

우주는 최첨단 기술의 영역이라고 흔히들 생각하지만 현실은 이보다 복잡하다. 1950, 1960년대 정부의 대대적인 투자는 초창기 우주 부문의 혁신을 촉진하였다. 이로부터 파생된 기술들은 마이크로칩과 소프트웨어공학처럼 미래 산업의 밑거름이 되었다. 그러나 우주선 발사에 드는 많은 비용과 척박한 우주 환경 때문에 안정성과 성능을 중시하게 되면서 혁신이 제약되고 진입 장벽이 높아졌다.

오늘날 우주 부문에서는 높은 수준의 혁신이 다시 이루어지고 있지만 이는 대부분 다른 부문에서 역으로 파생되어 온 기술들 덕분이다. 예를 들어, 마이크로칩과 소프트웨어 산업은 다음 두 가지 중요한 측면에서 역으로 우주기술 발전에 기여하고 있다. 첫 번째는 기술적인 측면이다. 스마트폰, 노트북, 기타 컴퓨터 기기 생산 인프라는 보다 스마트하고 빠르며 저렴한 우주 부품과 인공위성을 개발하는 데 일조하고 있다. 클라우드 컴퓨팅은 인공위성으로부터 산출된 정보의 처리와 저장을 상용화하였다. 3D 프린터, 첨단 로봇공학, 인공지능과 같은 최신 기술들은 인공위성 생산 능력 제한에 대한 고정관념을 깨고 진입 장벽을 허물고 있다. 메이드 인 스페이스 Made in Space는 ISS에서 3D 프린터 사용 가능성을 보여주었으며, 노바웍스 NovaWurks는 궤도상에서 자율적으로 조립 가능한 모듈형 위성 부품을 개발하고 있다.

다른 파생 효과는 자본과 인적 자원 측면에서 이루어지고 있다. 신규 투자 기회를 기다리는 벤처 투자자들과 도전을 원하는 젊고 유능한 엔지니어들은 넘쳐나고 있다. 많은 투자자들과 공학도들은 실제 우주인을 보거나 공상과학소설을 읽으며 우주를 동경해왔다. 목적의식이 뚜렷한 전문가들은 우주 부문에 기여하는 것에 대해 보람을 느끼고 있다. 예를 들어, 플래닛Planet사는 전 NASA 엔지니어들에 의해 실리콘밸리에 설립된 많은 우주 관련 스타트업 중 하나다. 플래닛은 IT업계의 넓은 소프트웨어, 하드웨어 인재들을 흡수하고 있다.

기술, 자본, 인재 유입은 우주 부문의 심대한 변화와 혁신을 유발하고 있다. 원격 센서, 통신, 정밀 운항 및 타이밍 등 전통적인 우주 응용 기술의 생산성은 더욱 높아지고 있다. 인공위성을 설계, 생산, 발사, 운용하는 비용은 점진적으로 낮아지고 있으며, 이로부터 얻어지는 데이터의 저장, 처리, 정리 능력은 발전 중이다. 동시에 저렴한 방식의 인공위성 발사, 우주에서 다른 재화를 생산하는 계획, 우주 자산들의 사용 기간을 연장할 수 있는 관

도표27 **목적지에 따라 분류한 우주 비행 회사들**

	회사	차량, 우주선	서비스
우주 발사	블루 오리진(Blue Origin)	뉴 셰퍼드(New Shepard) 바이코닉 스페이스크래프트(Biconic Spacecraft)	인간 우주 비행을 포함, 궤도 발사와 비궤도 발사(nonorbital launch) 서비스
	마스텐 스페이스 시스템(Masten Space Systems)	자에로(Xaero), 조그도르(Xogdor)	경량 비궤도 발사(suborbital launches of small payloads)
	버진 갈락틱 (Virgin Galactic)	스페이스십투(SpaceShipTwo), 런처원(LauncherOne)	경량 비궤도 발사, 비궤도 인간 우주 비행, 공중 발사 나노위성
	엑스코 에어로스페이스(XCOR Aerospace)	링크스(Lynx)	비궤도 인간 우주 비행, 나노위성 발사
	오비탈 사이언스 코퍼레이션(Orbital Science Corporation)	페가수스(Pegasus), 타우리스(Tauris), 안타레스(Antares), 시그너스(Cygnus)	위성 및 국제 우주정거장(ISS) 화물 궤도 발사
	스페이스X(Space X)	팔콘 9(Falcon 9), 팔콘 헤비(Falcon Heavy), 드래곤(Dragon)	위성 및 국제우주정거장(ISS) 화물 발사, 인간 우주 비행 궤도 발사 계획(2017년)
	스트라토런치 시스템즈(Stratolaunch Systems)	스트라토런처(Stratolauncher)	공중 궤도 발사
	유나이티드 론치 얼라이언스(United Launch Alliance)	아틀라스 V(Atlas V), 델타 IV(Delta IV)	궤도 발사
원거리 센싱	플래닛 랩스(Planet Labs)	도브(Dove), 플록 1(Flock 1)	지구 표면 고해상 촬영 및 수집 데이터 공유
	스카이박스 이미징(Skybox Imaging)	스카이샛(SkySat)	지구 표면 고화질 HD 비디오 촬영, 데이터 분석, 수집 데이터 공유
저지구 궤도 (LEO) 인간 우주 비행	비글로 에어로스페이스(Bigelow Aerospace)	BA 330	궤도나 달에서 사용 가능한 팽창식(Inflatable) 주거 공간
	보잉(Boeing)	CST-100	승무원 탑승 저지구 궤도 비행
	시에라 네바다 코퍼레이션(Sierra Nevada Corporation)	드림 체이서(Dream Chaser)	승무원 탑승 저지구 궤도 비행
	스페이스 어드벤처스(Space Adventures)	소유즈(Soyuz)	승무원 탑승 저지구 비행 및 달 탐사
비욘드	B612 재단	센티넬(Sentinel)	잠재적으로 위험한 소행성 탐지
	인스퍼레이션 마스 파운데이션(Inspiration Mars Foundation)	인스퍼레이션 마스	승무원 탑승 화성 플라이바이 탐사
	문 익스프레스(Moon Express)	문 익스프레스(Moon Express)	달 탐사 및 달 자원 채굴
	플래네터리 리소스(Planetary Resources)	아키드 100(Arkyd 100), 아키드 200(Arkyd 200), 아키드 300(Arkyd 300)	소행성 탐사 및 자원 채굴

출처 NASA(2014)

리 및 재급유 기술, 심지어 소행성에서의 수자원 및 광물 개발까지 새로운 우주 활동들이 이루어지고 있다. (도표27)

그러나 우주 부문의 변화는 기존 문제들을 복잡하게 하고 새로운 문제들을 야기하고 있다. 진입 장벽 완화와 기술 진보로 많은 국가와 민간 기업이 우주 활동에 참여하면서 인공위성 발사가 수십 배 증가했다. 오늘날 70여 개국이 위성을 소유하거나 발사하였는데, 가장 최근에는 이라크, 우루과이, 투르크메니스탄, 라오스가 대열에 합류했다. 향후 10년간 광대역 인터넷과 다른 서비스 제공을 위해 1만 2,000대 이상의 상업용 위성 발사가 계획되어 있다. 이로 인해 지구 궤도가 혼잡해지고 있으며, 우주 트래픽 추적 및 관리, 궤도상 충돌 탐지 및 방지 등 새로운 문제들이 발생하고 있다. 지구와 우주에서 더 많은 대역폭을 원하는 끝없는 욕심 때문에 전자기파 스펙트럼의 무선 주파수 대역도 점차 혼잡해지고 있다. 또한 군사 및 국가 안보 목적으로 우주 공간 사용이 증가함에 따라 미래에는 분쟁이 지구에서 우주로 확대될 가능성이 높아지고 있으며, 이는 미래 우주 공간의 사용을 제한할 수 있다.

위와 같은 문제들을 해결하는 것은 불가능한 일이 아니며, 이미 해결하기 위한 노력들도 이루어지고 있다. 국가들은 양자 및 다자 협의를 통해 중대한 안보 문제에 대해 논의하고 불신을 완화하기 위해 투명성 제고 및 신뢰 구축 조치를 도입하고 있다. 또한 우주의 장기적이고 지속가능한 이용을 위해 국가와 민간 기업이 협력하고 있다. 우주 잔해 최소화, 우주 상황 인식 제고, 궤도상 충돌 방지 등이 여기에 해당한다. 그러나 향후 인류가 우주로부터 최대의 혜택을 얻기 위해서는 국제사회가 더욱 노력해야 한다.

우주기술 발전을 위해서 다음과 같은 분야에서 혁신적인 리더십과 거버넌스가 요구된다.

- 국제 규제 프레임워크에 민간 기업의 참여를 확대할 수 있는 메커니즘 형성. 현재로선 우주 활동과 관련된 모든 협약을 감독하는 외기권의 평화적 이용에 관한 위원회(Committee on the Peaceful Uses of Outer Space, 1959년 설립)에 민간 기업의 아이디어를 반영할 수 있는 메커니즘이 없다. G20의 기업인들을 대표하는 B20과 같이 우주 부문에 참여하는 새로운 기업인들을 포함할 수 있는 협의체가 필요하다. 정보 공유, 새로운 기회 창출, 문제 해결을 위한 협력 등이 이러한 기업들이 참여하는 분명한 목적이 될 수 있다.

- 우주 광물 개발 및 민간 기업 활동과 관련하여 국내 및 국제 규율의 조정. 민간 자본의 투입이 증가함에 따라 각국 정부는 민간 기업이 우주 활동과 관련하여 국제법의 테두리 안에서 국내법을 준수하도록 보장하여야 한다. 규제 준수 확보 노력은 향후 신규 시장에 진입하는 기업들이 신의 있게 행동하도록 유도할 수 있다.

- 새로운 우주 트래픽 관리 시스템 도입. 우주 영역에 참여하는 사람들이 늘어나면서 지구 궤도에 있는 물체들을 관리할 수 있는 더욱 체계적인 시스템이 필요하다. 우주 산업이 계속 커지려면 상업용 위성의 확산에 대응하여 위성 프로토콜과 가이드라인에 대한 협력적 접근이 중요하다.

- 우주 잔해 완화 이행 노력. 현역 및 퇴역 인공위성과 로켓 잔해들의 관리와 관련하여 개괄적인 가이드라인은 현재 있으나, 모든 행위자가 지구 궤도를 보호토록 하는 이행 메커니즘은 아쉽게도 현재 존재하지 않

는다. 궤도에 있는 물체들이 급격하게 증가함에 따라 우주에 대한 투
자와 인명 보호를 위해 관련 프로토콜 마련이 필요하다.

− 일부 소규모 국가에서 우주 관련 활동을 통제하기 위해 필요한 메커니
즘의 부재. 새로운 국가 또는 비국가 행위자가 우주 영역에 진입하면
서 예측치 못한 충돌이 일어날 수 있다. 모든 국가가 확립된 우주 관련
행동 지침을 따르도록 하는 확실한 메커니즘이 절실하다.

1. 우주 기반 또는 우주 연관 기술은 변곡점을 맞이하고 있다. 민간 기업과 정부의 투자로 우주 탐사와 상업화를 위한 우주 개척 활동이 활발해지고 있다. 도전적인 엔지니어들과 투자자들은 우주 공간을 절호의 기회로 여기고 자신들이 새로운 미래를 여는 데 기여한다는 사실에 흥분하고 있다.

2. 장기간 쌓아온 엔지니어, 규제 당국, 투자자 간의 협력 관계는 우주 관련 기술의 안정성에 대한 신뢰를 형성하고 있다. 이후의 장애물들(우주 쓰레기 증가, 무분별한 우주 트래픽, 보편적인 행동 지침의 부재) 해결을 위해서는 지속적인 협력이 필요하다.

3. 우주는 마이크로칩과 소프트웨어공학 같은 파생 산업을 성공적으로 창출해왔다. 순환 구조에 따라 우주 산업은 역으로 이러한 파생 산업의 수혜자이기도 하다. 모바일 컴퓨팅, 배터리, 3D 프린터, 인공지능은 효율성 향상과 새로운 우주기술 발전에 기여하고 있다.

4. 인류 최후의 개척지와 관련해 새로운 행위자가 증가하고 위성과 관련 활동이 늘어나면서 궤도 혼잡화, 무선 주파수 및 광대역 공유, 우주 자원 개발에 대한 규칙 및 절차 수립 등 도전 과제들이 대두하고 있다.

5. 민관 협력을 위한 신뢰 구축, 공공의 선을 위한 우주 사용의 보장, 지정학적 분쟁 방지, 소규모 국가를 포함한 국제사회 모든 일원의 우주 접근권 보장, 우주 관련 행동 지침 개발을 위해 이해관계자 간 조율 및 합의가 필요하다.

시스템 리더십: 4차 산업혁명을 이끌기 위해 당신이 할 수 있는 일들

이 책은 4차 산업혁명의 역학관계, 가치, 이해관계자, 세상을 바꾸는 기술에 관해 탐구함으로써 다양한 분야의 리더들과 시민들이 과학기술과 사회의 관계, 우리가 함께 미래를 바꿀 수 있는 방안에 대해 더욱 깊이 생각해보는 장을 제공하고자 집필되었다.

4차 산업혁명은 사고방식의 전환을 요구하는데, 이 사고의 전환은 단순히 변화의 속도와 규모에 집중하거나 신기술을 개발하고 도입하는 데 따르는 새로운 책임을 인식하는 것에 그쳐서는 안 된다. 모든 집단과 업계, 개인들에게는 '시스템 리더십' 차원의 행동과 리더십이 필요하다. 이는 과학기술, 거버넌스, 가치에 대한 새로운 접근법을 제시한다.

정부에게 가장 시급한 과제는 보다 기민한 거버넌스와 전략을 수립하여 공동체를 지원하고 기업과 시민사회와 소통하는 것이다. 기업은 우선 일자리, 고객, 공동체에 영향을 주는 4차 산업혁명 기술에 대한 이해 제고와 적응을 위해 새로운 업무

방식을 실험해봐야 한다. 일반 시민들은 이 책에서 다른 주제들에 대한 지역, 국가, 국제사회 차원의 논의에 참여하고, 새로운 기술을 직접 체험할 수 있는 기회가 있다면 적극 활용하여야 한다.

변혁의 시대를 살아가기 위해서는 책임 있는 행동이 필요하다. 과학기술과 관련 구조가 성숙할수록 사용 습관이 고착화되며, 이런 상황하에서 해당 기술이 사회, 국가, 산업에 기여할 수 있는 최적의 상태로 바꾸기가 어렵다. 4차 산업혁명의 속도와 규모는 우리에게 조금의 지체도 허용하지 않는다. 우리는 인공지능, 유전자 변형, 자율 주행 차, 가상현실 기술들이 성숙 단계에 접어든 미래에 모든 인류가 혜택을 누릴 수 있도록 관련 규범, 규칙, 규제, 기업 관행을 바로 세우기 위해 부단히 노력하여야 한다.

언론에서는 불평등 심화, 정치 양극화, 신뢰 하락, 환경오염 등 경제와 사회 전반에 걸친 다양한 리스크와 압력에 대해 매일 기사를 쏟아내고 있다. 이는 다양한 이해당사자 간의 협력과 리더십의 행동을 촉진하기도 하고 방해하기도 한다. 이 문제들은 하나의 기업, 산업, 국가, 심지어 하나의 대륙의 힘으로도 해결할 수 없다. 시스템 차원의 변화에 대응하고 인류 모두를 위한 더 나은 미래를 만들려면 협력적이고 의지가 있는 집단 리더십이 필요하다.

복잡성, 변혁성, 분산성을 가진 4차 산업혁명은 새로운 형태의 리더십을 요구한다. 우리는 이를 '시스템 리더십'이라고 부르고자 한다. 시스템 리더십은 변화를 위한 공동의 비전을 함양하고, 글로벌 사회의 모든 이해관계자와 협력하며, 시스템이 주는 혜택의 공유 방식과 대상에 대한 변화를 이끌어내고자 한다. 시스템 리더십은 하향식 또는 권력을 가진 소수에 의한 은밀한 조종을 지양한다. 대신 상호 신뢰와 협력의 맥락에서 모든 시민들의 권리를 강화하고, 시민과 조직들의 혁신, 투자, 가치 전달을 보호한다. 궁극적으로 시스템 리더십은 우리의 사회·경제 체제의 변화를 유도하여 지난 산업혁명의 실패를 답습하지 않도록 하는 상호 연계된 활동이며, 미래 세대를 포함한 모든 시민들에게 지속가능한 혜택을 제공하고자 하는 노력이다.

4차 산업혁명의 맥락에서 시스템 리더십은 기술, 거버넌스, 가치, 세 개 분야로 나눌 수 있다. 시스템 리더십은 개인, 기업인, 사회 지도층, 정책결정자 등 모든 이해관계자의 행동을 요구한다.

문제의 집단적 해결이 필수적인 시대에서 우리 모두는 시스템 리더가 될 책임이 있다. 그러나 정부, 기업, 개인은 각각 갖춰야 할 구체적 역할이 있다. 이는 뒤에서 설명하고자 한다.

| 기술적 리더십 |

어떤 분야의 기술적 리더 또는 빠른 팔로워가 되기 위해서는, 이해관계자들에게 더 많은 가치를 전달하기 위한 기술 투자에 자원을 배분하고, 다양한 기술 개발 경로와 플랫폼을 비교하고, 가치 사슬 전반의 조직 구조, 기술, 수요, 관계에 적응할 줄 알아야 한다. 지난 세 차례에 걸친 산업혁명을 통해 증명된 것처럼, 새로운 기술에 적응하고 이를 활용하여 낮은 가격에 보다 높은 가치를 창출하는 기업에게 대다수의 혜택이 돌아갈 것이다.

세계에서 가장 혁신적인 기업, 정부, 시민사회는 새로운 과학기술과 새로운 상품, 서비스, 절차와의 결합을 통해 가치를 전달하는 기존 방식을 바꾸고 있다. 예를 들어, 싱가포르의 마이리스폰더*myResponder* 앱은 지리 정보를 사용하여 심장마비 환자로부터 400미터 내에 있는 자원봉사자에게 환자 상태를 알림으로써 생명을 구하고 있다. 아디다스는 카본Carbon사와 협력하여 3D 프린터로 가볍고 튼튼한 운동화를 대량생산하고 있다.[208] 이들과 달리 혁신과 거리가 먼 기업의 경우에는 새로운 기술을 어떻게 활용할 수 있을까?

첫째, 4차 산업혁명이 디지털 시스템에 의존하고 있으므로 기업들은 가능한 한 많이 디지털 통신, 협력 도구, 데이터 관리, 사이버 보안에 투자하여야 한다. '데이터가 새로운 석유'라는 말이 있다.[209] 나쁜 비유는 아니다. 데이터는 중요하면서도 아직 개발이 덜 된 자원이다. 유용하게 활용되기 위해서는 정제되어야 한다. 즉, 데이터를 활용하기 위해서는 다양한 데이터 흐름을 분류·저장·분산·분석할 수 있는 전략적 정책 결정을 내리고 기술적 인프라에 투자해야 한다.

그리고 석유와 마찬가지로 데이터 유출은 치명적일 수 있다. 실제로 새로운 컴퓨팅 접근법, 인공지능, 개인정보의 활용 확대가 결합되면서 사이버 위협이 빠르게 증가하고 있다. 석유와 마찬가지로 데이터를 보호하긴 해야 하지만 공공의 선을 위해서 데이터를 소수가 독점하고 착취하는 자산이 아닌 공유 자산으로 여길 필요가 있다.

둘째, 싱가포르와 아디다스의 예에서 보았듯이 기술 리더가 되기 위해서는 협업적 혁신 전략을 채택해야 한다. 조직의 내부 학습, 수정, 특화를 통한 연구 개발 모델은 기존의 고객을 대상으로 하는 특정 제품의 점진적 혁신에는 최적이다. 그러나 클레이튼 크리스텐슨Clayton Christensen 등에 의하면 이러한 모델은 4차 산업혁명이 가져올 산업 환경, 즉 완전히 새로운 시장에서 폭발적인 성격을 갖는 제품을 개발하는 데는 효과적이지 않다. 4차 산업혁명 기술을 선도하기 위해서는 전혀 다른 분야의 젊고 역동적이며 모험적인 기업과 학술 기관, 그리고 조직과 매우 다른 관점과 접근법 및 시장을 갖고 있는 외부 파트너와 협력하여야 한다.

셋째, 신기술들을 최대한 활용하기 위해서는 임직원 모두가 새로운 기술과 사고방식을 배워야 한다. 2016년 세계경제포럼 〈미래의 직업〉 보고서에서는 새로운 과학기술, 비즈니스 모델, 시장이 개발됨에 따라 모든 산업의 기술 중 35퍼센트가 바뀔 것으로 예측한다. 맥킨지 글로벌 연구소는 현재 기술에 의하면 오직 5퍼센트의 직업만이 완전 자동화 될 수 있지만, 60퍼센트의 직업 중에 30퍼센트 이상은 컴퓨터에 의해 이루어질 수 있다고 밝혔다. **210**

컨설팅 회사 알파베타의 새로운 연구에 따르면 아직까지 기술이 고용에 미치는 영향이 아주 넓지는 않지만, 기술 발전으로 인해 근무자가 창의적 작업, 인간관계, 정보 합성 업무에 보다 많은 시간을 할애할 수 있게 되었다고

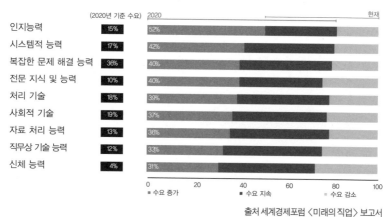

도표28 **직무 관련 핵심 기술 수요의 변화 (2015-2020)**

	(2020년 기준 수요)	2020		현재
인지능력	15%	52%		
시스템적 능력	17%	42%		
복잡한 문제 해결 능력	36%	40%		
전문 지식 및 능력	10%	40%		
처리 기술	18%	39%		
사회적 기술	19%	37%		
자료 처리 능력	13%	36%		
직무상 기술 능력	12%	33%		
신체 능력	4%	31%		

0　　　20　　　40　　　60　　　80　　　100
■ 수요 증가　　　■ 수요 지속　　　■ 수요 감소

출처 세계경제포럼 〈미래의 직업〉 보고서

한다. 호주의 경우, 주당 2시간 정도가 육체적·행정적 업무에서 보다 즐겁고 회사 입장에서도 가치 있는 작업을 하는 시간으로 전환되었다고 보고되었다.**211**

도표28 은 이러한 작업 환경의 전환으로 인해 수요가 증가하고 있는 직무 기술을 나타내고 있다. 표에 따르면 창의성과 대인관계의 중요도가 증가하고 있다. 4차 산업혁명에서 기업이 성공하기 위해서는 문제 해결, 관리, 창의적 기술을 강조하는 채용 및 교육 훈련 프로그램에 투자하여야 한다.

| 거버넌스 리더십 |

새로운 과학기술로부터의 혜택이 대부분 민간 부문을 통해 전달되기 때문에 혜택의 질과 대상은 과학기술 거버넌스에 의해 좌우된다. 그러나 거버넌스가 단순히 정부를 뜻하는 것은 아니며, 법률과 규제 같은 공식 제도에 국한되지도 않는다. 거버넌스는 사용 기준의 개발, 사용을 제한하거나 촉진하는 사회 규범의 출현, 인센티브 구조, 전문 협회에 의한 인증 및 감독, 산업 협약, 자율 정책, 기업들이 경쟁자·공급자·파트너·고객과 맺는 자율 계약을 모두 포함한다.

4차 산업혁명의 특징, 또는 21세기의 특징 중 하나는 변화가 정부 기관들이 불편할 정도로 빨라지고 있다는 것이다. 특히, 과학기술의 변화 속도는 정책결정자와 정부 입장에서 어려운 숙제이다.

현재 그리고 앞으로 4차 산업혁명이 가져올 파장에 대응하기 위해 다음 두 가지 측면에서의 거버넌스가 필요하다.

첫 번째로 '우리가 무엇을, 왜 관리하는가'라는 질문에 대한 답을 다시 생각해봐야 한다. 지난 산업혁명에서 과학기술에 대한 거버넌스는 주로 새로운 기술에 대응하여 건강과 환경에 대한 공공 분야의 안전을 확보하는 역할에 초점이 맞춰져 있었다. 그러나 지난 장들에서 논의되었듯이 새로운 과학기술들은 고용 시장에 대한 영향부터 인권 보호까지 새로운 종류의 문제를 야기한다.

4차 산업혁명의 기회와 위협 요인을 잘 관리하기 위해서는 아래 여덟 가지 교차적 거버넌스 문제에 생각해보아야 한다.

- 어떤 메커니즘을 통해 4차 산업혁명이 국가 내 소득 및 부의 불평등을 악화하지 않고 완화하는 데에 기여할 수 있는가?
- 신흥 개발도상국들은 어떻게 새로운 기술과 시스템을 사용하여 인적 및 경제 발전을 촉진하고 불평등을 완화할 수 있는가?
- 4차 산업혁명으로 인한 고용 시장에 대한 파급 효과를 어떠한 정책, 접근법, 사회 보호 시스템을 통해 관리할 수 있을까?
- 인간의 노동력과 창조성이 대체되지 않고 오히려 강화되기 위해서는 어떻게 기술 교육, 채용 모델, 과학기술 시스템이 설계 또는 재설계될 수 있을까?
- 4차 산업혁명 기술이 개인과 조직에 미치는 강력한 힘을 고려했을 때, 어떻게 개인의 자유와 공동의 번영 사이에 균형을 맞출 것인가?
- 4차 산업혁명의 역학 관계와 파급 효과가 어떻게 취약계층의 성별과 문화의 차이, 취약 계층 문제에 영향을 줄 것이며, 어떠한 새로운 역할과 기회가 주어져야 하는가?
- 사회는 어떻게 공동의 목적의식, 인간 존엄, 인간 사이의 유대를 핵심 가치로서 보장할 수 있을까?

두 번째로는 무엇을 관리할 것인지를 넘어 어떻게 관리할 것인지에 대해 재고해야 한다. 표준화는 특히 2차, 3차 산업혁명 시대에 산업 및 산업 간 레벨을 관리하는 강력한 거버넌스 도구였다. 4차 산업혁명의 기술 표준은 이미 개발이 이루어지고 있다. 국제 표준화 기구ISO는 2016년 협업적 산업 로봇 시스템에 대한 안전 기준에 관련한 표준(15066:2016)을 발표했다.[212] ISO는 현재 무인 항공 시스템과 드론의 민간 사용에 대한 네 개의 표준을 개발하고 있다.[213] 실제로 1946년부터 160개 이상의 국가 표준 기구들이 모여서 거의 모든 기술, 생산, 서비스 분야를 다루는 약 2만 2,000개의 국제 표준을 만들어냈다.

올바른 표준을 개발하는 데 있어 전문직 협회들의 역할이 필수적이다. 특히, 가치와 이해관계자들의 우선 사항 사이에 합의가 필요할 때 이들의 역할이 중요하다. 일례로 전자전기공학연구소IEEE는 43만 2,000명의 회원들을 통해 조직 간의 합의를 이끌어내고 다양한 분야의 전기 및 디지털 시스템에 대한 안전, 신뢰, 상호 운용성을 제공한다. 이들의 인공지능에 대한 가이드라인을 보면 단순히 기술적 요구나 표준이 아닌, 해당 기술이 초래하는 광범위한 영향을 고려한다는 사실을 알 수 있다. IEEE의 민감성의 근원은 전기가 전보, 전화, 전력 등을 통해 사회적 영향력을 갖게 된 1884년 2차 산업혁명 초기까지 거슬러 올라간다.

표준 개발은 기술 거버넌스의 필수적인 부분이지만 4차 산업혁명이 초래하는 변화의 범위, 영향력, 속도를 감안하였을 때 기술 표준과 정부 규제 개발에 대한 현재의 접근법을 초월하는 접근법이 필요하다. 4차 산업혁명 시대의 거버넌스 리더십은 참신하고, 기민하며, 탄력적이고, 선제적이여야 한다.

이는 2017년 샌프란시스코에 개소한 '4차 산업혁명 세계경제포럼 센터'
의 설립 목적이다. 이 센터는 글로벌 협력을 위한 새로운 공간으로 설계되
었으며, 국제사회 공공의 이익을 위한 과학과 기술의 사용을 가속화하기
위해 원칙과 프레임워크를 개발하고자 한다. 개발된 프레임워크는 정부·
민간·시민사회 파트너들과의 협력을 통해 시범 프로그램과 반복적 실험을
통해 시험될 것이고, 도표29 에 나열된 아홉 개 핵심 분야를 중심으로 개발
될 것이다. 센터의 궁극적인 목적은 세계 모든 지역에서 유사한 기관과 네
트워크를 활성화하는 기폭제 역할을 하면서 신기술에 대한 국가 및 다양한
이해관계자의 주인 의식을 고취하는 것이다. 센터는 또한 글로벌 미래 위
원회의 '기술·가치·정책 소위원회'를 통해 기민한 거버넌스를 위한 다채롭
고 혁신적인 방안을 모색하고 있다.

기민한 거버넌스 구조를 구축하는 데 있어 정부들이 자연스럽게 핵심적
인 역할을 수행하겠지만, 4차 산업혁명의 선도적인 기술에 대한 거버넌스

도표29 **4차 산업혁명 세계경제포럼 센터의 프로젝트**

센터 프로젝트	관련 세계경제포럼 시스템 이니셔티브
중소기업 생산의 혁신	미래 제조업
인공지능과 머신 러닝	센터 간(Cross-Center) 프로젝트
블록체인과 분산원장기술	센터 간(Cross-Center) 프로젝트
자율 주행 자동차	이동의 미래
민간용 드론	이동의 미래
디지털 무역과 국가 간 데이터 흐름	국제 무역과 투자의 미래, 디지털 경제와 사회의 미래
새로운 비전의 해양	자연과 천연자원 안보의 미래
사물인터넷과 커넥티드 디바이스	디지털 경제와 사회의 미래
정밀의료	건강과 헬스케어의 미래

출처 세계경제포럼

는 정부만의 영역으로 제한되지 않는다. 오히려 모든 부문, 산업, 조직이 이해관계를 갖고 있는 공동의 과제이다. 그러므로 기술적 거버넌스에 보다 효과적이고 지속가능한 방법을 통해 기여하는 조직들은 미래 설계에 있어 상당하고 긍정적인 영향을 줄 수 있다.

| 가치 중심적 리더십 |

시스템 리더십은 새로운 기술적 리더십과 거버넌스에 대한 투자 확대에 그치지 않는다. 협력의 모멘텀을 창출하고 중요성을 강조하기 위해서는 가치 중심의 접근이 필요하다. 사회적 가치는 새로운 기술의 혜택이 소수에게만 집중되지 않고 모두에게 돌아가도록 동기와 지속가능성을 제공한다.

가치에 대한 논의는 복잡해질 수 있지만 상이한 관점, 인센티브 구조, 문화적 배경이 존재한다고 타협이 불가능한 것은 아니다. 우리의 계획, 미래 세대를 위한 지구 보존의 중요성, 인간 생명의 가치, 인권 관련 국제 협약, 전 세계 시민을 위한 진심 어린 걱정들은 기술 개발의 궁극적인 목적이 언제나 지구와 인류라는 생각의 시작점이 될 수 있다. 간단히 설명하자면 4차 산업혁명이 나아가야 할 방향은 인간 중심의 인본주의다.

챕터 1에서 인간 중심의 산업혁명을 개인과 공동체의 권리를 강화하고, 세상을 바꿀 수 있는 힘과 의미를 부여하는 것이라고 정의했다. 실질적으로는 광범위한 환경 및 사회 체제에 대한 기술의 영향에 주의를 기울이고, 신규 기술이 지속가능 발전 목표를 지원하고, 상당한 물질적 수준을 이룰 수 있는 경제 제도와 메커니즘을 보장하는 것이다. 인간 중심의 접근법은 또한 국내외적으로 시민, 특히 취약 계층의 권리의 보호와 강화를 요구한다. 마지막으로 우리의 행동에 대한 디지털 기술의 영향력이 확대되고, 우리의 경험이 파편화되는 과정에서 인간중심주의 계획은 일상생활에 의미를 부여할 수 있는 개인의 능력을 향상하는 것이다. 이러한 인간 중심의 접근법 하에서 새로운 기술은 보다 조화롭고 의미 있는 사람 간의 소통에 기여하여야 한다.

그러므로 가치 중심의 리더십은 능동적인 리더십이다. 가치가 목적에서 벗어난 개념이거나 부차적인 생각이 아닌 과학기술 체계의 긍정적인 일부분이 되도록 해야 한다.

우리 사회가 과학기술의 변화에 수동적일 필요는 없다. 사회는 자신들의 목적에 따라 원하는 기술을 채택하고, 원하는 미래를 그릴 수 있는 결정권을 갖고 있다. 과학기술에 대한 가치 중심의 접근은 기술의 정치적 성질을 인식하고, 사회적 가치를 우선하며, 기술의 일부분이며, 사회 및 경제적 교환을 중재하는 가치에 조직이 기여할 수 있는 방안에 대해 심사숙고하는 것을 포함한다. 또한 기술과 관련한 중요한 결정을 내릴 때 우리 자신의 가치와 관점이 어떻게 기술에 의해 변화하는지에 대해 재고해야 한다. 끝으로 가치를 기반으로 한 기술 발전의 방향을 결정할 때는 해당 과학기술로부터 영향을 받지만 평소 의견을 제기할 수 없는 외부자들의 의견까지 반영해야 한다.

리더들은 과학기술과 기업, 공동체 간의 관계를 변화시킬 수 있는 가장 많은 기회를 쥐고 있다. 따라서 기술 발전의 인센티브를 좌우하는 경제적 압박에서 한 발 물러서서 시스템 전체를 조망하고 미래를 내다보는 능력이 중요하다. 스타트업의 경우, 대기업 문화에서는 더더욱 어려운 결정이나 가치 판단이 포함된 결정을 내릴 때 리더의 역할은 매우 중요하다. 사회적 가치에 대한 확고한 헌신은 조직 전반에 영향을 끼치며, 사회에 기여하고

자 하는 직원들의 사기를 고취하고, 조직의 명성에 중대한 영향을 끼친다.

| 이해관계자 맞춤형 전략: 정부는 무엇을 해야 하는가? |

우리 모두는 시스템 리더십에 기여할 책임이 있다. 그러나 각 이해관계자의 역할이 다르며, 정부·기업·개인이 각기 다른 맞춤형 전략을 추구할 수 있다.

전략 1: 기민한 거버넌스 접근법을 채택하라

정부에게 가장 시급한 과제는 과학기술을 관리하는 참신한 접근법을 고안하는 것이다. 세계경제포럼의 〈기민한 거버넌스: 4차 산업혁명 시대의 정책 입안의 재구성〉[214]이라는 제목의 백서에서 설명한 것과 같이 새로운 기술 발전의 속도와 특성들(다수의 관할, 규제, 연구 분야에 중첩적인 영향, 인간 가치와 편향적 시각에 영향을 줄 수 있는 정치적 성격의 증가 등)은 기존의 정책 결정 구조와 절차를 무의미하게 만든다. 새로운 기술 발전에 대응하여 거버넌스 구조를 개혁하는 것은 새로운 일은 아니지만 오늘날 신흥 기술들의 파급력을 고려할 때 시급성이 그 어느 때보다 높다.

기민한 거버넌스는 4차 산업혁명 시대에 정책의 입안, 전달, 제정, 이행 과정에서 보다 나은 결과를 창출하기 위한 핵심 전략이다. '애자일 선언 Agile Manifesto'[215]에 영향을 받은 '세계경제포럼 소프트웨어와 사회의 미래를 위한 글로벌 어젠다 위원회'[216]의 보고서는 과학기술 및 기술을 채택하는 민간 분야의 민첩함, 가변성, 유연성, 적응성에 상응하는 기민한 거버넌스를 추구한다.

정부는 민첩하게 움직이기 위해 많은 리스크와 모순을 극복하여야 한다. 공공 부문의 정책 결정은 신중하고 포용적이어서 신속한 절차와 결과에 반하는 것처럼 비추어진다. 실제로 많은 경우에 최적의 방안은 잠시 멈추어 숙고하고 가능한 한 폭넓게 검토하는 것이다. 앞의 보고서에 의하면, 정부가 갖는 특유의 책임 중 하나는 신속성을 위해 엄격성, 효과성, 대표성을 희생해서는 안 된다는 점이다.[217]

정부가 거버넌스에 있어 민첩한 접근 방식을 택해야 하는 중대한 이유 중 하나는 이를 통해 보다 포용적이고 사람 중심적이며, 정책 수요자를 효과적으로 만족시킬 수 있는 정책 프로세스를 창출할 수 있기 때문이다. 기민한 거버넌스를 통해 정책은 장기적으로 지속된다. 특히, 상시적인 모니터링, 정책의 주기적인 개선, 정책 집행 지원, 견제와 균형을 유지하기 위해 민간 부문과 시민사회와의 공유를 가능하게 한다.

그러나 기민한 거버넌스는 실제로 어떤 모습일까? 각국 정부가 탐색·촉진·실험해볼 수 있는 4차 산업혁명 시대의 모범적인 거버넌스의 예는 다음과 같다.[218]

- 정책 연구소 설립(영국 내각의 정책 연구소Policy Lab와 같이 기민성 원칙에 따라 정책 개발의 새로운 방식을 실험할 수 있는 정부 내 특수 공간)[219]

- 제프 멀건Geoff Mulgan이 제안한 것처럼, 반복적이면서 여러 분야를 관통하는 유연한 접근법을 활용한 정책 개발을 위해 정부와 기업이 협력하여 개발 샌드 박스 또는 실험적 테스트베드(시험 공간)를 마련하도록 장려[220]

- 포괄적이며 참여 중심인 규칙을 형성하기 위해 크라우드 소싱 정책 및

규제 콘텐츠를 지원(예를 들어 크라우드로CrowdLaw라는 플랫폼은 시민이 직접 법안을 제안하고, 초안을 작성하고, 이행 과정을 모니터링하며, 새로운 법을 제정하거나 수정하기 위해 데이터를 제공할 수 있게 해준다)**221**

— 《평평한 세상을 위한 규칙Rules for a Flat World》의 저자 질리언 해드필드Gillian Hadfield가 제안한 바대로 민간 규제 당국이 서로 경쟁하여 질 높은 거버넌스를 제공할 수 있도록 생태계를 조성**222**

— 리처드 오언Richard Owen의 '책임감 있는 혁신Responsible Innovation'**223**과 힐러리 서트클리프Hilary Sutcliffe의 '지속가능한 혁신을 위한 원칙Principles for Sustainable Innvoation'의 아이디어로부터 착안한, 공적 자금을 사용하는 연구자, 기업가, 영리 기관에 대한 가이드라인 제공을 위한 혁신 원칙의 개발, 확산 및 채택**224**

— 데이비드 거스턴David H. Guston의 '선제적 거버넌스 모델Anticipatory Governance model'에 기반을 둔 민간 참여, 시나리오 기반의 예측 노력, 과학 연구에 사회과학 및 인문학을 접목하려는 노력 강화**225**

— 게리 머천트Gary Marchant와 웬들 월러치Wendell Wallach가 '거버넌스 조율 위원회Governance Coordination Committee'**226** 형태로 제안했고 짐 토머스Jim Thomas가 제시한 '신기술 평가에 대한 국제 협약International Convention for the Evaluation of New Technologies'에 토대를 둔 시민 토론의 활성화와 신기술의 윤리적·법적·사회적·경제적 영향력에 대한 평가·감독을 위한 글로벌 조정 기구의 역할 정립**227**

— 로드마이어Rodemeyer, 새러위츠Sarewitz, 와일드슨Wildson에 의해 제안된 기술 평가에 대한 광범위한 시민 참여와 가치, 인센티브, 정치적 성격

을 반영하는 연구와 상용화를 결합하는 새로운 접근법 장려**228**

- '기민한 거버넌스 원칙에 대한 요청A Call for Agile Governance Principles'에서
세계경제포럼 소프트웨어와 사회의 미래를 위한 글로벌 어젠다 위원
회(2014~2016)에 의해 주창된 원칙(효율성, 공공 서비스, 복지 증진 및
정부가 변화에 보다 잘 대응할 수 있도록 대비) 적용**229**

전략 2: 경계를 허물어라

정부가 시급성을 갖고 추구해야 할 두 번째 전략은 기민한 거버넌스 전
략을 보완해 전통적인 산업·제도·지리적 경계를 허무는 것이다.

섹션 2에서 소개한 기술들의 사용과 그 영향력은 어떤 한 영역에 국한되
지 않는다. 《클라우스 슈밥의 제4차 산업혁명》에서 심도 있게 논의된 것처
럼 연구 분야, 부처, 조직 간의 학술적 또는 제도적 경계의 존재는 정부 대
응의 효율성과 효과성을 저하시킨다. 칸막이는 해소되어야 한다. 예를 들
어 싱가포르의 시빌 서비스 칼리지는 정부 기관과 공무원들이 공공 부문
전반에 대해 배우고 협력할 수 있는 기회를 제공한다. 이 대학은 네 개 정
부 부처의 사무차장과 총리실, 학술기관으로 이루어진 이사회에 의해 관리
된다.**230**

칸막이 해소가 무질서 상태를 뜻하는 것은 아니다. 데이터의 공유에 있
어서는 특히 그렇다. 데이터를 보호하고 적절한 연결성을 고민할 필요가
있으며, 인권 침해 가능성이 있을 경우 더욱 그러하다. 그러므로 신기술의
불법적·비윤리적 사용 가능성과 다양한 이해당사자 간 협력을 통해 얻을
수 있는 혜택 사이에서 균형을 찾아야 한다. 의료 정보가 좋은 예이다. 대
규모의 유전자 정보를 여러 의료 서비스 기관과 연구 기관끼리 공유함으로

써 많은 생명을 구할 수 있을 것이다. 그러나 유전자 정보를 악용할 가능성이 높기 때문에 많은 곳에서 의료 정보 공유에 있어 환자 동의를 구하고 엄격하게 관리하고 있다.

새로운 분야 간 협력 모델은 민·관 데이터 공유 협약을 제안하여 인도적 차원에서 이러한 한계를 극복하고자 한다. 이는 사전에 서로 동의가 이루어진 위기 상황(전염병 등)에서만 적용될 수 있으며, 이를 통해 구호가 지연되는 것을 방지한다. 또한 일시적으로 정보 공유를 허용함으로써 긴급 구조원 간의 협력을 강화할 수 있다.**231**

| 이해관계자 맞춤형 전략: 기업은 무엇을 해야 하는가? |

전략 1: 행동하며 배우고, 사람에 투자하라

기업인들에게 가장 중요한 전략은 실험이다. 4차 산업혁명은 여전히 초기 단계에 불과하며, 새로운 기술의 잠재성이 아직 완전히 이해된 것은 아니다. 그러나 챕터 2에서 논의된 것처럼 혁명적 변화의 일부는 예측할 수 있다. 예를 들어 혼란은 보통 산업과 조직의 주변부에서 발생하는 경향이 있다. 기업은 새로운 과학기술의 핵심을 최소한이라도 이해하고 있어야 큰 그림을 볼 수 있으며, 주변부에 있는 기회를 잡을 수 있다. 기업은 반드시 다른 분야에서의 발전에 귀를 기울이고, 호기심을 갖고, 배우고자 노력하여야 한다. 또한, 새로운 기술을 실험하는 것을 주저하여서는 안 된다. 조직이 직접 새로운 기술을 실험하지 않으면, 어떻게 사용해야 할지를 알 수 없다.

기업은 인공지능, 신소재, 생명공학, 사물인터넷과 같은 새로운 기술에 겁을 먹어서는 안된다. 실험은 심지어 작은 기업이나 신생 기업도 할 수 있을 정도로 생각보다 쉬울 수 있다. 좋은 사례로 마코토 고이케라는 일본 농부는 머신 러닝 앱인 텐서플로TensorFlow를 그의 가족이 운영하는 오이 농장에 사용한 바 있다.[232]

실험은 과학기술이 할 수 있는 것뿐 아니라 할 수 없는 것에 대한 식견도 갖게 해준다. 일부 기술적 솔루션은 과대 선전 되어 실제로는 투자 가치가 없을 수 있다. 실험을 통해 우리는 그 기술에 어느 정도 투자하는 게 적합한지 결정할 수 있다.

기업들이 새로운 과학기술의 실험을 가장 잘 활용하기 위해서는 제도적 지식을 갖고, 신사업에 활용할 수 있는 인재들을 중시하고, 기존 직원들의 기량 발전에 투자하여야 한다. 이는 새로운 기술과 관련된 기량 뿐 아니라 협력적이며 모험과 실패를 두려워하지 않는 기업 문화를 포함한다. 모험 정신을 갖고 있는 기업의 직원들은 혁신적 공간에서 전문 지식을 쌓고 성장을 견인할 수 있는 스핀 아웃 회사의 기회를 포착하여 가치를 창출할 수 있다.

전략 2: 새로운 거버넌스 접근법을 채택하고 활용하라

기업들은 새로운 기술이 어떻게 내부 리더십과 외부 협력 체계와 연결되어 있는지를 면밀히 관찰하고, 이들을 계획·공급·배치·통합·관리하는 방법을 고안해나가야 한다. 새로운 조직 구조를 구성하는 것에서부터 참신한 정책과 관행을 도입하는 것까지 개별 기업이 채택하는 거버넌스는 규범을 변화시키고, 기업 문화를 바꾸며, 산업 전체에 영향을 준다.

내부적인 조직 구조를 변화시키는 것에서 나아가 기업들은 과학기술의 관리와 개발에 대한 새로운 규범을 형성하기 위해 협력해야 한다. 위에서 언급된 다중 이해관계자 거버넌스를 구축하려는 노력이 이에 해당한다. 조직 내부적으로 목적 의식을 고양하고, 윤리 지침을 마련하며, 기술의 영향에 대한 폭넓은 이해를 갖는 것은 매우 효과적이며 혁신적이다. 보다 많은 목표를 위해 동기와 인센티브를 일치시키기 위해서는 조직 구조를 바꾸고, 다른 이해관계자와 협업하며, 사고방식과 행동을 변화시키는 것이 효과적이다.

이 과정에서 기업은 새로운 리스크에 대응하기 위해 적합한 전략을 세워야 하며, 이를 거버넌스 구조에 포함하여야 한다. 특히 많은 기업이 인공지능, 사물인터넷, 블록체인, 첨단 컴퓨팅 등 디지털 기술의 급속한 발전에 대응하여 사이버 리스크를 관리할 준비가 되어 있지 않다. 계속되는 데이터 유실 사건, 비트코인 해킹, 사물인터넷 취약점은 상호 연결적인 디지털 기술이 확산됨에 따라 이를 악용하는 기술도 발전하고 있음을 보여준다. 기업은 자산을 보호하고, 경쟁력을 높이고, 이해관계자와 고객에게 신뢰를 주기 위해 강력한 사이버 리스크 대응 전략을 갖춰야 한다.

전략 3: 목적을 갖고 기술을 개발하고 사용하라

보다 근본적으로 기업들은 기술 개발 마인드를 바꾸어야 한다. 연구 개발과 제품 개발 수준을 뛰어넘어 새로운 기술(자원 또는 제품 형태)이 미래에 어떠한 역할을 하게 될지 상상하고, 기술의 개발·인수·사용이 어떤 결과를 낳을지 비판적으로 생각해보아야 한다.

이 책에서 반복하여 주장한 것과 같이 영향력 큰 다수의 4차 산업혁명 기술들은 아직 바뀔 수 있는 여지가 많다. 자동화의 미래는 로봇 시스템을 어떻게, 그리고 무엇을 위해 개발할 것인가에 달려 있다. 환경에 대한 영향은 어떠한 이해관계자가 기술 설계 과정에 참여하는가, 재료가 어떻게 공급되는가, 폐기물을 어떻게 관리·재활용·처리할지 등에 달려 있다.

기업은 이처럼 광범위한 비선형 영향에 대해 숙려할 수 있는 절차를 마련하여야 한다. 또한 반드시 조직 프로세스와 인센티브 구조가 특정 기회를 다른 기회보다 중시하는지 이해하려고 노력하여야 한다. 이를 통해 그들의 직원, 고객, 지역 공동체를 긍정적으로 변화시킬 수 있다. 이를 위해서는 잠재적 갈등과 부정적 영향에 대한 가능성을 탐색하고, 새로운 과학기술이 기업, 고객, 사회 전반에 어떠한 영향을 줄지 생각해보아야 한다. 예를 들어, 사물인터넷 회사는 도시 내의 센서 데이터 증가가 여러 공동체에 부정적인 영향을 줄 수 있는 시나리오를 미리 생각해볼 필요가 있다.

이러한 전략을 바탕으로 기업은 고객 및 규제 당국과 신뢰를 쌓아나갈 수 있다. 실제로 초기 단계부터 새로운 기술이 기존 구조를 어떻게 흔들 수 있을지에 대해 규제 당국과 소통한다면 우호적인 규제 환경을 형성해나갈 수 있다. 부정적인 영향이 발견되었을 때 이에 대한 해결방안 모색에 다양한 이해관계자를 참여시킨다면 우리 모두가 희망하는 포용적이며 지속가능한 미래가 열릴 것이다.

| 이해관계자 맞춤형 전략: 개인은 무엇을 해야 하는가? |

전략 1: 탐구·실험·상상하라

개인 역시 기업과 마찬가지로 새로운 기술과 친해져야 한다. 때때로 이는 자신 또는 주위에 대한 부정적 영향을 방지하기 위해 필요하다. 사이버 위협의 경우, 보다 강력한 보안 설정(어려운 패스워드 설정, 이중 인증 등)을 하지 않은 개인이 피해를 받는다. 또한, 새로운 과학기술의 대중화(챕터 2 참조)는 개인이 기업 경영진 또는 엔지니어가 아니더라도 기술 개발에 영향을 줄 수 있는 기회를 제공한다. 요즘에는 지역사회의 제작 실험실[233] 방문하기, 3D 프린터로 직접 물건 만들어보기, 지역사회 유전자기술 워크숍 참여하기 등[234] 개인이 새로운 과학기술을 직접 체험하고 배울 수 있는 기회가 많다.

시민들이 디지털 기술의 인터페이스와 일상적인 서비스 이면에서 어떠한 변화가 이루어지는지를 배우고 경험하는 것은 공동체적 시각, 욕구, 가치를 반영하는 기업과 정부에 일반인들의 경험을 반영하기 위해 중요하다. 섹션 2에서 다룬 많은 새로운 기술들을 사용하는 것은 생각보다 쉽다. 예를 들어 비영리 기구 '패스트 에이아이$_{fast.ai}$'는 기본적인 프로그래밍 경험이 있으면 이해할 수 있는 최신 머신 러닝 기술 활용에 대한 7주 심화 학습 프로그램을 제공한다.

새로운 과학기술을 탐구하고 실험을 통해 우리는 원하는 미래를 그릴 수 있다. 미래는 우리 자녀 세대의 것임을 잊어서는 안 된다. 미래에 과학기술과 공동체가 어떤 관계를 맺을지에 대해 생각해보는 것은 매우 중요하며, 새로운 기술의 잠재적 목적과 활용을 이해하기 위해서는 청년의 목소리를 듣고 따를 필요가 있다. 값어치 있는 미래는 결국 그 미래를 살아가면서 새로운 기술로부터 가장 많은 영향을 받을 이들의 생각을 반영하여야 한다.

전략 2: 정치적이 되어라

과학기술이 만들어낼 미래를 직접 경험할 사람은 바로 개인이다. 미래에 대한 꿈을 그릴 때, 우리는 기술이 어떻게 발전하고 활용되는지에 대해 자신의 입장을 결정하고 목소리를 냄으로써 정치적으로 참여할 수 있다. 기술은 소수 개발자의 이익을 대변할 뿐이고, 기술자들은 기술과 관련 있는 사회적 특성이나 그 영향력 전체를 짐작할 수는 없기 때문에 기술이 개인의 삶과 공동체에 어떤 영향을 미치는지 공유하는 것이 중요하다. 이러한 피드백을 통해 4차 산업혁명 기술들이 가치 있게 사용될 수 있으며, 기업과 정부는 가장 우려스러운 부분을 알 수 있게 된다.

개인은 소비자 또는 유권자로서 자신의 목소리를 낼 수 있을 뿐 아니라 4차 산업혁명으로 변화하고 있는 사회 조직과 시민운동을 통해서도 의견을 표출할 수 있다. 이와 같은 통로를 통해 사회적 욕구와 열망이 전달되고 개인의 권리가 보호되며, 기업의 사업 계획에서 다룰 수 없거나 정부와 사회 간에 이견이 있는 취약 계층에 대한 도움을 제공할 수 있다. 시민사회 조직들은 자신의 목소리를 낼 수 없거나 주변화된 이들의 의견을 정책 결정권을 갖고 있는 이들에게 전달할 수 있다. 또한 기업가, 투자자, 엔지니어는 그들이 개발하고 있는 기술이 어떻게 사회 전체에 영향을 주는지 이해할 수 있다.

| 결론 |

지난 50년 동안 우리는 사회와 사회가 만들어낸 과학기술 간 상호 혁신적인 관계에 대해 보다 잘 알게 되었다. 두 번의 산업혁명과 세계대전을 겪으면서 우리는 기술이 단순히 생산과 소비를 위한 기계와 도구, 시스템의 집합이 아니라는 사실을 깨달았다. 기술은 사회에 대한 관점과 우리의 가치를 변화시킨다. 우리는 과학기술을 바탕으로 경제·사회·세계관을 구축한다. 바로 이 때문에 우리는 기술에 보다 많은 관심과 주의를 기울여야 한다. 과학기술은 우리가 세상과 우리 주변을 이해하는 관점을 변화시키며,

나아가 우리가 그리는 미래의 가능성에도 영향을 준다.

4차 산업혁명의 시작점에서 우리가 직면한 문제들(자동화의 영향, 인공지능의 윤리적 문제, 유전자 변형의 사회적 파장)은 핵, 유전자, 우주기술이 급격히 발전하고 컴퓨터가 인간을 대체하기 시작한 1960년대부터 사회적으로 대두되었다. 당시의 단기적 기대는 이루어지지 않았으나, 3차 산업혁명을 통한 디지털 기술의 발전으로 이러한 기대는 현실이 되어 많은 사람들의 일상의 한 부분으로 자리 잡았다.

다행히도 지난 50년간 연구와 예측 기법을 통해 발전한 분석 도구와 사회적 통찰력 덕분에 우리는 과학기술과 사회 간의 상호적인 영향에 대해 더 잘 이해할 수 있게 되었다. 실제 어떻게 과학기술이 광범위한 사회 변혁을 촉진하고 우리의 가치를 반영할 수 있는지에 대한 민감성은 향후 기술들이 가져올 사회적 파장 신호를 구별하고 이 책을 저술하는 데에 많은 도움이 되었다.

이처럼 복합적인 상황에서는 기술적 변화의 다채로운 면을 이해하는 새로운 시각을 갖고, 이러한 통찰력을 개인과 조직 차원에서 응용하는 것이 중요하다.

그러나 만약 우리가 계속해서 기술을 인간이 예측 가능하고 통제 가능한 범위 내에서 사용할 수 있는 단순한 '도구'로 본다면 이는 불가능할 것이다. 또한, 기술을 우리의 통제 밖에 있는 결정 요소로 생각하고 포기해서도 안 된다.

그 대신 일반 시민, 기업 경영인, 사회운동가, 투자자, 정책결정자 등 신분에 관계없이 모든 이해관계자는 과학기술 발전의 결과는 개발의 모든 단계에서 우리가 내리는 선택과 연결되어 있다는 것을 명심하여야 한다. 소비자로서의 선택이 제품과 기업의 미래에 영향을 끼치듯이 기술에 대한 우리의 집단적인 선택이 경제와 사회 구조를 바꿀 수 있다.

과학기술은 우리가 직면한 많은 문제들의 해결책이 될 수 있지만, 또 많은 새로운 문제들의 원인이 될 수 있다. 어떤 한 집단이 모든 문제를 해결할 수 없듯이 기술이 만병통치약이 될 수도 없다. 우리는 우리 사회의 우선순위에 대한 큰 그림을 보고 협력을 강화하여 긍정적인 변화를 이끌어내고, 신뢰를 구축하고, 선의의 노력을 보여야 한다. 협력과 투명성 없이는 4차 산업혁명의 도전 과제들을 극복할 수 없다.

만약 우리가 용기를 발휘하고 공공의 선을 위해 행동한다면, 인류의 복지와 발전은 지속적으로 향상될 수 있다. 지난 산업혁명들은 비록 환경 파괴와 불평등과 같이 우리가 해결해야 할 과제들을 남겼지만 엄청난 진보와 풍요의 원천이기도 했다. 모든 이해관계자들의 참여는 혁신의 혜택 배분, 불가피한 외부효과의 완화 등 핵심 문제 해결에 기여할 수 있을 것이다. 또한 이를 통해 새로운 과학기술이 우리의 인간성을 결정하기보다 강화하는 방향으로 발전하도록 할 수 있을 것이다.

4차 산업혁명 시대의 거버넌스 문제를 해결하기 위해서는 개인, 기업, 정부 모두가 새로운 기술을 어떻게 개발하고 사용할지에 대해 올바른 전략적 결정을 내려야 한다. 이를 위해서는 사회적 가치에 대한 입장을 정립하고 협력을 위한 메커니즘을 구축하여야 한다. 개인과 조직은 다양한 이해관계자들의 관점들을 연결하고 이해하여야 하며, 다국적 기업과 국가는 공식적인 또는 비공식적인 협약을 보다 효과적으로 체결하도록 노력하여야 한다. 이는 쉬운 일이 아니며, 물론 실패도 거듭할 것이다. 그러나 우리의 책임을 져버려서는 안 된다.

오늘날 세계가 직면하고 있는 문제의 규모, 복잡성, 시급성을 공감한다면 책임 있는 리더십과 행동이 필요하다. 모든 참여자가 가치를 추구하는 시스템 리더십 정신에 따른 올바른 실험을 함으로써 우리는 가장 강력한 과학기술이 보다 포용적이고, 공평하며, 풍요로운 공동체에 기여하는 미래를 설계할 수 있을 것이다.

감사의 글

이 책은 많은 관련 종사자들의 참여와 협업의 결과물이다. 이 책은 18개월에 걸쳐 수천 명의 전문가, 기업 고위 임원, 정책입안자들을 대상으로 한 연구, 인터뷰, 워크숍, 브리핑, 회담, 그리고 240명이 넘는 사상가들과의 심층 인터뷰 및 의견 교환을 토대로 쓰였다.

세계경제포럼의 글로벌 미래위원회 및 전문가 네트워크는 수많은 글과 매우 복잡하고 끊임없이 변화하는 기술의 세세한 부분에 대해 유용한 의견을 제시함으로써 섹션 2에 크게 기여하였다.

따라서 이 책에 의미 있는 수준으로 영향을 끼친 모든 분들을 여기에서 언급하기란 불가능에 가깝다. 하지만 세계경제포럼의 글로벌 미래 위원회의 모든 회원들에게 깊은 감사의 뜻을 전한다. 그중에서도 4차 산업혁명 기술을 다룬 모든 회원들에게 특히 더 고맙다는 말을 전하고자 한다. 이 책의 본문과 각주에 나온 전문가들의 대다수는 글로벌 미래 위원회의 회원들이다. 위원회의 조직도와 회원들은 다음의 웹사이트 주소에서 찾아볼 수 있다.

www.weforum.org/communities/global—future—councils

우리는 이 책을 준비하는 과정에서 이메일이나 전화, 대면으로 인터뷰, 토론, 교류에 시간을 할애해준 모든 전문가들에게 특히 감사의 뜻을 표한다. 이 책을 쓸 때 여러 방면으로 도움을 준 이들은 아래와 같다.

Asmaa Abu Mezied, Small Enterprise Center

Asheesh Advani, JA Worldwide

Dapo Akande, University of Oxford

Anne-Marie Allgrove, Partner, Baker & McKenzie

Dmitri Alperovitch, Crowdstrike

Michael Altendorf, Adtelligence

Kees Arts, Protix

Alan Aspuru-Guzik, Harvard University

Navdeep Singh Bains, Minister of Innovation, Science and Economic Development of Canada

Banny Banerjee, Stanford University

Brian Behlendorf, Hyperledger

Emily Bell, Columbia University

Marc R. Benioff, Salesforce.com

Yobie Benjamin, Avegant

Niklas Bergman, Intergalactic

Sangeeta Bhatia, MIT

Burkhard Blechschmidt, Cognizant

Adam Bly, Spotify

Iris Bohnet, Harvard University

danah boyd, Microsoft Research

Edward Boyden, MIT

Kirk Bresniker, Hewlett Packard Enterprise

Winnie Byanyima, Oxfam

John Carrington, Stem

Cong Cao, University of Nottingham

Alvin Carpio, The Fourth Group

Justine Cassell, Carnegie Mellon University

Sang Kyun Cha, Seoul National University

Derrick Cham, Strategy Group, Government of Singapore

Joshua Chan, Smart Nation and Digital Government Office, Government of Singapore

Andrew Charlton, AlphaBeta

Fadi Chehadé, Chehaodé Inc.

Devan Chenoy, Confederation of Indian Industry (CII)

Hannah Chia, Strategy Group, Government of Singapore

Carol Chong, Singapore Economic Development Board

Jae-Yong Choung, Korea Advanced Institute of Science and Technology

Ernesto Ciorra, Enel

Alan Cohn, Georgetown University

Stephen Cotton, International Transport Workers' Federation

Aron Cramer, Business for Social Responsibility (BSR)

James Crawford, Orbital Insight

Molly Crockett, University of Oxford

Pang Tee Kin Damien, Monetary Authority of Singapore

Paul Daugherty, Accenture

Eric David, Organovo

Charlie Day, Office of Innovation and Science Australia

Angus Deaton, Princeton University

Phill Dickens, University of Nottingham

Zhang Dongxiao, Peking University

P. Murali Doraiswamy, Duke University

David Eaves, Harvard Kennedy School

Imad Elhajj, American University of Beirut

Sherif Elsayed-Ali, Amnesty International

Helmy Eltoukhy, Guardant Health

Ezekiel Emanuel, University of Pennsylvania

Victoria A. Espinel, BSA — The Software Alliance

Aldo Faisal, Imperial College London

Al Falcione, Salesforce.com

Nita Farahany, Duke University

Dan Farber, Salesforce.com

Christopher Field, Stanford University

Brian Forde, MIT

Primavera De Filippi, Berkman Center for Internet & Society, Harvard University

Luciano Floridi, University of Oxford

Tracy Fullerton, University of Southern California

Pascale Fung, Hong Kong University of Science and Technology

Andrew Fursman, 1QBit

Mary Galeti, Shiplake Partners

Brian Gallagher, United Way

Dileep George, Vicarious

Kunal Ghosh, Inscopix

Bob Goodson, Quid

Christoph Graber, University of Zurich

Henry T. Greely, Stanford University

Wang Guoyu, Fudan University

Sanjay Gupta, LinkedCap

Seth Gurgel, PILnet

Gillian Hadfield, University of Southern California

Wang Haoyi, CAS Institute of Zoology

Demis Hassabis, Google DeepMind

Ricardo Hausmann, Harvard University

John Havens, Institute of Electrical and Electronics Engineers (IEEE)

Yan He, Zhejiang University

Imogen Heap, Entrepreneur and recording artist

John Hagel, Deloitte

Cameron Hepburn, University of Oxford

Angie Hobbs, University of Sheffield

Timothy Hwang, FiscalNote

Jane Hynes, Salesforce.com

Nancy Ip, Hong Kong University of Science and Technology

David Ireland, ThinkPlace

Paul Jacobs, Qualcomm

Amy Myers Jaffe, University of California

Davis Ratika Jain, Confederation of Indian Industry (CII)

Sheila Jasanoff, Harvard Kennedy School

Ajay Jasra, Indigo

Chi Hyung Jeon, Korea Advanced Institute of Science and Technology

Feng Jianfeng, Fudan University

Yan Jianhua, Zhejiang University

Sunjoy Joshi, Observer Research Foundation (ORF)

Calestous Juma, Harvard Kennedy School

Anja Kaspersen, International Committee of the Red Cross (ICRC)

Stephane Kasriel, Upwork

Neal Kassell, Focused Ultrasound Foundation

Drue Kataoka, Drue Kataoka Studios

Leanne Kemp, Everledger

So-Young Kim, Korea Advanced Institute of Science and Technology (KAIST)

Erica Kochi, UNICEF

David Krakauer, Santa Fe Institute

Ramayya Krishnan, Carnegie Mellon

Jennifer Kuzma, North Carolina State University

Jeanette Kwek, Strategy Group, Government of Singapore

Dong-Soo Kwon, Korea Advanced Institute of Science and Technology

Peter Lacy, Accenture

Corinna E. Lathan, AnthroTronix

Jim Leape, Stanford University

Jong-Kwan Lee, Sung Kyun Kwan University

Jae Kyu Lee, Korea Advanced Institute of Science and Technology

Sang Yup Lee, Korea Advanced Institute of Science and Technology

Steve Leonard, SG Innovate

Geoffrey Ling, Uniformed Services University of the Health Sciences

Xu LiPing, Zhejiang University

Simon Longstaff, The Ethics Centre

Stuart McClure, Cylance

William McDonough, McDonough Innovation

Cheri McGuire, Standard Chartered Bank

Chris McKenna, University of Oxford

Katherine Mach, Stanford University

Raffi Mardirosan, Ouster

Hugh Martin, Verizon

Bernard Meyersen, IBM Corporation

Cristian Mendoza, The Pontifical University of the Holy Cross Florence

Mok, Monetary Authority of Singapore

Ben Moore, University of Zurich

Simon Mulcahey, Salesforce.com

Geoff Mulgan, NESTA

Sam Muller, HiiL

Venkatesh Narayanamurti, Harvard Kennedy School

Patrick Nee, Universal Bio Mining

Timothy J. Noonan, International Trade Union Confederation (ITUC)

Beth Simone Noveck, New York University

Jeremy O'Brien, University of Bristol

Tim O'Reilly, O'Reilly Media

Owen Schaeffer, National University of Singapore

Nico Sell, Wikr

Anand Shah, Accenture

Lam Wee Shann, Land Transport Authority, Singapore

Huang Shaofei, Land Transport Authority, Singapore

Pranjal Sharma, Economic Analyst and Writer

David Shim, Korea Advanced Institute of Science and Technology

Wang Shouyan, Fudan University

Karanvir Singh, Visionum

Peter Smith, Blockchain

David Sng, SG Innovate

Dennis J. Snower, The Kiel Institute for the World Economy

Richard Soley, Object Management Group

Mildred Z. Solomon, The Hastings Center

Jack Stilgoe, University College London

Natalie Stingelin, Imperial College London

Carsten Stöcker, RWE

Ellen Stofan, University College London

Mustafa Suleyman, Google DeepMind

Arun Sundararajan, New York University

Hilary Sutcliffe, SocietyInside

Mariarosaria Taddeo, University of Oxford

Nina Tandon, Epibone

Don Tapscott, The Tapscott Group

Omar Tayeb, Blippr

Nitish Thakor, National University of Singapore

Andrew Thompson, Proteus Digital Health

Charis Thompson, University of California, Berkeley

Peter Tufano, University of Oxford

Onur Türk, Turkish Airlines

Richard Tyson, frog design inc

Christian Umbach, XapiX.io

Effy Vayena, University of Zurich

Rama Vedashree, Data Security Council of India (DSCI)

Marc Ventresca, University of Oxford

Kirill Veselkov, Imperial College London

David Victor, University of California, San Diego

Farida Vis, The University of Sheffield

Melanie Walker, World Bank

Wendell Wallach, Yale University

Stewart Wallis, Independent Thinker, Speaker and Advocate for a New Economic System

Poon King Wang, Lee Kuan Yew Centre for Innovative Cities

Ankur Warikoo, nearbuy.com

Brian Weeden, Secure World Foundation

Li Wei, CAS Institute of Zoology

Li Weidong, Shanghai Jiao Tong University

Andrew White, University of Oxford

Topher White, Rainforest Connection

Will.i.am, Entrepreneur and recording artist

Jeffrey Wong, EY

Lauren Woodman, Nethope

Ngaire Woods, University of Oxford

Junli Wu, Singapore Economic Development Board

Alex Wyatt, August Robotics

Lin Xu, Shanghai Jiao Tong University

Xue Lan, Tsinghua University

Brian Yeoh, Monetary Authority of Singapore

Jane Zavalishina, Yandex Money

Chenghang Zheng, Zhejiang University

Giuseppe Zocco, Index Ventures

제네바, 뉴욕, 샌프란시스코, 베이징, 도쿄에 위치한 세계경제포럼 사무실에서 근무하는 100여 명의 동료들이 시간을 들이고 전문성과 경험을 살려 이 책을 쓰는 데 도움을 주었다.

전략적 조언과 기술적 도움을 주었거나, 초안을 검토한 사람들, 그리고 자신의 네트워크를 활용해 내용을 보완하고 덧붙이면서 이 책을 발전시키는 데 기여한 사람들에게 특별한 감사의 뜻을 전한다. 토머스 필벡은 이 책을 구성하고 외부 사람들과 긴밀하게 협조하면서 기술이 어떻게 사회에 영향을 주고 시스템적 변화를 이끌어내는지에 대한 통찰을 저자들과 공유하면서 도움을 주었다. 앤 마리 엥토프트 라센은 아이디어를 검색하고 외부 필진과 협력하면서 혁신과 경제성장에 대한 그녀만의 전문성을 제공하느라 수많은 밤을 지새웠다. 그녀의 도움은 이 책을 마무리하는 데 절대적이었다. 멜 로저스는 우리에게 깊은 통찰력을 주고 구조적 조언을 하면서 정신적으로 많은 기여를 했다. 그가 없었다면 이 책은 나오지 못했을 것이다. 카트린 에겐베르거는 이 책의 내부 발행인 역할을 하면서 이 책이 만들어지는 동안 지치지 않고 꾸준하게 우리를 도와주었다. 이들 외에도 킴벌리 보트라이트Kimberley Botwright, 앵거스 콜린스Aengus Collins, 스콧 데이비드Scott David, 데이비드 글리어처David Gleicher, 베릿 글렉스너Berit Gleixner, 리거스 해드질라코스Rigas Hadzilacos, 오드리 헬스트로퍼Audrey Helstroffer, 제러미 저건Jeremy Jurgens, 셰릴 마틴Cheryl Martin, 스테판 메르겐탈러Stephan Mergenthaler, 풀비아 몬트레소Fulvia Montresor, 데릭 오할로란Derek O'Halloran, 리처드 사만스Richard Samans, 샤 송Sha Song, 무랏 쉰메즈Murat Sönmez, 자다 스완보로Jahda Swanborough 그리고 맨디 잉Mandy Ying에게 특별한 감사의 뜻을 전한다.

그리고 커뮤니티와 네트워크상에서 꾸준하게 모임을 가지고 4차 산업혁명 기술들에 대한 논의를 했던 4차 산업혁명 글로벌 미래위원회의 나나야 아펜텡Nanayaa Appenteng, 바네사 칸데이아스Vanessa Candeias, 다니엘 도브리고스키Daniel Dobrygowski, 다니엘 고메즈 가비리아Daniel Gomez Gaviria, 만주 조지 Manju George, 페르난도 고메스Fernando Gomez, 아미라 구아이비Amira Gouaibi, 리거스 해드질라코스Rigas Hadzilacos, 니콜라이 클리스토브Nikolai Khlystov, 마리나 크로메나커Marina Krommenacker, 자오자오 리Jiaojiao Li, 제시 맥워터스Jesse McWaters, 리사 벤투라Lisa Ventura 및 카렌 웡Karen Wong 매니저들에게 감사드린다.

온라인 토론, 지식 공유를 통해서 집필진을 물심양면으로 도와준 세계경제포럼의 다른 직원들은 다음과 같다. 데이비드 아이크만David Aikman, 와디아 아잇 함자Wadia Ait Hamza, 치디오고 아쿠닐리Chidiogo Akunyili, 실자 발러Silja Baller, 폴 비처Paul Beecher, 안드레이 베르디체프스키Andrey Berdichevskiy, 아르노드 베르나에르트Arnaud Bernaert, 스테파노 베르톨로Stefano Bertolo, 캐서린 브라운Katherine Brown, 세바스티안 버컵Sebastian Buckup, 올리버 칸Oliver Cann, 젬마 코리간Gemma Corrigan, 샌드린 라허Sandrine Raher, 시머 다오Shimer Dao, 리사 드레이에르Lisa Dreier, 마가레타 데르제닉Margareta Drzeniek, 존 더튼 John Dutton, 재키 아이센버그Jaci Eisenberg, 니마 엘미Nima Elmi, 에밀리 판워스 Emily Farnworth, 수잰느 그래스마이어Susanne Grassmeier, 메란 굴Mehran Gul, 마이클 핸리Michael Hanley, 윌리엄 호프먼William Hoffman, 매리 소피 뮐러Marie Sophie Müller, 제니 소펠Jenny Soffel, 키리코 혼다Kiriko Honda, 라비 카네리야Ravi Kaneriya, 미히코 가시와쿠라Mihoko Kashiwakura, 다닐 케리미Danil Kerimi, 아칸샤 카트리Akanksha Khatri, 안드레 키린Andrej Kirn, 즈비카 크리거Zvika Krieger, 볼프강 레마허Wolfgang Lehmacher, 틸 레오폴드Till Leopold, 헬레나 레우렌트

Helena Leurent, 마리아 레빈Mariah Levin, 엘리스 립만Elyse Lipman, 피터 리온스 Peter Lyons, 실비아 마그노니Silvia Magnoni, 캐서린 밀리건Katherine Milligan, 존 모 아벤자데John Moavenzadeh, 에이드리언 몽크Adrian Monck, 멜러리 파이어Valerie Peyre, 고이 품팀Goy Phumtim, 캐서린 란델Katherine Randel, 베셀리나 스테파노 랏체바Vesselina Stefanova Ratcheva, 필립 세틀러 존스Philip Shetler—Jones, 마크 스 펠먼Mark Spelman, 타나 설리번Tanah Sullivan, 카이 켈러Kai Keller, 크리스토프 폰 토겐부르크Christoph von Toggenburg, 테리 도요타Terri Toyota, 피터 배넘Peter Vanham, 장뤼크 베즈Jean—Luc Vez, 실비아 폰 군텐Silvia Von Gunten, 도미니크 워 그레이Dominic Waughray, 브루스 와이넬트Bruce Weinelt, 바버라 베트지그 리남 Barbara Wetsig—Lynam, 알렉스 웡Alex Wong, 앤드리아 웡Andrea Wong, 키라 유디 나Kira Youdina 그리고 사디아 자히디Saadia Zahidi. 이들에게도 고맙다는 말을 전한다.

Chapter 3: 기술에 가치 심기

Stewart Wallis, Independent Thinker, Speaker and Advocate for a New Economic System, United Kingdom

World Economic Forum Global Agenda Council on Values (2012-2014)

World Economic Forum Young Scientists Community

Thomas Philbeck, Head of Science and Technology Studies, World Economic Forum

Special Insert: 국제 인권 프레임워크

Hilary Sutcliffe, Director, SocietyInside, United Kingdom

Anne-Marie Allgrove, Partner, Baker & McKenzie, Australia

Chapter 4: 모든 이해관계자들에게 권한 주기

Anne Marie Engtoft Larsen, Knowledge Lead, Fourth Industrial Revolution, World Economic Forum

Chapter 5: 새로운 컴퓨팅 기술

Justine Cassell, Associate Dean, Technology Strategy and Impact, Carnegie Mellon University, USA

Jeremy O'Brien, Director, The Centre for Quantum Photonics (CQP), University of Bristol, United Kingdom

Jennifer Rupp, Assistant Professor, Swiss Federal Institute of Technology (ETH), Switzerland

Kirk Bresniker, Chief Architect, Hewlett Packard Labs, Hewlett Packard Enterprise, USA

World Economic Forum Global Future Council on the Future of Computing

Chapter 6: 블록체인과 분산원장기술

Jesse McWaters, Project Lead, Disruptive Innovation in Financial Services, World Economic Forum

Carsten Stöcker, Machine Economy Innovation Evangelist and Lighthouse Lead, innogy SE, Germany

Burkhard Blechschmidt, Head, CIO Advisory, Cognizant, Germany

Chapter 7: 사물인터넷

Derek O'Halloran, Co-Head, Digital Economy and Society, World Economic Forum

Richard Soley, Chairman and Chief Executive Officer, Object Management Group, USA

of Neurotechnologies and Brain Science

Chapter 13: 가상현실과 증강현실

Anne Marie Engtoft Larsen, Knowledge Lead, Fourth Industrial Revolution, World Economic Forum
Yobie Benjamin, Co-Founder, Avegant, USADrue Kataoka, Artist and Technologist, Drue Kataoka Studios, USASpecial Insert: A Perspective on Arts & CultureNico Daswani, Head of Arts and Culture, World Economic Forum Andrea Bandelli, Executive Director, Science Gallery International, Ireland

Chapter 14: 에너지 확보, 저장, 전송

World Economic Forum Global Future Council on the Future of Energy
David Victor, Professor, University of California, San Diego (UCSD), USA

Chapter 15: 지구공학

Anne Marie Engtoft Larsen, Knowledge Lead, Fourth Industrial Revolution, World Economic Forum
Wendell Wallach, Scholar, Interdisciplinary Center for Bioethics, Yale University, USA
Janos Pasztor, Senior Fellow and Executive Director, Carnegie Climate Geoengineering Governance Initiative (C2G2), USA
Jack Stilgoe, Lecturer in Science and Technology Studies, University College London, United Kingdom.

Chapter 16: 우주기술

Brian Weeden, Technical Adviser, Secure World Foundation, USA
Ellen Stofan, Chief Scientist, NASA (2013-2016); Honorary Professor, Hazard Research Centre, University College London (UCL), United Kingdom
World Economic Forum Global Future Council on the Future of Space Technologies

참고문헌 🔍

Introduction

Schwab, K. 2016. The Fourth Industrial Revolution. Geneva: World Economic Forum

Chapter 1: 4차 산업혁명 주도하기

Centers for Disease Control and Prevention. 2016. "Mortality in the United States, 2015". National Center for Health Statistics Data Brief No. 267.

Crafts, N. F. R. 1987. "Long-term unemployment in Britain in the 1930s". The Economic History Review, 40: 418-432.

Gordon, R. 2016. The Rise and Fall of American Growth. Princeton: Princeton University Press.

McCloskey, D. 2016. Bourgeois Equality. Chicago: University of Chicago Press.

Smil, V. 2005. Creating the Twentieth Century: Technical Innovations of 1867-1914 and Their Lasting Impact. New York: Oxford University Press.

UNDP. 2017. About Human Development. Available at: http://hdr.undp.org/en/humandev. [Accessed 1 May 2017].

The World Bank Data Bank. 2017. "Poverty headcount ratio at $1.90 a day (2011 PPP) (% of population)". Available at: http://data.worldbank.org/indicator/SI.POV.DDAY. [Accessed 1 June 2017].

Chapter 2: 점들을 연결하기

Autor, D., F. Levy and R. Murnane. 2003. "The Skill Content of Recent Technological Change: An Empirical Exploration". The Quarterly Journal of Economics 118(4): 1279-1334.

Berger, T. and C. B. Frey. 2015. "Industrial Renewal in the 21st Century: Evidence from US Cities", Regional Studies. Available at: http://www.oxfordmartin.ox.ac.uk/downloads/academic/regional_studies_industrial_renewal.pdf.

BlackRock Investment Institute. 2014. "Interpreting Innovation: Impact on Productivity, Inflation & Investing". Available at: https://www.blackrock.com/corporate/en-us/literature/whitepaper/bii-interpreting-innovation-us-version.pdf.

CB Insights. 2017. "The Race For AI: Google, Twitter, Intel, Apple In A Rush To Grab Artificial Intelligence Startups", Research Briefs. Available at: https://www.cbinsights.com/blog/top-acquirers-ai-startups-ma-timeline/.

Katz, L. and A. Krueger. 2016. "The Rise and Nature of Alternative Work Arrangements in the United

States, 1995-2015". Princeton University and NBER Working Paper 603. Princeton University. Available at: http://dataspace.princeton.edu/jspui/bitstream/88435/dsp01zs25xb933/3/603.pdf.

New Atlas. 2015. "Amazon to begin testing new delivery drones in the US". N. Lavars, New Atlas, 13 April 2015. Available at: http://newatlas.com/amazon-new-delivery-drones-us-faa-approval/36957/.

The New York Times. 2017. "Is it time to break up Google?" J. Taplin, The New York Times, 22 April 2017. Available at: https://www.nytimes.com/2017/04/22/ opinion/sunday/is-it-time-to-break-up-google.html?mcubz=1&_r=0.

OECD (Organisation for Economic Co-operation and Development). 2016. "Big Data: Bringing Competition Policy to the Digital Era", Background note, 29-30 November 2016. Available at: https://one.oecd.org/document/DAF/ COMP(2016)14/en/pdf.

San Francisco Examiner. 2017. "San Francisco talks robot tax". J. Sabatini, San Francisco Examiner, 14 March 2017. Available at: http://www.sfexaminer.com/ san-francisco-talks-robot-tax/.

World Economic Forum. 2017a. The Inclusive Growth and Development Report 2017. Insight Report. Geneva: World Economic Forum. Available at: http://www3. weforum.org/docs/WEF_Forum_IncGrwth_2017.pdf.

World Economic Forum. 2017b. "Realizing Human Potential in the Fourth Industrial Revolution: An Agenda for Leaders to Shape the Future of Education, Gender and Work", White Paper. Geneva: World Economic Forum. Available at: http://www3.weforum.org/docs/WEF_EGW_Whitepaper.pdf.

Chapter 3: 기술에 가치 심기

The Boston Globe. 2016. "The gig economy is coming. You probably won't like it." B. Ambrosino, The Boston Globe, 20 April 2016. Available at: https://www. bostonglobe.com/magazine/2016/04/20/the-gig-economy-coming-you-probably-won-like/i2F6Yicao9OQVL4dbX6QGl/story.html.

Brynjolfsson, E. and A. McAfee. 2014. The Second Machine Age. New York and London: W.W. Norton & Company.

Cath, C. and L. Floridi. 2017. "The Design of the Internet's Architecture by the Internet Engineering Task Force (IETF) and Human Rights". Science and Engineering, Ethics, 23(2): 449-468.

Devaraj, S. and M. J. Hicks. 2017. "The Myth and the Reality of Manufacturing in America", June 2015 and April 2017, Ball State University. Available at: http:// conexus.cberdata.org/files/MfgReality.pdf.

EPSRC (Engineering and Physical Sciences Research Council). 2017. "Principles of robotics". The Engineering and Physical Sciences Research Council. Available at: https://www.epsrc.ac.uk/

research/ourportfolio/themes/engineering/ activities/principlesofrobotics/. [Accessed 1 May 2017].

EU General Data Protection Regulation. 2017. "An overview of the main changes under GDPR and how they differ from the previous directive". Available at: http://www.eugdpr.org/key-changes.html. [Accessed 1 June 2017].

Florida Ice and Farm Company (FIFCO). 2015. Living Our Purpose. 2015 Integrated Report. Available at: https://www.fifco.com/files/ documents/1715515fb6ab1e74f29d3da4aefa30c7b3 6a05.pdf.

IEEE (Institute of Electrical and Electronics Engineers). 2017. The IEEE Global Initiative for Ethical Considerations in Artificial Intelligence and Autonomous Systems "Executive Summary". Available at: https://standards.ieee.org/develop/ indconn/ec/ead_executive_summary.pdf.

Keeley, B. 2015. Income Inequality: The Gap between Rich and Poor. OECD Publishing. Paris: OECD Publishing.

Latour, B. and S. Woolgar. 1979. Laboratory Life: The Construction of Scientific Facts. Princeton: Princeton University Press.

Mitcham, C. 1994. "Engineering design research and social responsibility". In K. S. Shrader-Frechette (Ed.) Ethics of Scientific Research. Lanham: Rowman & Littlefield.

Nuffield Council on Bioethics. 2014. "Emerging biotechnologies, Introduction: A guide for the reader". Available at: http://nuffieldbioethics.org/wp-content/uploads/2014/07/Emerging_ biotechnologies_Introduction.pdf.

Oppenheimer, J. R. 2017. "Speech to the Association of Los Alamos Scientists". Los Alamos, New Mexico, 2 November 1945. Available at: http://www.atomicarchive.com/Docs/ManhattanProject/ OppyFarewell.shtml. [Accessed 1 June 2017].

Pretz, K. 2017. "What's Being Done to Improve Ethics Education at Engineering Schools". The Institute, 18 May 2017. Available at: http://theinstitute.ieee.org/members/students/whats-being-done-to-improve-ethics-education-at-engineering- schools.

Rankin, J. 2015. "Germany's planned nuclear switch-off drives energy innovation". The Guardian, 2 November 2015. Available at: https://www.theguardian.com/environment/2015/nov/02/germanys-planned-nuclear-switch-off-drives-energy-innovation.

Schwab, K. 2016. The Fourth Industrial Revolution. Geneva: World Economic Forum.

World Economic Forum. 2013. "A New Social Covenant". Global Agenda Council on Values, White Paper. Geneva: World Economic Forum. Available at: http://www3.weforum.org/docs/WEF_GAC_ Values_2013.pdf.

World Economic Forum. 2017. The Global Risks Report 2017. Insight Report. Geneva: World Economic Forum.

Chapter 4: 모든 이해관계자들에게 권한 주기

Bloomberg. 2016. "Wind and Solar Are Crushing Fossil Fuels". T. Randall, Bloomberg, 6 April 2016. Available at: https://www. bloomberg.com/news/articles/2016-04-06/wind-and-solar-are-crushing-fossil-fuels.

The Boston Consulting Group. 2016. Self-Driving Vehicles, Robo-Taxis, and the Urban Mobility Revolution. Boston: BCG. Available at: http://www.automotivebusiness.com.br/abinteligencia/pdf/BCG_SelfDriving.pdf.

Catalyst. 2016. "Women In Science, Technology, Engineering, And Mathematics (STEM)". Catalyst, 9 December 2016. Available at: http://www.catalyst.org/knowledge/women-science-technology-engineering-and-mathematics-stem.

Ceballos, G. et al. 2015. "Accelerated modern human-induced species losses: Entering the sixth mass extinction". Science Advances 1(5), e1400253. Available at: http://advances.sciencemag.org/content/1/5/e1400253.

Deloitte. 2016. "Women in IT jobs: it is about education, but also about more than just education". Technology, Media & Telecommunications Predictions. Deloitte. Available at: https://www2.deloitte.com/ global/en/pages/technology-media-and-telecommunications/articles/tmt-pred16-tech-women-in-it-jobs.html.

Dietz, S. et al. 2016. "'Climate value at risk' of global financial assets". Nature Climate Change 6: 676-679. Available at: http://www.nature.com/nclimate/journal/ vaop/ncurrent/full/nclimate2972.html.

Enbakom, H.W., D.H Feyssa and S. Takele. 2017. "Impacts of deforestation on the livelihood of smallholder farmers in Arba Minch Zuria Woreda, Southern Ethiopia", African Journal of Agricultural Research 12(15): 1293-1305, 13 April 2017.

Fortune. 2017. "Robots Are Replacing Humans at All These Wall Street Firms". L. Shen, Fortune, 30 March 2017. Available at: http://fortune.com/2017/03/30/ blackrock-robots-layoffs-artificial-intelligence-ai-hedge-fund/.

Global Challenges Foundation. 2017. "Earthstatement: The result of the Global Challenges Foundation and Earth League joining forces". Global Challenges Foundation. Available at: https://www.globalchallenges.org/en/our-work/earth-statement-2015.

Hausmann, R., C. Hidalgo et al. 2011. The Atlas of Economic Complexity: Mapping Paths to Prosperity, first edition. Available at: http://atlas.cid.harvard.edu/media/ atlas/pdf/HarvardMIT_AtlasOfEconomicComplexity_Part_I.pdf.

Intergovernmental Panel on Climate Change (IPCC). 2014. Climate Change 2014: Synthesis Report. Contribution of Working Groups I, II and III to the Fifth Assessment Report of the Intergovernmental Panel on Climate Change [Core Writing Team, R.K. Pachauri and L.A. Meyer (eds.)]. Geneva: IPCC.

Juma, C. 2017. "Leapfrogging Progress: The Misplaced Promise of Africa's Mobile Revolution". The Breakthrough 7. Summer 2017. Available at: https:// thebreakthrough.org/index.php/journal/ issue-7/leapfrogging-progress.

Milanovic, B. 2016. Global Inequality: A New Approach for the Age of Globalization. Cambridge: Harvard University Press.

MIT Technology Review. 2017. "As Goldman Embraces Automation, Even the Masters of the Universe Are Threatened". N. Byrnes, MIT Technology Review, 7 February 2017. Available at: https://www.technologyreview.com/s/603431/as-goldman- embraces-automation-even-the-masters-of-the-universe-are-threatened/.

Newshub. 2016. "How drones are helping combat deforestation". S. Howe, Newshub, 22 September 2016. Available at: http://www.newshub.co.nz/home/ world/2016/09/how-drones-are-helping-combat-deforestation.html.

Oxford Internet Institute. 2011. "The Distribution of all Wikipedia Articles". Taken from Graham, M., S. A. Hale and M. Stephens (2011), Geographies of the World's Knowledge. London: Convoco! Edition. Available at: http://geography.oii. ox.ac.uk/?page=the-distribution-of-all-wikipedia-articles.

Oxford Internet Institute. 2017. "The Location of Academic Knowledge". Taken from Graham, M., S. A. Hale and M. Stephens (2011), Geographies of the World's Knowledge. London: Convoco! Edition. Available at: http://geography.oii.ox.ac. uk/?page=the-location-of-academic-knowledge.

Philbeck, Imme. 2017. "Connecting the Unconnected: Working together to achieve Connect 2020 Agenda Targets". International Telecommunication Union (ITU). A background paper to the special session of the Broadband Commission and the World Economic Forum at Davos Annual Meeting 2017. Available at: http://broadbandcommission.org/Documents/ITU_discussion-paper_ Davos2017.pdf.

Population Reference Bureau. 2017. "Human Population: Urbanization: Largest Urban Agglomerations, 1975, 2000, 2025". Available at: http://www.prb.org/ Publications/Lesson-Plans/ HumanPopulation/Urbanization.aspx.

Rockström, J. et al. 2009. "Planetary Boundaries: Exploring the Safe Operating Space for Humanity". Ecology and Society 14(2) art. 32. Available at: https://www.ecologyandsociety.org/ vol14/iss2/art32/.

Schwab, K. 2016. The Fourth Industrial Revolution. Geneva: World Economic Forum.

Steffen et al. 2015. "Sustainability. Planetary Boundaries: guiding human development on a changing planet". Science 347(6223), 1259855. Available at: https://www.ncbi.nlm.nih.gov/ pubmed/25592418.

Tay, B.T.C. et al. 2013. "When Stereotypes Meet Robots: The Effect of Gender Stereotypes on People's Acceptance of a Security Robot". In Engineering Psychology and Cognitive Ergonomics. Understanding Human Cognition, D. Harris, ed., EPCE 2013. Lecture Notes in Computer Science, Vol. 8019. Springer, Berlin, Heidelberg.

University of Sussex. 2008. Technology Leapfrogging: A Review of the Evidence, A report for DFID. Sussex Energy Group. Available at: https://www.sussex.ac.uk/webteam/gateway/file.php?name=dfid-leapfrogging-reportweb.pdf&site=264.

UNESCO (United Nations Educational, Scientific and Cultural Organization). 2015. "Women in Science: The gender gap in science". Fact Sheet No. 34. UNESCO Institute for Statistics. Available at: http://uis.unesco.org/sites/default/files/documents/fs34-women-in-science-2015-en.pdf.

UNESCO (United Nations Educational, Scientific and Cultural Organization). 2016. "Leaving no one behind: How far on the way to universal primary and secondary education?" Policy paper 27/Fact Sheet No. 37. UNESCO Institute for Statistics. Available at: http://unesdoc.unesco.org/images/0024/002452/245238E.pdf.

UNESCO (United Nations Educational, Scientific and Cultural Organization). 2017. "Global Investments in R&D". Fact Sheet No. 42, FS/2017/SCI/42. UNESCO Institute for Statistics. Available at: http://unesdoc.unesco.org/images/0024/002477/247772e.pdf.

United Nations, Department of Economic and Social Affairs, Population Division. 2015. "World Population Prospects: The 2015 Revision, Key findings & advance tables". Working Paper No. ESA/P/WP.241. Available at: https://esa.un.org/unpd/wpp/publications/files/key_findings_wpp_2015.pdf.

WIPO (World Intellectual Property Organization). 2017. WIPO IP Statistics Data Center. Available at: https://www3.wipo.int/ipstats/index.htm. [Accessed 1 June 2017].

The World Bank Data Bank. 2017. "Poverty headcount ratio at $1.90 a day (2011 PPP) (% of population)". Available at: http://data.worldbank.org/indicator/SI.POV.DDAY. [Accessed 1 June 2017].

World Bank and Institute for Health Metrics and Evaluation. 2016. The Cost of Air Pollution: Strengthening the Economic Case for Action. Washington, DC: World Bank. License: Creative Commons Attribution CC BY 3.0 IGO. Available at: http://documents.worldbank.org/curated/en/781521473177013155/pdf/108141-REVISED-Cost-of- PollutionWebCORRECTEDfile.pdf.

World Economic Forum. 2016. The Global Gender Gap Report 2016. Insight Report. Geneva: World Economic Forum.

World Economic Forum. 2016a. The New Plastics Economy: Rethinking the future of plastics. Industry Agenda. Geneva: World Economic Forum. Available at: http://www3.weforum.org/docs/

WEF_The_New_Plastics_Economy.pdf.

World Resources Institute. 2014. "The History of Carbon Dioxide Emissions". J. Friedrich and T. Damassa, WRI, 21 May 2014. Available at: http://www.wri.org/blog/2014/05/history-carbon-dioxide-emissions#fn:1.

Yale Environment 360. 2016. "How Satellites and Big Data Can Help to Save the Oceans". Yale School of Forestry & Environmental Studies. Available at: http:// e360.yale.edu/features/how_satellites_and_big_data_can_help_to_save_the_ oceans.

Chapter 5: 새로운 컴퓨팅 기술

Cameron, D. and T. Mowatt. 2012. "Writing the Book in DNA". Wyss Institute, 16 August 2012. Available at: https://wyss. harvard.edu/writing-the-book-in-dna/.

Cockshott, P., L. Mackenzie and G. Michaelson. 2010. "Non-classical computing: feasible versus infeasible". Paper presented at ACM-BCS Visions of Computer Science 2010: International Academic Research Conference, University of Edinburgh, 14-16 April 2010.

Cortada, J. W. 1993. The Computer in the United States: From laboratory to market, 1930- 1960. M.E. Sharpe.

Denning, P. J. and T. G. Lewis. 2016. "Exponential Laws of Computing Growth". Communications of the ACM 60(1): 54-65. Available at: http://dl.acm.org/citation. cfm?doid=3028256.2976758.

Ezrachi, A. and M. Stucke. 2017. "Law Profs to Antitrust Enforcers: To Rein in Super-Platforms, Look Upstream". The Authors Guild. 12 April 2017. Available at: https://www.authorsguild.org/industry-advocacy/law-profs-antitrust-enforcers- rein-super-platforms-look-upstream/.

Frost Gorder, P. 2016. "Computers in your clothes? A milestone for wearable electronics", The Ohio State University, 13 April 2016. Available at: https://news. osu.edu/news/2016/04/13/computers-in-your-clothes-a-milestone-for-wearable-electronics/.

IEEE (Institute of Electrical and Electronics Engineers). 2016. "International Roadmap for Devices and Systems". 2016 Edition. White Paper. IEEE. Available at: http://irds.ieee.org/images/files/pdf/2016_MM.pdf.

ITRS (International Technology Roadmap for Semiconductors) 2.0. 2015. International Technology Roadmap for Semiconductors 2.0. 2015 Edition, Executive Report. ITRS. Available at: https://www.semiconductors.org/clientuploads/ Research_Technology/ITRS/2015/0_2015%20ITRS%20 2.0%20Executive%20 Report%20(1).pdf.

Knight, H. 2015. "Researchers develop basic computing elements for bacteria". MIT News, 9 July 2015. Available at: http:// news.mit.edu/2015/basic-computing-for-bacteria-0709.

Lapedus, M. 2016. "10nm Versus 7nm". Semiconductor Engineering, 25 April 2016. Available at:

http://semiengineering. com/10nm-versus-7nm/.

Poushter, J. 2016. "2. Smartphone ownership rates skyrocket in many emerging economies, but digital divide remains". Pew Research Center. Global Attitudes & Trends. 22 February 2016. Available at: http://www.pewglobal.org/2016/02/22/ smartphone-ownership-rates-skyrocket-in-many-emerging-economies-but-digital-divide-remains/.

Raspberry Pi Foundation. 2016. Annual Review 2016. Available at: https://www. raspberrypi.org/ files/about/ RaspberryPiFoundationReview2016.pdf.

Schwab, K. 2016. The Fourth Industrial Revolution. Geneva: World Economic Forum.

Solon, O. 2017. "Facebook has 60 people working on how to read your mind."

The Guardian, 19 April 2017. Available at: https://www.theguardian.com/technology/2017/apr/19/ facebook-mind-reading-technology-f8.

Weiser, M. 1991. "The Computer for the 21st Century". Scientific American 265(3): 94-104. Available at: https://www.ics. uci.edu/~corps/phaseii/Weiser-Computer21stCentury-SciAm.pdf.

World Economic Forum and INSEAD. 2015. The Global Information Technology Report 2015: ICTs for Inclusive Growth. Insight Report. Geneva: World Economic Forum. Available at: http://www3. weforum.org/docs/WEF_Global_IT_Report_2015.pdf.

Yang, S. 2016. "Smallest. Transistor. Ever". Berkeley Lab, 6 October 2016; updated 17 October 2016. Available at: http:// newscenter.lbl.gov/2016/10/06/smallest-transistor-1-nm-gate/.

Chapter 6: 블록체인과 분산원장기술

Bitcoin Fees. 2017. "Predicting Bitcoin Fees For Transactions". Available at: https://bitcoinfees.21. co/. [Accessed 2 November 2017].

Greenberg, A. 2016. "Silk Road Prosecutors Argue Ross Ulbricht Doesn't Deserve A New Trial". Wired, 18 June 2016. Available at: https://www.wired.com/2016/06/silk-road-prosecutors-argue-ross-ulbricht-doesnt-deserve-new-trial/.

OECD (Organisation for Economic Co-operation and Development) and EUIPO (European Union Intellectual Property Office). 2016. Trade in Counterfeit and Pirated Goods: Mapping the Economic Impact. OECD Publishing. Paris: OECD Publishing. Available at: http://dx.doi. org/10.1787/9789264252653-en.

Ruppert, A. 2016. "Mapping the decentralized world of tomorrow", Medium.com, 1 June 2016. Available at: https:// medium.com/birds-view/mapping-the-decentralized-world-of-tomorrow-5bf36b973203.

Tapscott, D. and A. Tapscott. 2016. Blockchain Revolution. New York: Portfolio Penguin

World Economic Forum. 2016. "The Internet of Things and connected devices: making the world smarter". Geneva: World Economic Forum. Available at: http://reports.weforum.org/digital-transformation/the-internet-of-things-and-connected-devices-making-the-world-smarter/.

Chapter 7: 사물인터넷

Brown, J. 2016. "The 5 biggest hacks of 2016 and the organizations they crippled", Industry Dive, 8 December 2016. Available at: http://www.ciodive.com/news/the-5-biggest-hacks-of-2016-and-the-organizations-they-crippled/431916/.

Columbus, L. 2016. "Roundup Of Internet Of Things Forecasts And Market Estimates, 2016". Forbes, 27 November 2016. Available at: https://www.forbes.com/sites/louiscolumbus/2016/11/27/roundup-of-internet-of-things-forecasts-and-market- estimates-2016/#290b6abb292d.

McKinsey Global Institute. 2015. "The Internet of Things: Mapping the value beyond the hype". McKinsey & Company. Available at: file:///C:/Users/admin/ Downloads/The-Internet-of-things-Mapping-the-value-beyond-the-hype.pdf.

McKinsey Global Institute. 2015a. "Unlocking the potential of the Internet of Things". McKinsey & Company. Available at: http://www.mckinsey.com/ business-functions/digital-mckinsey/our-insights/the-internet-of-things-the-value-of-digitizing- the-physical-world.

Perrow, C. 1984. Normal Accidents: Living with High-Risk Technologies. Basic Books.

World Economic Forum. 2015. Industrial Internet of Things: Unleashing the Potential of Connected Products and Services. Industry Agenda. Geneva: World Economic Forum.

World Economic Forum and Accenture. 2016. "The Internet of Things and connected devices: making the world smarter". Geneva: World Economic Forum. Available at: http://reports.weforum. org/digital-transformation/the-internet-of-things-and-connected-devices-making-the-world-smarter/.

Special Insert: 사이버 리스크

eMarketer. 2017. "Internet Users and Penetration Worldwide", Available at: http://www.emarketer.com/Chart/Internet-Users-Penetration-Worldwide-2016- 2021-billions-of-population-change/206259

Greenberg, Andy. 2015. "Hackers Remotely Kill a Jeep on the Highway — With Me in It", Wired, July 2015. Available at: https://www.wired.com/2015/07/hackers-remotely-kill-jeep-highway/

KrebsonSecurity. 2014. "Target Hackers Broke in Via HVAC Company". Available at: https://krebsonsecurity.com/2014/02/target-hackers-broke-in-via-hvac-company/

Miniwatts Marketing. 2017. "Internet World Stats", Available at: http://www. internetworldstats.com/

stats.htm

Nuix (2017), "Most Hackers Can Access Systems and Steal Valuable Data Within 24 Hours: Nuix Black Report", website accessed on 23 November 2017 https:// www.nuix.com/media-releases/ most-hackers-can-access-systems-and-steal-valuable-data-within-24-hours-nuix-black

NYSE Governance Services. 2015. Cybersecurity in the Boardroom. New York: NYSE. Available at: https://www.nyse.com/publicdocs/VERACODE_Survey_ Report.pdf

OECD. 2012. Cybersecurity Policy Making at a Turning Point, Paris: OECD. Available at: https:// www.oecd.org/sti/ieconomy/cybersecurity%20policy%20 making.pdf

Reinsel, D, Gantz, J and Rydning, J. 2017. Data Age 2025, IDC Available at: https://www.seagate. com/files/www-content/our-story/trends/files/Seagate- WP-DataAge2025-March-2017.pdf

Westby, J R and Power, R. 2008. Governance of Enterprise Security Survey: CyLab 2008 Report, Pttisburgh: Carnegie Mellon CyLab. Available at: https:// portal.cylab.cmu.edu/portal/files/pdfs/ governance-survey2008.pdf

World Economic Forum. 2012. Partnering for Cyber Resilience. Geneva: World Economic Forum. Available at: http://www3.weforum.org/docs/WEF_IT_ PartneringCyberResilience_ Guidelines_2012.pdf

World Economic Forum. 2017. Advancing Cyber Resilience: Principles and Tools for Boards. Geneva: World Economic Forum. Available at: http://www3.weforum.org/docs/IP/2017/Adv_ Cyber_Resilience_Principles-Tools.pdf

Chapter 8: 인공지능과 로봇공학

Agence France-Presse. 2016. "Convoy of self-driving trucks completes first European cross-border trip". The Guardian, 7 April 2016. Available at: https://www.theguardian.com/technology/2016/ apr/07/convoy-self-driving-trucks-completes-first-european-cross-border-trip.

AI International. 2017. "Universities with AI Programs". Available at: http://www.aiinternational.org/ universities.html

Baraniuk, C., "The cyborg chess players that can't be beaten". BBC, 4 December 2015. Available at: http://www.bbc.com/future/story/20151201-the-cyborg-chess-players-that-cant-be-beaten.

CB Insights. 2017. "The Race For AI: Google, Twitter, Intel, Apple In A Rush To Grab Artificial Intelligence Startups". CB Insights, 21 July 2017. Available at: https://www.cbinsights.com/blog/ top-acquirers-ai-startups-ma-timeline/.

Cohen, M. et al. 2016. Off-, On- or Reshoring: Benchmarking of Current Manufacturing Location Decisions: Insights from the Global Supply Chain Benchmark Study 2015. The Global Supply Chain Benchmark Consortium 2016. Available at: http://pulsar.wharton.upenn.edu/fd/resources/2016032

1GSCBSFinalReport.pdf.

Conner-Simons, A. 2016. "Robot helps nurses schedule tasks on labor floor". MIT News, 13 July 2016. Available at: http:// news.mit.edu/2016/robot-helps-nurses-schedule-tasks-on-labor-floor-0713.

DeepMind Ethics & Society homepage. 2017. Available at: https://deepmind.com/applied/deepmind-ethics-society/.

EPSRC (Engineering and Physical Sciences Research Council). 2017. "Principles of Robotics: Regulating robots in the real world". Available at: https://www.epsrc.ac.uk/research/ourportfolio/themes/engineering/activities/principlesofrobotics/.

Frey, C. and M. Osborne. 2013. "The Future of Employment: How Susceptible Are Jobs to Computerisation?" Oxford Martin School Working Paper, 17 September 2013. Available at: http://www.oxfordmartin.ox.ac.uk/downloads/academic/The_Future_of_Employment.pdf.

Hadfield-Menell, D., A. Dragan, P. Abbeel and S. Russell. 2017. "Cooperative Inverse Reinforcement Learning". Advances in Neural Information Processing Systems 25. MIT Press.

Hardesty, L. 2013. "Surprisingly simple scheme for self-assembling robots". MIT News, 4 October 2013. Available at: http://news.mit.edu/2013/simple-scheme-for-self-assembling-robots-1004.

LaGrandeur, K. and J. Hughes (Eds). 2017. Surviving the Machine Age: Intelligent Technology and the Transformation of Human Work. Palgrave Macmillan. Available at: http://www.springer.com/la/book/9783319511641.

McKinsey & Company. 2017. A future that works: Automation, employment, and productivity. McKinsey Global Institute. Available at: file:///C:/Users/admin/Downloads/MGI-A-future-that-works-Full-report%20(1).pdf.

Metz, C. 2016. "The Rise of the Artificially Intelligent Hedge Fund". Wired, 25 January 2016. Available at: https://www. wired.com/2016/01/the-rise-of-the-artificially-intelligent-hedge-fund/.

Murphy, M. 2016. "Prepping a robot for its journey to Mars". MIT News, 18 October 2016. Available at: http://news.mit. edu/2016/sarah-hensley-valkyrie-humanoid-robot-1018.

OECD (Organisation for Economic Co-operation and Development). 2016. "Automation and Independent Work in a Digital Economy". Policy Brief on the Future of Work. Available at: http://www.oecd.org/employment/Policy%20 brief%20-%20 Automation%20and%20Independent%20Work%20in%20a%20 Digital%20Economy.pdf.

Partnership on AI. 2017. "Partnership on AI to benefit people and society". Available at: https://www.partnershiponai.org/#s-partners.

Petersen, R. 2016. "The driverless truck is coming, and it's going to automate millions of jobs". TechCrunch, 25 April 2016. Available at: https://techcrunch. com/2016/04/25/the-driverless-truckis-coming-and-its-going-to-automate-millions-of- jobs/.

Pittman, K. 2016. "The Automotive Sector Buys Half of All Industrial Robots". Engineering.com, 24 March 2016. Available at: http://www.engineering.com/ AdvancedManufacturing/ArticleID/11761/ The-Automotive-Sector-Buys-Half-of- All- -Industrial-Robots.aspx.

Sample, I. and A. Hern. 2014. "Scientists dispute whether computer 'Eugene Goostman' passed Turing test". The Guardian, 9 June 2014. Available at: https:// www.theguardian.com/ technology/2014/jun/09/scientists-disagree-over-whether-turing-test-has-been-passed.

Thielman, S. 2016. "Use of police robot to kill Dallas shooting suspect believed to be first in US history", The Guardian, 8 July 2016. Available at: https://www. theguardian.com/technology/2016/ jul/08/police-bomb-robot-explosive-killed-suspect- dallas.

Turing, A. M. 1951. "Can Digital Computers Think?" Lecture broadcast on BBC Third Programme, 15 May 1951; typescript at turingarchive.org.

Vanian, J. 2016. "The Multi-Billion Dollar Robotics Market Is About to Boom", Fortune, 24 February 2016. Available at: http://fortune.com/2016/02/24/robotics-market-multi-billion-boom/.

Wakefield, J. 2016. "Self-drive delivery van can be 'built in four hours'". BBC, 4 November 2016. Available at: http://www. bbc.com/news/technology-37871391.

Wakefield, J. 2016b. "Foxconn replaces '60,000 factory workers with robots'". BBC, 25 May 2016. Available at: http://www.bbc.com/news/ technology-36376966.

World Economic Forum. 2016. The Future of Jobs: Employment, Skills and Workforce Strategy for the Fourth Industrial Revolution. Global Challenge Insight Report. Geneva: World Economic Forum.

Chapter 9: 첨단소재

United States National Nanotechnology Initiative. 2017. "NNI Supplement to the President's 2016 Budget". Nano.gov. official website. Available at: http://www. nano.gov/node/1326.

World Economic Forum. 2017. "Chemistry and Advanced Materials: at the heart of the Fourth Industrial Revolution". World Economic Forum, Agenda.

World Economic Forum. 2017a. "Digital Transformation Initiative: Chemistry and Advanced Materials Industry". White paper. Geneva: World Economic Forum in collaboration with Accenture. Available at: http://reports.weforum.org/digital-transformation/wp-content/blogs.dir/94/mp/files/ pages/files/dti-chemistry-and-advanced-materials-industry-white-paper.pdf.

Chapter 10: 적층가공과 3D 프린팅

Dickens, P. and T. Minshall. 2016. UK National Strategy for Additive Manufacturing: Comparison of international approaches to public support for additive manufacturing/3D printing. Technical Report.

Gartner. 2014. "Gartner Survey Reveals That High Acquisition and Start-Up Costs Are Delaying Investment in 3D Printers". Gartner Press Release, 9 December 2014. Available at: http://www. gartner.com/newsroom/id/2940117.

Gartner. 2016. "Gartner Says Worldwide Shipments of 3D Printers to Grow 108 Percent in 2016". Gartner Press Release, 13 October 2016. Available at: http://www.gartner.com/newsroom/ id/3476317.

Parker, C. 2013. "3-D printing creates murky product liability issues, Stanford scholar says". Stanford University. Stanford Report, 12 December 2013. Available at: http://news.stanford.edu/news/2013/ december/3d-legal-issues-121213.html.

PwC. 2016. 3D Printing comes of age in US industrial manufacturing. Available at: https://www. pwc.com/us/en/industrial- products/publications/assets/pwc-next-manufacturing-3d-printing-comes-of-age.pdf.

Rehnberg, M. and S. Ponte. 2016. "3D Printing and Global Value Chains: How a new technology may restructure global production". Global Production Networks Centre Faculty of Arts & Social Sciences. GPN Working Paper Series, GPN2016-010. Available at: http://gpn.nus.edu.sg/file/ Stefano%20Ponte_GPN2016_010.pdf.

de Wargny, M. 2016. "Top 10 Future 3D Printing Materials (that exist in the present!)". Sculpteo, 28 September 2016. Available at: https://www.sculpteo.com/blog/2016/09/28/top-10-future-3d-printing-materials-that-exist-in-the-present/.

Wohlers Associates. 2014. Wohlers Report 2014. 3D Printing and Additive Manufacturing State of the Industry. Annual Worldwide Progress Report. Wohlers Associates.

Wohlers Associates. 2016. Wohlers Report 2016. 3D Printing and Additive Manufacturing State of the Industry. Annual Worldwide Progress Report. Wohlers Associates.

Special Insert: 드론의 명과 암

Amazon Prime Air. 2015. "Determining Safe Access with a Best-Equipped, Best-Served Model for Small Unmanned Aircraft Systems". NASA Unmanned Aircraft System Traffic Management (UTM). Available at: https://utm.arc.nasa.gov/docs/Amazon_Determining%20Safe%20Access%20 with%20a%20Best-Equipped,%20Best-Served%20Model%20for%20sUAS[2].pdf.

Kopardekar, P. et al. 2016. "Unmanned Aircraft System Traffic Management (UTM) Concept of Operations". Presented at the 16th AIAA Aviation Technology, Integration, and Operations Conference, 13-17 June 2016, Washington DC. Available at: https://utm.arc.nasa.gov/docs/ Kopardekar_2016-3292_ATIO. pdf.

NASA Traffic Unmanned Management. 2015. "Google UAS Airspace System Overview". NASA

Traffic Unmanned Management. Available at: https://utm.arc. nasa.gov/docs/GoogleUASAirspace SystemOverview5pager[1].pdf.

Overly, S. 2016. "Watch this 'gun' take down a flying drone". The Washington Post, 29 November 2016. Available at: https://www.washingtonpost.com/ news/innovations/wp/2016/11/29/watch-this-gun-can-take-down-a-flying-drone/?utm_term=.c27bfe46b456.

Thompson, M. 2013. "Costly Flight Hours" Time Magazine. 2 April 2013. Available at: http://nation.time.com/2013/04/02/ costly-flight-hours/.

Chapter 11: 생명공학

Cyranoski, D. 2016. "CRISPR gene-editing tested in a person for the first time". Nature, 15 November 2016. Available at: http://www.nature.com/news/crispr-gene-editing-tested-in-a-person-for-the-first-time-1.20988.

Das, R. 2010. "Drug Industry Bets Big On Precision Medicine: Five Trends Shaping Care Delivery". Forbes, 8 March 2017. Available at: https://www.forbes. com/sites/reenitadas/2017/03/08/drug-development-industry-bets-big-on-precision- medicine-5-top-trends-shaping-future-care-delivery/2/#62c2746a7b33.

EY. 2016. Beyond borders 2016: Biotech financing. Available at: http://www.ey.com/ Publication/vwLUAssets/ey-beyond- borders-2016-biotech-financing/$FILE/ey-beyond-borders-2016-biotech-financing.pdf.

Lee, S. Y. and H. U. Kim. 2015. "Systems strategies for developing industrial microbial strains". Nature Biotechnology 33(10): 1061-1072.

Peplow, M. 2015. "Industrial biotechs turn greenhouse gas into feedstock opportunity". Nature Biotechnology 33: 1123-1125.

Reilly, M. 2017. "In Africa, Scientists Are Preparing to Use Gene Drives to End Malaria." MIT Technology Review, 14 March 2017. Available at: https://www. technologyreview.com/s/603858/in-africa-scientists-are-preparing-to-use-gene-drives-to-end-malaria/.

Chapter 12: 신경기술

Constine, J. 2017. "Facebook is building brain-computer interfaces for typing and skin-hearing". TechCrunch, 19 April 2017. Available at: https://techcrunch. com/2017/04/19/facebook-brain-interface/.

Emmerich, N. 2015. "The ethical implications of neuroscience". World Economic Forum, Agenda. 20 May 2015. Available at: https://www.weforum.org/ agenda/2015/05/the-ethical-implications-of-neuroscience/.

European Commission. 2016. "Understanding the human brain, a global challenge ahead", 1 December 2016. Available at: https://ec.europa.eu/digital-single-market/en/news/understanding-human-brain-global-challenge-ahead.

Ghosh, K. 2015. "SpaceX for the Brain: Neuroscience Needs Business to Lead (Op-Ed)". Live Science, 9 September 2015. Available at: http://www.livescience. com/52129-neuroscience-needs-business-to-take-the-lead.html.

Grillner, S. et al. 2016. "Worldwide initiatives to advance brain research". Nature Neuroscience 19(9): 1118-1122. Available at: https://www.nature.com/neuro/ journal/v19/n9/full/nn.4371.html.

Imperial College London. 2017. "Brain & Behaviour Lab". Available at: http:// www.faisallab.com/.

Jones, R. 2016. "The future of brain and machine is intertwined, and it's already here". The Conversation, 3 October 2016. Available at: https://theconversation.com/the-future-of-brain-and-machine-is-intertwined-and-its-already-here-65280.

Juma, C. 2016. Innovation and Its Enemies: Why People Resist New Technologies. New York: Oxford University Press.

Nager, A B. and Atkinson, R.D. 2016. "A Trillion-Dollar Opportunity: How Brain Research Can Drive Health and Prosperity", ITIF. July 2016. Available at ttp://www2.itif.org/2016-trillion-dollar-opportunity.pdf.

Neurotech. 2016. The Market for Neurotechnology: 2016-2020. A Market Research Report from Neurotech Reports. Available at: http://www.neurotechreports.com/pages/execsum.html.

Oullier, O. 2012. "Clear up this fuzzy thinking on brain scans". Nature 483(7387) 29 February 2012. Available at: http://www. nature.com/news/clear-up-this-fuzzy-thinking-on-brain-scans-1.10127.

Statt, N. 2017. "Elon Musk launches Neuralink, a venture to merge the human brain with AI". The Verge, 27 March 2017. Available at: http://www.theverge.com/2017/3/27/15077864/elon-musk-neuralink-brain-computer-interface-ai-cyborgs.

World Economic Forum. 2016. "The Digital Future of Brain Health". Global Agenda White Paper: Global Agenda Council on Brain Research. Geneva: World Economic Forum. Available at: https:// www.weforum.org/whitepapers/the-digital-future-of- -brain-health.

Chapter 13: 가상현실과 증강현실

Chafkin, M. 2015. "Why Facebook's $2 Billion Bet on Oculus Rift Might One Day Connect Everyone on Earth", Vanity Fair, October 2015. Available at: http://www.vanityfair.com/news/2015/09/oculus-rift-mark-zuckerberg-cover-story-palmer- -luckey.

Goldman Sachs. 2016. Profiles in Innovation: Virtual & Augmented Reality. The Goldman Sachs Group, 13 January 2016. Available at: http://www.goldmansachs.com/our-thinking/pages/

technology-driving-innovation-folder/virtual-and- -augmented-reality/report.pdf.

Sebti, B. 2016. "Virtual reality can 'transport' audiences to poor countries. But can it persuade them to give more aid?" World Economic Forum, Agenda. 31 August 2016. Available at: https://www. weforum.org/agenda/2016/08/virtual-reality- -can-transport-audiences-to-poor-countries-but-can-it-persuade-them-to-give-more-aid.

Zuckerberg, M. 2015. "Mark Zuckerberg and Oculus's Michael Abrash on Why Virtual Reality Is the Next Big Thing", Zuckerberg Vanity Fair interview, YouTube, 8 October 2015. Available at: https:// www.youtube.com/watch?v=VQaCv52DSnY.

Chapter 14: 에너지 확보, 저장, 전송

Bloomberg. 2016. "Wind and Solar Are Crushing Fossil Fuels". T. Randall, Bloomberg. 6 April 2016. Available at: https://www. bloomberg.com/news/articles/2016-04-06/wind-and-solar-are-crushing-fossil-fuels.

European Commission. 2017. "Renewables: Europe on track to reach its 20% target by 2020". Fact Sheet, 1 February 2017. Available at: http://europa.eu/rapid/press-release_MEMO-17-163_en.htm.

Frankfurt School of Finance & Management. 2017. Global Trends in Renewable Energy Investment 2017. Frankfurt School-UNEP Collaborating Centre/Bloomberg New Energy Finance. Available at: http://fs-unep-centre.org/sites/default/files/publications/globaltrendsinrenewableenergyinvestme nt2017.pdf.

IEA (International Energy Agency). 2016. World Energy Outlook 2016. Chapter 1: Introduction and scope. Paris: OECD/IEA. Available at: https://www.iea.org/media/publications/weo/ WEO2016Chapter1.pdf.

Kanellos, M. 2013. "Energy's Next Big Market: Transmission Technology".

Forbes, 30 August 2013. Available at: https:// www.forbes.com/sites/michaelkanellos/2013/08/30/ energys-next-big-market-transmissiontechnology/#71d13b9e31c4.

Parry, D. 2016. "NRL Space-Based Solar Power Concept Wins Secretary of Defense Innovative Challenge," U.S. Naval Research Laboratory, 11 March 2016.

Available at: https://www.nrl.navy.mil/media/news-releases/2016/NRL-Space-Based-Solar-Power-Concept-Wins-Secretary-of-Defense-Innovative-Challenge.

Tucker, E. 2014. "Researchers Developing Supercomputer to Tackle Grid Challenges". Renewable Energy World, 7 July 2014. Available at: http://www.renewableenergyworld.com/articles/2014/07/ researchers-developingsupercomputer-to- -tackle-grid-challenges.html.

United Nations, Department of Economic and Social Affairs, Population Division. 2015. "World Population Prospects: The 2015 Revision, Key findings & advance tables". Working Paper No. ESA/

P/WP.241. Available at: https://esa.

un.org/ unpd/wpp/publications/files/key_findings_wpp_2015.pdf.

University of Texas at Austin. 2017. "Lithium-Ion Battery Inventor Introduces New Technology for Fast-Charging, Noncombustible Batteries". UT News Press Release, 28 February 2017. Available at: https://news.utexas.edu/2017/02/28/goodenough-introduces-new-battery-technology.

Woolford, J. 2015. "Artificial Photosynthesis for Energy Takes a Step Forward". Scientific American, ChemistryWorld, 6 February 2015. Available at: https://www.scientificamerican.com/article/artificial-photosynthesis-for-energy-takes-a-step-forward/.

World Bank. 2017. "Electric power consumption (kWh per capita), 1960-2014". Available at: http://data.worldbank.org/ indicator/EG.USE.ELEC.KH.PC.

Chapter 15: 지구공학

Condliffe, J. 2017. "Geoengineering Gets Green Light from Federal Scientists".

MIT Technology Review, Sustainable Energy, 11 January 2017. Available at: https://www.technologyreview.com/s/603349/geoengineering-gets-green-light--fromfederal-scientists/.

IPCC (Intergovernmental Panel on Climate Change). 2013. Climate Change 2013: The Physical Science Basis. Contribution of Working Group I to the Fifth Assessment Report of the Intergovernmental Panel on Climate Change [Stocker, T.F., D. Qin, G.-K. Plattner, M. Tignor, S.K. Allen, J. Boschung, A. Nauels, Y. Xia, V. Bex and P.M. Midgley(eds)]. Cambridge, UK and New York, USA: Cambridge University Press.

Keith, D. 2002. "Geoengineering the Climate: History and Prospect". R. G. Watts (ed.) Innovative Energy Strategies for CO2 Stabilization. Cambridge: Cambridge University Press. Available at: https://www.yumpu.com/en/document/view/50122050/geoengineering-the-climate-history-and-prospectpdf-david-keith.

Neslen, A. 2017. "US scientists launch world's biggest solar geoengineering study". The Guardian, 24 March 2017. Available at: https://www.theguardian.com/environment/2017/mar/24/us-scientists-launch-worlds-biggest-solar--geoengineering-study.

Pasztor, J. 2017. "Toward governance frameworks for climate geoengineering." Global Challenges Foundation. Available at: https://globalchallenges.org/en/our-work/quarterly-reports/global-cooperation-in-dangerous-times/toward-governance--frameworks-for-climate-geoengineering.

Stilgoe, J. 2016. "Geoengineering as Collective Experimentation". Science and Engineering Ethics 22(3): 851-869. Available at: https://link.springer.com/article/10.1007/s11948-015-9646-0.

Chapter 16: 우주기술

BAE Systems. 2015. "BAE Systems and Reaction Engines to develop a ground breaking new aerospace engine". BAE Newsroom, 2 November 2015. Available at: http://www.baesystems.com/en/bae-systems-and-reaction-engines-to- -develop-a-ground-breaking-new-aerospace-engine.

de Selding, P. B. 2015. "BAE Takes Stake in British Air-breathing Rocket Venture". SpaceNews, 2 November 2015. Available at: http://spacenews.com/bae-takes-stake-in-british-air-breathing-rocket-venture/.

Dillow, C. 2016. "VCs Invested More in Space Startups Last Year Than in the Previous 15 Years Combined". Fortune, 22 February 2016. Available at: http://fortune.com/2016/02/22/vcs-invested-more-in-space-startups-last-year/.

NASA (National Aeronautics and Space Administration). 2014. Emerging Space: The Evolving Landscape of 21st Century American Spaceflight. NASA Office of the Chief Technologist. Available at: https://www.nasa.gov/sites/default/files/files/ Emerging_Space_Report.pdf.

Siceloff, S. 2017. "New Spacesuit Unveiled for Starliner Astronauts". NASA, 25 January 2017. Available at: https://www. nasa.gov/feature/new-spacesuit-unveiled-for-starliner-astronauts.

Thibeault, S. et al. 2015. "Nanomaterials for radiation shielding". MRS Bulletin 40(10): 836-841.

Conclusion: 시스템 리더십: 4차 산업혁명을 이끌기 위해 당신이 할 수 있는 일들

AlphaBeta. 2017. The Automation Advantage. AlphaBeta news. 8 August 2017. Available at: http://www.alphabeta.com/the-automation-advantage/.

Carbon 3D. 2017. "The Perfect Fit: Carbon + adidas Collaborate to Upend Athletic Footwear". 7 April 2017. Available at: http://www. carbon3d.com/stories/adidas/. [Accessed 1 June 2017].

Guston, D. 2008. "Innovation policy: not just a jumbo shrimp". Nature 454(7207): 940-941.

Hadfield, G. 2016. Rules for a Flat World. New York: Oxford University Press.

International Organization for Standardization. 2017. "ISO/TS 15066:2016, Robots and robotic devices — Collaborative robots". Available at: https://www.iso.org/standard/62996.html. [Accessed 3 November 2017].

International Organization for Standardization. 2017a. "ISO/TC 20/ SC 16, Unmanned aircraft systems". Available at: https://www.iso.org/ committee/5336224/x/catalogue/p/0/u/1/w/0/d/0. [Accessed 3 November 2017].

Marchant, G. and W. Wallach. 2015. "Coordinating Technology Governance". Issues in Science and Technology XXXI(4).

Maynard, A. 2016. "A further reading list on the Fourth Industrial Revolution". World Economic Forum, Agenda. 22 January 2016. Available at: https://www. weforum.org/agenda/2016/01/

mastering-the-social-side-of-the-fourth-industrial-revolution-an--essential-reading-list/.

McKinsey Global Institute. 2017. Harnessing Automation for a Future that Works. Available at: http://www.mckinsey.com/ global-themes/digital-disruption/ harnessing-automation-for-a-future-that-works.

Mulgan, G, 2017. "Anticipatory Regulation: 10 ways governments can better keep up with fast-changing industries". 11 September 2017. Available at: http://www. nesta.org.uk/blog/anticipatory-regulation-how-can-regulators-keep-fast-changing--industries#sthash.N9LV5jdB.dpuf.

Owen, R., P. Macnaghten and J. Stilgoe. 2012. "Responsible Research and Innovation: From Science in Society to Science for Society, with Society". Science and Public Policy 39(6): 751-760.

Rodemeyer, M., D. Sarewitz and J. Wilsdon. 2005. The Future of Technology Assessment. Woodrow Wilson International Center for Scholars, Science and Technology Innovation Program. Available at: https://www.wilsoncenter.org/ sites/default/files/techassessment.pdf.

Sutcliffe, H. 2015. "Why I've ditched the 'Responsible Innovation' moniker to form 'Principles for Sustainable Innovation'." Matterforall blog, 13 February 2015. Available at: http://societyinside.com/ why-ive-ditched-responsible-innovation-moniker-form-principles-sustainable-innovation.

Thomas, J. 2009. "21st Century Tech Governance? What would Ned Ludd do?" 2020 Science, 18 December 2009. Available at: https://2020science.org/category/ technology-innovation-in-the-21st-century/.

Vanian, J. 2016. "Why Data Is The New Oil". Fortune, 11 July 2016. Available at: http://fortune. com/2016/07/11/data-oil--brainstorm-tech/.

World Economic Forum. 2016. The Future of Jobs: Employment, Skills and Workforce Strategy for the Fourth Industrial Revolution. Global Challenge Insight Report. Geneva: World Economic Forum.

World Economic Forum Global Agenda Council on the Future of Software and Society. 2016. "A Call for Agile Governance Principles". Geneva: World Economic Forum. Available at: http://www3. weforum.org/docs/IP/2016/ICT/Agile_ Governance_Summary.pdf.

World Economic Forum. 2018. "Agile Governance: Reimagining Policy-making in the Fourth Industrial Revolution". Geneva: World Economic Forum

World Economic Forum. 2017. "How the Fourth Industrial Revolution can help us prepare for the next natural disaster". World Economic Forum, Agenda

The New Yorker. 2017. "D.I.Y. Artificial Intelligence Comes to a Japanese Family Farm" A. Zeeberg, The New Yorker, 10 August 2017. Available at: https://www. newyorker.com/tech/elements/diy-artificial-intelligence-comes-to-a-japanese-family-farm

주석 🔍

1 어떤 산업은 다른 산업들보다 더 많이 성장했다. 1780년부터 1801년 사이 면직물 생산량은 연 평균 9.7퍼센트 성장했고 1801년부터 1831년 사이에는 연 평균 5.6퍼센트 성장했다. 같은 기간 철 생산량은 5.1퍼센트와 4.6퍼센트를 기록했다. (크래프츠(Crafts) 1987)

2 바츨라프 스밀(Vaclav Smil)은 이것이 역사상 아마도 가장 영향력이 큰 발명품이라고 말했다. (스밀(Smil) 2005)

3 매클로스키(McCloskey) 2016

4 UN 개발계획에 의하면 인간 개발 지수는 "스스로 가치 있다고 생각하는 삶을 살 수 있는 자유와 기회, 스스로 능력을 개발시키고 그 능력을 사용할 수 있는 기회를 주는 것이다. 인간 개발의 세 가지 조건은 건강하고 창조적인 삶을 살고, 풍부한 지식을 쌓고, 괜찮은 삶을 살아가는 데 필요한 자원에 접근하는 것이다. 환경적 지속가능성과 남녀평등 등 인간 개발에 적합한 조건을 조성하는 것도 포함된다."(UNDP 2017)

5 고든(Gordon) 2016

6 매클로스키(McCloskey) 2016

7 질병통제및예방센터(Centers for Disease Control and Prevention) 2016

8 세계은행(World Bank) 2017

9 뉴욕 타임스(The New York Times) 2017

10 OECD 2016

11 버거 & 프레이(Berger and Frey) 2015

12 캐츠 & 크루거(Katz and Krueger) 2016

13 세계경제포럼 2017b

14 샌프란시스코 이그재미너(The San Francisco Examiner) 2017

15 세계경제포럼 2017a

16 뉴 아틀라스(New Atlas) 2015

17 슈밥(Schwab) 2016

18 데바라지 & 힉스(Devaraj and Hicks) 2017

19 세계경제포럼 2017

20 브린욜프슨 & 맥아피(Brynjolfsson and McAfee) 2014

21 보스턴 글로브(The Boston Globe) 2016

22 킬리(Keeley) 2015

23 란킨(Rankin) 2015

24 전자전기공학연구소(IEEE) 2017

25 너필드 생명윤리위원회(Nuffield Council on Bioethics) 2014

26 전자전기공학연구소 2017

27 세계경제포럼 2013

28 유럽 개인정보보호법(EU GDPR) 2017

29 이 전략은 많은 형태로 제안되었지만, 이 경우에 고려된 개념적 모델은 미첨(Mitcham 1994)이 요약한 '의무와 존중(duty plus respicere)'이었다.

30 오펜하이머(Oppenheimer, [1945년 11월 2일]) 2017

31 트롤리 문제는 도덕적 의사 결정의 복잡성을 소개하기 위해 윤리 과목에서 종종 등장하는 선택 문제다. 이 문제에서 트롤리는 인부들을 향해 나아가고 있다. 트롤리를 다른 방향으로 틀어 그들을 살릴 수 있지만, 그럴 경우 그쪽 철로에서 일하는 중인 한 인부를 치게 된다. 어떤 경우든 누군가에게는 안 좋은 결과가 초래된다. 학생은 자신이 내린 결정에 대한 정당성을 입증해야 한다.

32 프레츠(Pretz) 2017

33 플로리다 아이스 앤드 팜 컴퍼니(Florida Ice and Farm Company) 2015

34 예를 들어, 라투어 & 우글러(Latour and Woolgar, 1979)가 있다.

35 공학 및 물리과학 연구위원회(EPSRC) 2017

36 캐스 & 플로리디(Cath and Floridi) 2017

37 슈밥 2016, p. 107

38 보스턴 컨설팅 그룹(The Boston Consulting Group) 2016

39 필벡(Philbeck) 2017

40 필벡(Philbeck) 2017

41 미국의 소설가이자 사회운동가 수전 손택(Susan Sontag)

42 밀라노비치(Milanovic) 2016

43 히달고 하우스만 외(Hausmann, Hidalgo et al.) 2011

44 서식스 대학교(University of Sussex) 2008

45 칼레스투 주마(Calestous Juma, 2017)와의 인터뷰 내용

46 유네스코 2016

47 코카서스, 중앙아시아, 북아프리카, 남아시아, 사하라 이남의 아프리카, 그리고 서아시아에서 젊은 남성보다 젊은 여성의 취학률이 더 낮은 것에서 볼 수 있듯 성차별은 뚜렷하게 존재한다.(유네스코, 2016)

48 옥스퍼드 대학교 인터넷 연구소(Oxford Internet Institute), '학문적 지식의 위치(The Location of Academic Knowledge)' 2017

49 유네스코 2017

50 체발로스 외(Ceballos et al.) 2015

51 미국 인구조회국(Population Reference Bureau) 2017

52 세계은행과 건강계측평가연구소(World Bank and Institute for Health Metrics and Evaluation) 2016

53 세계경제포럼 2016a

54 세계경제포럼 2014

55 글로벌 챌린지 재단(Global Challenges Foundation) 2017

56 스테펀 외(Steffen et al.) 2015

57 UN 경제사회국(United Nations Department of Economic and Social Affairs, Population Division) 2015

58 또한 삼림 벌채는 산림 공동체와 영세농의 생계를 위협하고 생물의 다양성을 고갈시킨다.(엔바콤, 페이사, 타켈레(Enbakom, Feyssa and Takele) 2017)

59 뉴스허브(Newshub) 2016

60 예일 인바이런먼트 360(Yale Environment 360) 2016

61 블룸버그 2016

62 MIT 테크놀로지 리뷰 2017

63 포춘 2017

64 세계경제포럼 2016

65 카탈리스트(Catalyst) 2016, 유네스코 2015

66 딜로이트 2016

67 필벡(Philbeck) 2017

68 타이 외(Tay et al.) 2013

69 "2. 많은 신흥국에서 스마트폰 구매율은 급증하고 있지만 디지털 디바이드는 여전하다."(포쉬터(Poushter) 2016)

70 오늘날 선진국의 평균적인 가정은 1950년대 전 세계가 보유한 컴퓨터보다 더 많은 컴퓨터를 갖고 있다. 제임스 코르타다와 케네스 플람은 1950년 디지털 컴퓨터의 수를 조사해보는데, 미국에 두 대 그리고 영국에 세 대, 총 다섯 대가 존재했다는 것을 확인했다. 시장조사 기관인 NPD 그룹은 2013년 미국의 평균적인 가정은 모바일 기기를 포함하여 최소 5.7대의 디지털 컴퓨터 보유하고 있는 것으로고 추정했다. 스마트폰이 계속해서 가빠르게 보급되고 TV와 식기세척기 등 다양한 가전제품에 마이크로프로세서가 광범위하게 쓰이는 2017년에는 이 수치가 두 배가 되었을 것이다. 코르타다(Cortada, 1993)와 콕쇼트, 맥킨지, 마이클슨(Cockshott, Mackenzie and Michaelson, 2010)을 참고.

71 세계경제포럼과 인시아드 경영대학원(INSEAD) 2015

72 ITRS 2.0 보고서 2015

73 양(Yang) 2016

74 데닝 & 루이스(Denning and Lewis) 2016

75 라피디스(Lapedus) 2016

76 전자전기공학연구소 2016

77 특히 1970년에 나온 인텔 4004와 1974년에 개발된 8008이 그랬다.

78 저항변화형(ReRam) 메모리는 특히 딥 러닝 알고리즘에 최적화된 메모리로, 바이너리 컴퓨팅을 한 단계 끌어올릴 것으로 기대받고 있다.

79 처리 가능 이상의 변수를 포함한 문제를 풀기 위해서는 현재 가장 성능 좋은 컴퓨터로는 우주가 지금까지 존재했던 시간보다 더 많은 시간이 필요하다. 퀀텀 컴퓨터는 중첩의 확률적 특성을 바탕으로 동시에 여러 상태에서 시뮬레이션을 할 수 있어, 현재의 디지털 컴퓨터로는 도저히 해결할 수 없는 문제에 대한 최적(또는 최적에 가까운)의 해답을 찾아낼 수 있다.

80 절대영도(absolute zero)는 이론적으로 가능한 가장 낮은 온도로 영하 273.15도다.

81 MIT의 수학 교수인 피터 쇼어(Peter Shor)는 쇼어 알고리즘을 개발했다. 쇼어 알고리즘이란 오늘날 가장 성능이 좋은 컴퓨터보다 기하급수적으로 빠르게 소인수분해를 할 수 있는 퀀텀 알고리즘이다.

82 바이저(Weiser 1991)

83 예시를 보려면 프로스트 고르더(Frost Gorder, 2016) 참고

84 솔론(Solon) 2017

85 나이트(Knight) 2015

86 처치 교수는 자신의 저서의 사본을 700억 개(디지털화된 사본 - 옮긴이)를 만든 뒤 이를 1제곱미터당 5.5페타비트(petabit, 1페타비트 = 10의 15승 바이트)의 정보를 저장할 수 있는 DNA 마이크로칩에 이식했다. 카메론과 모왓(Cameron and Mowatt 2012) 참고.

87 슈밥 2016

88 STT-MRAM(Spin-Transfer-Torque Magnetic Random Access Memory)은 전자 스핀(electron spin)을 정보 저장에 활용한 메모리다. STT-MRAM은 방사능의 위협에도 작동되며 극단적으로 높은 온도에서도 작동된다. 따라서 우주와 같은 극단적인 환경에서도 쓸 수 있다. 에어버스(Airbus)와 BMW는 STT-MRAM을 사용한 바 있다.

89 라즈베리 파이 재단(Raspberry Pi Foundation) 2016

90 에즈라치 & 스터크(Ezrachi and Stucke) 2017

91 블록체인은 암호화 분산원장 및 스마트 계약, 그리고 다양한 분산 및 암호화된 인터넷 기술을 의미한다.

92 탭스콧(Tapscott 2016, p. 24)

93 분산원장에서는 거래 비용이 0에 수렴할 것이라고 생각하기 쉽다. 중앙화된 중간 거래자가 필요 없기 때문이다. 하지만 현실적으로 거래 비용은 블록체인이 검증되는 방식에 달려 있는 경우가 있고, 심지어 중앙화된 시스템보다 더 높을 수도 있다.

94 브라이언 벨렌도르프(Brian Behlendorf)와의 전화 인터뷰(2017년 5월 26일)

95 대안으로 '지분 증명(proof-of-stake)'이 있다. 지분 증명은 이더리움 블록체인이 미래에 도입하려는 모델이기도 하다.

96 분산원장기술의 불변성은 정부가 불법 활동을 처벌할 수 있는 증거를 수집할 수 있는 또 다른 방법을 제공한다는 것을 의미한다. 불법 무기와 불법 물품을 거래하고 자금 세탁 경로로 악용된 대표적인 다크웹(일반적인 방식으로는 접속이 불가능하며 특정 프로그램을 써야만 접속할 수 있어 보안이 보장되는 웹사이트 - 옮긴이)인 실크로드 사이트를 개설한 로스 울브리히트(Ross Ulbricht)가 FBI에게 검거됐을 때, 압수된 그의 노트북에서 1,800만 달러에 이르는 비트코인 거래가 블록체인에 담겨 있었다.(그린버그, 2016)

97 캐서린 멀리건(Catherin Mulligan)과의 전화 인터뷰(2017년 6월 9일)

98 OECD, 유럽지식재산권청(EUIPO, 2016)

99 루퍼트(Ruppert) 2016

100 피터 스미스(Peter Smith)와의 전화 인터뷰(2016년 9월 27일)

101 여기서 말하는 거래 실수에는 미숙한 타이핑 실력으로 인해 잘못된 키를 치는 실수도 포함된다. 금융 거래를 할 때 이런 실수를 하면 잘못된 종목을 잘못된 가격에 사고팔게 된다.

102 콜럼버스(Columbus) 2016

103 맥킨지 글로벌 인스티튜트(McKinsey Global Institute) 2015

104 세계경제포럼 & 엑센추어(2016)

105 세계경제포럼 2015, p.8

106 맥킨지 글로벌 인스티튜트 2015a

107 페로우(Perrow) 1984

108 세계경제포럼 2015

109 브라운(Brown) 2016

110 웨스트비 & 리처드(Westby and Richard) 2008

111 뉴욕증권거래소 거버넌스 서비스(NYSE Governance Services) 2015

112 OECD 2012

113 세계경제포럼 2017

114 미니와츠 마케팅 그룹(Miniwatts Marketing) 2017

115 이마케터(eMarketer) 2017

116 레인젤, 갠츠, 리드닝(Reinsel, Gantz and Rydning) 2017

117 세계경제포럼 2012

118 그린버그(Greenberg) 2015

119 크렙스온시큐리티(KrebsonSecurity) 2014

120 뉴익스(Nuix) 2017

121 뉴익스(Nuix) 2017

122 틸만(Thielman) 2016

123 샘플 & 헌(Sample and Hern) 2014

124 피터센(Petersen) 2016

125 인공지능 인터내셔널(AI International) 2017

126 메츠(Metz) 2016

127 인공지능 파트너십(Partnership on AI) 2017

128 딥마인드 윤리와 사회(DeepMind Ethics & Society) 2017

129 CB 인사이츠(CB Insights) 2017

130 튜링(Turing) 1951

131 머피(Murphy) 2016, 코너-사이몬스(Conner-Simons) 2016, 하디스티(Hardesty) 2013

132 바니안(Vanian) 2016

133 피트먼(Pittman) 2016

134 피터센(Petersen) 2016, 웨이크필드(Wakefield) 2016, AFP통신 2016

135 맥킨지 앤드 컴퍼니 2017

136 프레이 & 오스본(Frey and Osborne) 2013

137 웨이크필드(Wakefield) 2016b

138 코헨 외(Cohen et al.) 2016

139 라그랜저 & 휴스(LaGrandeur and Hughes) 2017, 세계경제포럼 2016, OECD 2016

140 EPSRC 2017

141 바라니욱(Baraniuk) 2015

142 드 와그니(de Wargny) 2016

143 뢴버그 & 폰테(Rehnberg and Ponte) 2016

144 홀러스 어소시에이츠(Wohlers Associates) 2016

145 가트너(Gartner) 2016

146 홀러스 어소시에이츠 2016

147 PwC 2016

148 홀러스 어소시에이츠 2016

149 홀러스 어소시에이츠 2014 p.26

150 뢴버그 & 폰테 2016

151 파커(Parker) 2013

152 저자가 직접 F-22 랩터의 비용을 리퍼와 프레데터 드론의 비용을 비교해서 내린 결론이다. 유인 항공기 비용의 일부만으로 운영되는 드론에게는 비행 시간당 비용도 중요한 고려 요소다. 톰슨(Thompson, 2013)을 참고.

153 심현철 교수와의 인터뷰(2016년 10월)

154 안드레아스 랩토풀로스와의 인터뷰(2016년 10월)

155 오벌리(Overly 2016)

156 코파르데카르 외(Kopardekar et al.) 2016

157 NASA 무인항공기교통관제시스템(NASA Traffic Unmanned Management) 2015, 아마존 프라임 에어(Amazon Prime Air) 2015

158 유전자가위, 즉 CRISPR은 'Clustered Regularly Interspaced Short Palindromic Repeat'의 약자이다

159 라일리(Reilly) 2017

160 헨리 그릴리(Henry Greely)와의 인터뷰

161 EY 2016

162 리 & 김(Lee and Kim) 2015

163 페플로(Peplow) 2015

164 컴퓨터 칩을 뇌에 이식하거나 전극을 두뇌에 삽입하는 방식도 있다. 그 외에도 우리의 뇌파와 두뇌에서 파장되어 나오는 전기 신호를 모니터링하는 비침습적 뇌파 기기와 전기신호나 자기장을 활용해 뇌 활동을 방해하거나 촉진하는 다른 비침습적 기기들도 있다. 눈의 움직임, 심장박동, 피부 전도성, 그리고 혈압과 같은 신체 운동 및 물리적 신호로 우리의 생각과 의도를 해석하는 기계도 개발되었다. 뇌내 화학성분에 영향을 끼치는 화학물질, 뇌 활동에 영향을 주는 소리와 영상을 방출하는 기계도 있다.

165 커피와 커피하우스(오늘날의 카페 - 옮긴이)는 15~16세기에 걸쳐 예멘과 에티오피아에서 이슬람 세계로 퍼졌으나, 1511년 메카의 총독 카이르(Kha'ir)는 커피를 금지했다. 커피를 사랑했던 교황 클레멘스 8세가 1600년 커피에게 '세례'를 내렸다. 1637년 영국에 소개된 커피는 (알코올 섭취량을 줄이려는 목적에서 시도했던) 차(茶) 소비를 증진시키려는 노력에 큰 위협이 되었고 결과적으로 1675년 영국의 찰스 2세는 '커피하우스의 억압을 위한 성명서(Proclamation for the Suppression of Coffee Houses)'를 발표하면서 커피를 금지했다. 프러시아의 프리드리히 대왕은 커피가 프러시아 전통주인 맥주의 매출에 악영향을 줄 수 있다는 생각에 커피를 볶는 사람들을 처벌했다. 스웨덴은 1756년과 1817년 사이 다섯 번이나 법령을 내리면서 커피 수입을 금지시켰다. 오늘날 네스프레소(Nespresso) 사는 앱으로 커피를 주문할 수 있게 한 것은 물론, 프로디지오(Prodigio, 네스프레소의 캡슐 커피 머신 - 옮긴이)의 경우 인터넷으로 접속해 원격으로 커피를 추출하는 서비스도 제공하고 있다. 주마(Juma, 2016) 참조.

166 콘스틴(Constine) 2017

167 제프리 링과의 인터뷰(2016년 9월 28일)

168 존스(Jones) 2016

169 이런 웨어러블 기기는 EMOTIV(https://www.emotiv.com/)에서 찾아볼 수 있다.

170 니티시 타코르와의 인터뷰(2016년 9월 28일)

171 사트(Statt) 2017

172 네이거 & 앳킨슨(Nager and Atkinson) 2016

173 뉴로테크(Neurotech) 2016

174 닐 카셀과의 인터뷰(2017년 5월 18일)

175 그릴네르 외(Grillner et al.) 2016, 유럽연합 집행위원회(European Commission) 2016

176 세계경제포럼 2016

177 낸시 입과의 인터뷰(2016년 11월 10일)

178 에머리히(Emmerich) 2015

179 오울리어(Oullier) 2012

180 고시(Ghosh) 2015

181 채프킨(Chafkin) 2015

182 저커버그(Zuckerberg) 2015

183 골드만삭스(Goldman Sachs) 2016

184 고대 그리스어인 techné는 '기술(technology)'의 어원 중 하나이지만, 그림, 조각, 목수와 같이 전통적인 의미의 '예술'이나 '공예'로 가장 많이 번역된다.

185 세계은행 2017

186 카넬로스(Kanellos) 2013

187 프랑크푸르트 금융·경영대학원 2017, 도표 25

188 프랑크푸르트 금융·경영대학원 2017, 도표 51, 도표 1

189 캐머런 헵번과의 인터뷰(2016년 9월 28일)

190 터커(Tucker) 2014

191 울포드(Woolford) 2015

192 ITER(라틴어로 '길(道)'이라는 의미를 가지고 있다)은 세계에서 가장 큰 자기 융합 기기(magnetic fusion device)를 만들기 위한 35개 국가의 협력체다.

193 패리(Parry) 2016

194 텍사스 대학교 오스틴 캠퍼스(University of Texas at Austin) 2017

195 유럽연합 집행위원회 2017

196 UN 경제사회국 인구사무국(United Nations, Department of Economic and Social Affairs, Population Division) 2015

197 스틸고(Stilgoe) 2016

198 패스토르(Pasztor) 2017

199 패스토르(Pasztor) 2017

200 기후변화에 관한 정부 간 협의체(IPCC) 2013

201 콘드리프(Condliffe) 2017

202 네슬렌(Neslen) 2017

203 패스토르(Pasztor) 2017

204 드 셀딩(de Selding) 2015

205 딜로(Dillow) 2016

206 시셀로프(Siceloff) 2017

207 티볼트 외(Thibeault et al.) 2015

208 카본 3D(Carbon 3D) 2017

209 바니안(Vanian) 2016

210 맥킨지 글로벌 인스티튜트 2017

211 알파베타(AlphaBeta) 2017

212 국제표준화기구 2017

213 국제표준화기구 2017a

214 세계경제포럼 2018

215 2001년 2월, '애자일 소프트웨어 개발 선언문(Manifesto for Agile Software Development)', http://agilemanifesto.org/

216 세계경제포럼 소프트웨어와 사회의 미래를 위한 글로벌 어젠다 위원회(The World Economic Forum Global Agenda Council on the Future of Software and Society)는 애자일 선언문(Agile Manifesto)의 원칙을 보다 자세하게 서술한 '애자일 거버넌스 원칙'을 공표했고, 이를 정책 결정 과정에서 새롭게 적용하였다. 다음 사이트를 참조할 것. http://www3.weforum.org/docs/IP/2016/ICT/Agile_Governance_Summary.pdf

217 세계경제포럼 2018

218 이 리스트는 메이너드(Maynard, 2016)를 참고했다.

219 영국 내각의 정책 연구소는 https://openpolicy.blog.gov.uk/category/policy-lab/ 에서 찾아볼 수 있다.

220 물간(Mulgan) 2017

221 크라우드로(CrowdLaw) 참고(http://www.thegovlab.org/project-crowdlaw.html)

222 해드필드(Hadfield) 2016

223 오웬, 맥너텐, 스틸고(Owen, Macnaghten and Stilgoe) 2012

224 서트클리프(Sutcliffe) 2015

225 거스턴(Guston) 2008

226 마찬트 & 왈라흐(Marchant and Wallach) 2015

227 토머스(Thomas) 2009

228 로드마이어, 세어위츠, 윌스돈(Rodemeyer, Sarewitz and Wilsdon) 2005

229 세계경제포럼 소프트웨어와 사회의 미래에 대한 글로벌 어젠다 위원회 2016

230 영국 공무원 대학 참고(https://www.cscollege.gov.sg)

231 세계경제포럼 2017

232 뉴요커(New Yorker) 2017

233 팹 재단(Fab Foundation) 참고(http://www.fabfoundation.org/)

234 젠스페이스 참고(https://www.genspace.org/classes-alt/)

클라우스 슈밥의
제4차 산업혁명
———— THE ————
NEXT
———— 더 넥스트 ————

초판 14쇄 발행 2022년 1월 25일
초판 1쇄 발행 2018년 4월 5일

지은이 클라우스 슈밥
정 리 니컬러스 데이비스
옮긴이 김민주, 이엽

발행인 손은진
개발책임 조현주
개발 김민정
제작 이성재 장병미
디자인 design BIGWAVE
발행처 메가스터디(주)
출판등록 제2015-000159호
주소 서울시 서초구 효령로 304 국제전자센터 24층
전화 1661-5431 팩스 02-6984-6999
홈페이지 http://www.megastudybooks.com
이메일 megastudy_official@naver.com

ⓒ 클라우스 슈밥, 2018
ISBN 979-11-297-0170-1 03320

메가스터디BOOKS
'메가스터디북스'는 메가스터디㈜의 출판 전문 브랜드입니다.
유아/초등 학습서, 중고등 수능/내신 참고서는 물론, 지식, 교양, 인문 분야에서 다양한 도서를 출간하고 있습니다.